COMO TRANSFORMAR A SUA VIDA

Ordem sugerida, para iniciantes, de estudo ou de leitura dos livros de Venerável Geshe Kelsang Gyatso Rinpoche

Como Transformar a sua Vida
Como Entender a Mente
Caminho Alegre da Boa Fortuna
O Espelho do Dharma, com Adições
Novo Coração de Sabedoria
Budismo Moderno
Solos e Caminhos Tântricos
Novo Guia à Terra Dakini
Essência do Vajrayana
As Instruções Orais do Mahamudra
Grande Tesouro de Mérito
Novo Oito Passos para a Felicidade
Introdução ao Budismo
Como Solucionar Nossos Problemas Humanos
Contemplações Significativas
O Voto Bodhisattva
Compaixão Universal
Novo Manual de Meditação
Viver Significativamente, Morrer com Alegria
Oceano de Néctar
Joia-Coração
Clara-Luz de Êxtase
Mahamudra-Tantra

Este livro é publicado sob os auspícios do
Projeto Internacional de Templos da NKT-IKBU,
e o lucro recebido com a sua venda está direcionado para
benefício público através desse fundo.
[Reg. Charity number 1015054 (England)]
Para mais informações:
tharpa.com/br/beneficie-todos

Venerável Geshe Kelsang
Gyatso Rinpoche

Como Transformar a sua Vida

UMA JORNADA DE ÊXTASE

1ª edição

Editora Tharpa
BRASIL • PORTUGAL

São Paulo, 2022

© Geshe Kelsang Gyatso e Nova Tradição Kadampa

Primeira edição em língua inglesa em 2001 como *Transform Your Life*.
Segunda edição, revista pelo autor, em 2014.
Primeira edição em língua inglesa como *How to Transform Your Life* em 2016.

Primeira edição no Brasil em 2006 como *Transforme sua Vida*.
Segunda edição, revista pelo autor, em 2014.
Primeira edição no Brasil como *Como Transformar a sua Vida* em 2017.
Reimpresso em 2019 e 2022.

Título original:
How to Transform Your Life: A Blissful Journey

Tradução do original autorizada pelo autor.

Tradução, Revisão e Diagramação   Editora Tharpa

ISBN 978-85-8487-055-4 – brochura
ISBN 978-85-8487-056-1 – ePub
ISBN 978-85-8487-057-8 – kindle

Dados Internacionais de Catalogação na Publicação (CIP)

Kelsang, Gyatso (Geshe), 1931-
  Como transformar a sua vida: uma jornada de êxtase /
Geshe Kelsang Gyatso; tradução Tharpa Brasil – 1. ed. – São
Paulo: Tharpa Brasil, 2017.
  352p.

  Título original em inglês: How to transform your life: a
blissful journey

ISBN 978-85-8487-055-4

1. Budismo 2. Carma 3. Meditação I. Título.
05-9278   CDD-294.3

Índices para catálogo sistemático:
1. Budismo: Religião 294.3

2022

EDITORA THARPA BRASIL
Rua Artur de Azevedo, 1326 - Pinheiros
05404-003 - São Paulo, SP
Fone: +55 11 989595303
www.tharpa.com/br

EDITORA THARPA PORTUGAL
Rua Moinho do Gato, 5
2710-661 - Várzea de Sintra, Sintra
Fone: +351 219 231 064
www.tharpa.pt

Sumário

Nota do Tradutor vii

PARTE UM: Fundamentos
Introdução.. 3
Paz Interior 7
Como Desenvolver e Manter uma Mente Pacífica............15
Renascimento 21
Morte 29
Carma..41
Samsara 55
Uma Prática Espiritual Comum a Todas as Pessoas 71
Objetos Significativos................................... 85

PARTE DOIS: Progresso
Aprender a Apreciar os Outros 97
Como Aprimorar o Amor Apreciativo 115
Trocar Eu por Outros....................................139
Grande Compaixão.......................................167
Amor Desiderativo 181
Tomar e Dar...187
O Supremo Bom Coração 205
Bodhichitta Última 211
Dedicatória 257

Apêndice I – *Prece Libertadora* e *Preces para Meditação* 259
Apêndice II – O que é Meditação? 269
Apêndice III – *O Estilo de Vida Kadampa* 277

Glossário 287
Bibliografia.. 303
Escritórios da Editora Tharpa no Mundo................. 309
Índice Remissivo...................................... 311
Encontre um Centro de Meditação Kadampa
Próximo de Você.................................... 336

SOBRE AS ILUSTRAÇÕES

As ilustrações neste livro reproduzem os oito símbolos auspiciosos, um pavão, o espelho do Dharma, o Sol brilhando através das nuvens, e mãos em prece.

O simbolismo dos oito símbolos auspiciosos revela como iniciar, fazer progressos e concluir o caminho budista à iluminação. Assim como os pavões que, segundo se diz, alimentam-se à base de plantas que são venenosas para os outros pássaros, os praticantes espirituais sinceros podem fazer bom uso de quaisquer circunstâncias que venham a surgir em sua vida diária. Com o espelho dos ensinamentos de Buda, o Dharma, podemos enxergar nossas próprias falhas e ter a oportunidade de removê-las. Assim como o Sol dissipa as nuvens, podemos desenvolver a sabedoria que pode remover todas as delusões da nossa mente; e as mãos em prece, segurando uma joia-que-satisfaz-os-desejos, simbolizam que, por seguirmos o caminho espiritual, por fim experienciaremos a mente completamente pura da iluminação.

Nota do Tradutor

As palavras de origem sânscrita e tibetana, como *Bodhichitta, Bodhisattva, Dharma, Geshe, Sangha* etc., foram grafadas como aparecem na edição original deste livro, em língua inglesa, em respeito ao trabalho de transliteração previamente realizado e por evocarem a pureza das línguas originais das quais procedem.

Em alguns casos, contudo, optou-se por aportuguesar as palavras já assimiladas à língua portuguesa (Buda, Budeidade, Budismo, carma) em vez de escrevê-las de acordo com a sua transliteração (*Buddha, karma*).

Ao longo deste livro, a palavra "eu" aparece grafada em itálico sempre que, no contexto, pertencer à classe gramatical de substantivo masculino (por exemplo, em expressões ou frases como "o nosso *eu*", ou "o *eu* inerentemente existente é uma mera fabricação da nossa ignorância do agarramento ao em-si", ou "precisamos praticar humildade porque não há um *eu* inerentemente existente", ou "desde tempos sem início, temos nos agarrado a um *eu* verdadeiramente existente", e assim por diante).

Quando aparecer em sua forma habitual – isto é, como pronome pessoal – a palavra "eu" estará grafada sem o itálico (por exemplo, em frases como "eu preciso colocar em prática os ensinamentos espirituais", ou "que eu aprecie os outros como supremos"). Por fim, quando a intenção for apenas de realce ou ênfase, aparecerá entre aspas.

PARTE UM

Fundamentos

Venha para debaixo do grande para-sol do Budismo

Introdução

PRATICANDO AS INSTRUÇÕES apresentadas neste livro, podemos transformar nossa vida – de um estado de sofrimento para um estado de felicidade pura e duradoura. Estas instruções são métodos científicos para aprimorar nossa natureza humana. Todos nós precisamos ser amáveis, com um bom coração, porque, desse modo, podemos solucionar tanto os nossos próprios problemas como os dos outros e, assim, tornar a nossa vida humana significativa. Todo ser vivo tem o mesmo desejo básico – ser feliz e evitar sofrimento. Até mesmo bebês recém-nascidos, animais e insetos têm esse desejo. Este tem sido o nosso principal desejo desde tempos sem início, e ele tem estado conosco inclusive quando dormimos. Temos investido toda a nossa vida trabalhando arduamente para satisfazer esse desejo.

Desde que este mundo evoluiu, os seres humanos têm investido quase todo o seu tempo e energia aperfeiçoando as condições externas em sua busca por felicidade e para solucionar seus problemas. E qual tem sido o resultado? Em vez dos seus desejos serem satisfeitos, o sofrimento e problemas humanos continuam a aumentar, ao passo que a experiência de felicidade e paz está diminuindo. Isso mostra claramente que, até agora, não encontramos um método correto para reduzir nossos problemas e aumentar nossa felicidade. O método correto e efetivo para fazer isso é mudar nossa atitude, de negativa para positiva. Precisamos compreender isso através da nossa própria experiência. Se verificarmos cuidadosamente como experienciamos problemas e infelicidade, poderemos compreender que todos eles são criados pelo nosso desejo descontrolado, querendo (unicamente para nós mesmos) que sejamos felizes o tempo todo. Se interrompermos esse desejo e, em vez dele, desejarmos que os outros sejam felizes o tempo todo, não teremos mais nenhum problema ou infelicidade. Se praticarmos sinceramente, todos os dias, a interrupção do desejo de que nós mesmos sejamos felizes o tempo todo e, em vez disso, desejarmos que os outros sejam felizes o tempo todo, compreenderemos então, a partir da nossa própria experiência através dessa prática que impede o apego à satisfação dos nossos próprios desejos, que não teremos mais a experiência de problemas e infelicidade. Assim, se desejamos realmente felicidade e liberdade do sofrimento, puras e duradouras, precisamos aprender a controlar nossa mente, principalmente o nosso desejo.

Com sabedoria, podemos compreender o quanto nossa vida humana é preciosa, rara e significativa. Devido às limitações de seu corpo e mente, aqueles que renasceram como animais, por exemplo, não têm oportunidade para compreender ou praticar ensinamentos espirituais, que são métodos para controlar as delusões, tais como o desejo descontrolado, a raiva e a ignorância. Somente os seres humanos são livres de tais impedimentos e têm todas as condições necessárias para se empenharem em caminhos espirituais, os únicos que conduzem à felicidade pura e duradoura. Essa liberdade e posse de condições necessárias são as características especiais que tornam nossa vida humana tão preciosa.

Embora existam muitos seres humanos neste mundo, cada um de nós tem, apenas, uma vida. Uma pessoa pode ter muitos carros e casas, mas até mesmo a pessoa mais rica do mundo não pode ter mais do que uma vida; e, quando essa vida estiver chegando ao fim, ele (ou ela) não poderá comprar, pedir emprestado ou fabricar outra. Quando perdermos esta vida, será muito difícil encontrar, no futuro, outra vida humana tão qualificada como esta. Uma vida humana é, por essa razão, muito rara.

Se utilizarmos nossa vida humana para obter realizações espirituais, ela irá se tornar imensamente significativa. Ao utilizar nossa vida desse modo, realizaremos nosso pleno potencial e iremos progredir, do estado de um ser comum e ignorante, para o estado de um ser plenamente iluminado, o mais elevado de todos os seres; e quando tivermos feito isso, teremos o poder de beneficiar todos os seres vivos, sem exceção. Assim, por utilizarmos nossa vida humana para alcançar realizações espirituais, podemos solucionar todos os nossos problemas humanos e satisfazer todos os nossos próprios desejos e os desejos dos outros. O que pode ser mais significativo do que isso?

Mantenha harmonia e alegria o tempo todo

Paz Interior

PAZ INTERIOR, OU paz mental, é a fonte de toda a nossa felicidade. Embora todos os seres vivos tenham o mesmo desejo básico de ser feliz o tempo todo, pouquíssimas pessoas compreendem as verdadeiras causas de felicidade. Costumamos acreditar que condições exteriores – como comida, amigos, carros e dinheiro – são as verdadeiras causas de felicidade e, como resultado, devotamos quase todo o nosso tempo e energia para adquiri-las. Superficialmente, parece que essas coisas podem nos fazer felizes, mas, se examinarmos mais profundamente, veremos que elas também nos trazem muito sofrimento e problemas.

Felicidade e sofrimento são opostos; portanto, se algo for uma causa verdadeira de felicidade, não poderá fazer surgir sofrimento. Se comida, dinheiro e assim por diante forem, realmente, causas de felicidade, eles nunca poderão ser causas de sofrimento; porém, sabemos, a partir da nossa própria experiência, que eles frequentemente causam sofrimento. Por exemplo, um dos nossos principais interesses é comida, mas os alimentos que comemos são, também, a causa principal de muitas das nossas doenças e problemas de saúde. No processo de produzir as coisas que, julgamos, irão nos fazer felizes, temos poluído nosso meio ambiente numa tal extensão que o próprio ar que respiramos e a água que bebemos ameaçam, agora, nossa saúde e bem-estar. Amamos a liberdade e a independência que um carro pode nos dar, mas o custo em acidentes e destruição ambiental é enorme. Sentimos que dinheiro é essencial para desfrutarmos a vida, mas a busca por dinheiro também causa imensos problemas e ansiedade. Até mesmo nossa família e amigos, de cuja companhia desfrutamos, podem também nos trazer muita preocupação e angústia.

Nos últimos anos, nosso conhecimento tecnológico aumentou consideravelmente e, como resultado, testemunhamos um extraordinário progresso material; porém, a felicidade humana não aumentou de forma correspondente a esse progresso material. No mundo de hoje, não há menos sofrimento nem menos problemas. Na verdade, pode-se dizer que há agora mais problemas e perigos maiores do que jamais houve anteriormente. Isso mostra que a causa de felicidade e a solução para os nossos problemas não se encontram no conhecimento de coisas materiais. Felicidade e sofrimento são estados mentais e, por essa razão, suas causas principais não podem ser encontradas fora da mente. Se quisermos ser verdadeiramente felizes e livres do sofrimento, precisamos aprender a como controlar nossa mente.

A verdadeira fonte de felicidade é a paz interior. Se nossa mente estiver pacífica, seremos felizes o tempo todo, independentemente das condições exteriores; mas, se ela estiver, de algum modo, perturbada ou preocupada, nunca seremos felizes, não importa quão boas nossas condições exteriores possam ser. Condições exteriores apenas podem nos fazer felizes se nossa mente estiver pacífica. Podemos compreender isso por meio de nossa própria experiência. Por exemplo, mesmo que estejamos no mais belo lugar ou ambiente e tenhamos tudo de que necessitamos, qualquer felicidade que possamos ter desaparecerá no momento em que ficarmos com raiva. O motivo é que a raiva destrói nossa paz interior.

Podemos ver a partir disso que, se queremos felicidade verdadeira e duradoura, precisamos desenvolver e manter uma experiência especial de paz interior. A única maneira de fazer isso é treinando nossa mente por meio da prática espiritual: reduzindo e eliminando gradualmente nossos estados mentais perturbados e negativos e substituindo-os por estados mentais pacíficos e positivos. Por fim, por meio de melhorar continuamente nossa paz interior, experienciaremos suprema paz mental permanente, ou "*nirvana*". Uma vez que tenhamos alcançado o nirvana, seremos felizes durante toda a nossa vida e vida após vida. Teremos solucionado todos os nossos problemas e realizado o verdadeiro significado da nossa vida humana.

Visto que todos temos, dentro de nós, nossa própria fonte de paz e felicidade, podemos nos perguntar por que é tão difícil manter, de maneira contínua, uma mente pacífica e feliz. Essa dificuldade decorre das delusões, que tão frequentemente povoam nossa mente. As delusões, ou aflições mentais, são maneiras distorcidas de considerar ou perceber a nós mesmos, as outras pessoas e o mundo ao nosso redor – como um espelho distorcido, as delusões refletem um mundo distorcido. A mente deludida do ódio, por exemplo, vê ou percebe uma pessoa como intrinsecamente má, porém tal coisa não existe – uma pessoa intrinsecamente má. Por sua vez, o desejo descontrolado, também conhecido como apego desejoso, vê ou percebe seu objeto de desejo como intrinsecamente bom e como uma verdadeira fonte de felicidade. Se tivermos um forte anseio de comer chocolate, o chocolate aparecerá como sendo intrinsecamente desejável. Contudo, uma vez que tenhamos comido muito e comecemos a nos sentir enjoados, o chocolate não irá mais parecer tão desejável e, talvez, apareça até como repulsivo. Isso mostra que, em si mesmo, o chocolate não é desejável nem repulsivo. É a mente deludida do apego que projeta todos os tipos de qualidades agradáveis sobre seus objetos de desejo e, então, relaciona-se com eles como se realmente possuíssem essas qualidades.

Todas as delusões atuam desse modo, projetando no mundo a sua própria versão distorcida da realidade e, então, relacionando-se com essa projeção como se fosse verdadeira. Quando nossa mente está sob a influência das delusões, estamos desconectados da realidade e não vemos ou percebemos as coisas como elas realmente são. Uma vez que nossa mente está o tempo todo sob o controle de, pelo menos, formas sutis de delusão, não é de surpreender que nossas vidas estejam tão frequentemente repletas de frustração. É como se estivéssemos continuamente perseguindo miragens, apenas para ficarmos desapontados quando elas não nos dão a satisfação que esperávamos.

Quando as coisas vão mal em nossa vida e encontramos situações difíceis, tendemos a considerar a situação em si mesma como sendo o *nosso* problema, mas, na verdade, qualquer problema que experienciamos surge da mente. Se respondêssemos às situações difíceis com uma mente positiva ou pacífica, elas não seriam problemas para nós; na verdade, poderíamos até mesmo vir a considerá-las como desafios ou oportunidades de crescimento e desenvolvimento. Problemas surgem apenas se respondermos às dificuldades com um estado mental negativo. Portanto, se quisermos ser felizes o tempo todo e livres de problemas, precisamos desenvolver e manter uma mente pacífica. Sofrimentos, problemas, preocupações, infelicidade e dor – tudo existe dentro da nossa mente; são sentimentos ou sensações desagradáveis, que fazem parte da mente. Através do controle e da purificação da nossa mente, podemos interrompê-los de uma vez por todas.

Para compreender isso plenamente, precisamos compreender a relação entre a mente e os objetos exteriores. Todos os objetos (sejam eles agradáveis, desagradáveis ou neutros) são meras aparências à mente, assim como coisas experienciadas em um sonho. Isso não é fácil de compreender inicialmente, mas podemos melhorar nossa compreensão se pensarmos sobre o seguinte. Quando estamos acordados, muitas coisas diferentes existem, mas, quando dormimos, elas cessam. Isso acontece porque a mente para a qual elas aparecem cessou. Quando sonhamos, as únicas coisas que aparecem são os objetos do sonho. Depois, quando acordamos, esses objetos oníricos cessam. O motivo é que a mente de sonho, para a qual eles aparecem, cessou. Se pensarmos profundamente sobre isso, compreenderemos de que modo podemos fazer com que todas as coisas desagradáveis de que não gostamos cessem por, simplesmente, abandonarmos estados mentais impuros, deludidos; e compreenderemos, também, como podemos fazer com que todas as coisas agradáveis que desejamos surjam por, simplesmente, desenvolvermos uma mente pura. Purificar nossa mente das delusões por meio da prática espiritual satisfaz nosso mais profundo desejo por felicidade verdadeira e duradoura. Devemos memorizar e contemplar o significado das seguintes palavras:

> As coisas que normalmente vejo nos sonhos não existem.
> Isto prova que as coisas que normalmente vejo enquanto estou acordado não existem,
> Já que ambas são, igualmente, aparências equivocadas.
> Nunca irei me aferrar às coisas que normalmente vejo,
> Mas apenas ficar satisfeito com seu mero nome.
> Por fazer isso, vou me libertar permanentemente
> Dos sofrimentos desta vida e das incontáveis vidas futuras.
> Desse modo, serei capaz
> De beneficiar todos e cada um dos seres vivos, todos os dias.

Devemos compreender que, embora as delusões estejam profundamente arraigadas, elas não são uma parte intrínseca da nossa mente e, portanto, podem ser definitivamente removidas. As delusões são, apenas, maus hábitos mentais e, como todo hábito, podem ser interrompidas. No momento presente, nossa mente é como uma água turva, escura e poluída pelas delusões. No entanto, assim como é possível separar o lodo da água, também é possível purificar a mente de todas as delusões. Sem nenhuma delusão a permanecer em nossa mente, não há nada que possa perturbar nossa paz e alegria interiores.

Desde tempos sem início, temos estado sob o controle da nossa mente, do mesmo modo que uma marionete é controlada por fios. Somos como um servo trabalhando para nossa mente; toda vez que nossa mente deseja fazer algo, temos de fazê-lo sem escolha alguma. Algumas vezes, nossa mente é como um elefante enlouquecido, criando muitos problemas e perigos para nós mesmos e para os outros. Empenhando-nos sinceramente na prática espiritual, podemos reverter essa situação e obter total controle sobre nossa mente. Ao transformar nossa mente desse modo, desfrutaremos, por fim, de verdadeira liberdade.

Para nossa prática espiritual ser bem-sucedida, precisamos das bênçãos e da inspiração daqueles que já obtiveram profundas realizações interiores, mas também precisamos dar, a nós mesmos, constante encorajamento. Se nós mesmos não nos encorajarmos, como podemos esperar que alguém o faça? Quando compreendermos claramente que paz interior é a verdadeira fonte de felicidade e como podemos, através da prática espiritual, experienciar níveis progressivamente mais profundos de paz interior, desenvolveremos um extraordinário entusiasmo para praticar. Isso é muito importante porque, para conquistar a suprema paz interior permanente do nirvana, precisamos nos empenhar na prática espiritual com sinceridade e zelo.

Isso não significa que devemos ignorar as condições exteriores. Precisamos de paz interior, mas também necessitamos de boa saúde física e, para isso, precisamos de determinadas condições exteriores, como comida e um ambiente confortável para viver. Há muitas pessoas que se concentram, exclusivamente, no desenvolvimento da dimensão material de suas vidas, ao mesmo tempo que ignoram por completo a prática espiritual. Esse é um extremo. No entanto, há pessoas que se concentram, exclusivamente, na prática espiritual, ao mesmo tempo que ignoram as condições materiais necessárias para manter uma vida humana saudável. Esse é outro extremo. Precisamos nos manter no caminho do meio que evita ambos os extremos – o extremo do materialismo e o extremo da espiritualidade.

Algumas pessoas acreditam que aqueles que se empenham em alcançar o nirvana estão sendo egoístas, pois parecem estar concentrados unicamente em sua própria paz interior, mas essa crença é incorreta. Nosso real propósito em alcançar a suprema paz interior permanente do nirvana é ajudar os outros a fazerem o mesmo. Assim como o único caminho para solucionar nossos próprios problemas é através de encontrar paz interior, o único caminho para ajudar os outros a solucionarem seus próprios problemas é encorajá-los a se empenharem na prática espiritual e a descobrirem sua própria paz interior. Essa maneira de beneficiar os outros é, dentre todas, a melhor. Por exemplo, se, por treinar nossa mente, formos bem-sucedidos em apaziguar ou, até mesmo, eliminar por completo nossa própria raiva, poderemos, com toda certeza, ajudar os outros a controlarem a sua própria mente. Nossos conselhos, então, não serão meras palavras, mas terão o poder da experiência pessoal por detrás deles.

Podemos, algumas vezes, ajudar os outros proporcionando-lhes dinheiro ou melhores condições materiais, mas devemos lembrar que o maior benefício que podemos dar é ajudá-los a superarem suas delusões e encontrar felicidade duradoura e verdadeira dentro de si. Por meio do progresso tecnológico e de organizar a sociedade de maneira mais humana e justa, podemos, com absoluta certeza, ajudar a melhorar a vida das pessoas em alguns aspectos; mas, em relação ao que quer que façamos, inevitavelmente teremos alguns efeitos indesejáveis. O melhor que podemos esperar é prover as pessoas com condições que tragam alguma pausa temporária de seus problemas e dificuldades, mas não podemos dar a elas felicidade duradoura e verdadeira. O motivo é que a causa verdadeira de felicidade é a paz interior, que somente pode ser encontrada dentro da mente, e não em condições exteriores.

Sem paz interior, a paz exterior é impossível. Todos nós desejamos a paz mundial, mas a paz mundial nunca será alcançada a menos que, em primeiro lugar, estabeleçamos paz em nossa própria mente. Podemos enviar as chamadas "forças mantenedoras da paz" para áreas de conflito, mas a paz não pode ser imposta a partir do lado de fora, por meio de armas. Somente criando paz em nossa própria mente e ajudando os outros a fazerem o mesmo é que podemos ter a esperança de realizar a paz neste mundo.

Este livro apresenta muitos métodos profundos de treino espiritual, todos eles maneiras práticas de purificar e controlar nossa mente. Se colocarmos esses métodos em prática, obteremos, definitivamente, uma experiência especial de paz mental. Por aprimorarmos continuamente essa experiência, os estados mentais deludidos irão diminuir gradualmente, e nossa paz interior crescerá. Por fim, ao abandonar todas as delusões, conquistaremos a suprema paz interior permanente do nirvana. Tendo superado nossas próprias delusões (como raiva, apego e ignorância) e desenvolvido as profundas realizações espirituais de amor universal, compaixão universal, concentração e sabedoria, nossa habilidade para ajudar os outros será muito maior. Desse modo, poderemos ajudar os outros a solucionarem seus problemas não apenas por alguns poucos dias ou anos, mas para sempre. Poderemos ajudá-los a descobrir uma paz e alegria interiores que nada – nem mesmo a morte – pode destruir. Que maravilhoso!

Como Desenvolver e Manter uma Mente Pacífica

PODEMOS DESENVOLVER E manter uma mente pacífica por meio de transformar nossa mente, de estados negativos para estados positivos, através de nos empenharmos nas práticas espirituais puras apresentadas neste livro. Por meio disso, podemos transformar nossa vida – de um estado de infelicidade ou sofrimento para um estado de felicidade pura e duradoura.

Felicidade e sofrimento são partes da mente; *felicidade* é uma sensação alegre, e *sofrimento* é uma sensação desagradável. Uma vez que felicidade e sofrimento são partes da mente, se temos o desejo de evitar sofrimento e encontrar felicidade verdadeira, precisamos compreender a natureza e as funções da mente. Em primeiro lugar, isso pode parecer bastante simples, visto que todos nós temos uma mente e todos nós sabemos em que estado nossa mente se encontra – se está feliz ou triste, clara ou confusa, e assim por diante. No entanto, se alguém nos perguntar qual a natureza da nossa mente e como ela atua, ou funciona, provavelmente não seremos capazes de dar uma resposta precisa. Isso indica que não temos uma compreensão clara a respeito da mente.

Algumas pessoas pensam que a mente é o cérebro ou alguma outra parte ou função do corpo, mas isso é incorreto. O cérebro é um objeto físico, que pode ser visto com os olhos e que pode ser fotografado ou submetido a uma cirurgia. A mente, por sua vez, não é um objeto físico. Ela não pode ser vista com os olhos nem pode ser fotografada ou passar por uma cirurgia. Portanto, o cérebro não é a mente – ele é, apenas, parte do corpo.

Não há nada dentro do corpo que possa ser identificado como sendo nossa mente, pois nosso corpo e nossa mente são entidades diferentes. Algumas vezes, por exemplo, quando nosso corpo está relaxado e imóvel, nossa mente pode estar muito agitada, movendo-se rapidamente de um objeto para outro. Isso indica que nosso corpo e nossa mente não são a mesma entidade. Nas escrituras budistas, nosso corpo é comparado a uma hospedaria e, nossa mente, a um hóspede que habita essa hospedaria. Quando morremos, nossa mente deixa nosso corpo e parte para a próxima vida, como um hóspede que deixa uma hospedaria e parte para outro lugar.

Se a mente não é o cérebro nem qualquer outra parte do corpo, o que ela é? A mente é um *continuum* sem forma, que funciona para perceber e compreender objetos. Porque a mente é, por natureza, sem forma (ou seja, imaterial, não física), ela não é obstruída por objetos físicos. Assim, é impossível para o nosso corpo ir à Lua sem viajar numa espaçonave, mas nossa mente pode alcançar a Lua em um instante, apenas por pensar na Lua. Conhecer e perceber objetos é uma função que é exclusiva da mente. Embora falemos "eu conheço isto e aquilo", na verdade é a nossa mente que conhece. Somente conhecemos coisas por meio de utilizarmos nossa mente.

É muito importante sermos capazes de distinguir entre estados mentais perturbados e estados mentais pacíficos. Como foi explicado no capítulo anterior, estados mentais que perturbam nossa paz interior (como raiva, inveja e apego desejoso) são denominados "delusões", ou aflições mentais, e as delusões são as principais causas de todo o nosso sofrimento. Podemos pensar que nosso sofrimento é causado pelas outras pessoas, por más condições materiais ou pela sociedade, mas, na verdade, todo o nosso sofrimento vem dos nossos próprios estados mentais deludidos. A essência da prática espiritual é reduzir e, por fim, erradicar completamente as nossas delusões e substituí-las por paz interior permanente. Este é o verdadeiro significado da nossa vida humana.

Normalmente, procuramos felicidade fora de nós. Tentamos obter as melhores condições materiais, o melhor trabalho, posição social elevada, e assim por diante; porém, não importa quão bem-sucedidos sejamos em melhorar nossa situação exterior, continuamos a experienciar muitos problemas e muita insatisfação. Nunca experienciamos felicidade pura e duradoura. Isso nos mostra que não devemos procurar felicidade fora de nós, mas, ao invés disso, estabelecê-la dentro de nós mesmos por meio de purificar e controlar nossa mente através de sincera prática espiritual. Se treinarmos dessa maneira, poderemos assegurar que nossa mente permanecerá calma e feliz o tempo todo. Então, não importa quão difíceis nossas circunstâncias exteriores possam ser, estaremos sempre felizes e em paz.

Em nossa vida comum, embora trabalhemos arduamente para encontrar felicidade, ela permanece esquivando-se de nós, ao passo que sofrimento e problemas parecem vir naturalmente, sem esforço algum. Por que isso acontece? O motivo é que a causa de felicidade dentro da nossa mente – paz interior – é muito fraca, e somente pode fazer o seu efeito surgir se aplicarmos grande esforço, ao passo que as causas internas de sofrimento e problemas – as delusões – são muito fortes e podem fazer com que os seus efeitos surjam sem esforço algum de nossa parte. Esta é a verdadeira razão pela qual os problemas vêm naturalmente, enquanto que a felicidade é tão difícil de encontrar.

Podemos ver, a partir disso, que as causas principais, tanto de felicidade quanto de problemas, estão na mente, não no mundo exterior. Se fôssemos capazes de manter uma mente calma e pacífica durante o dia todo, nunca experienciaríamos quaisquer problemas ou sofrimento mental. Por exemplo, se nossa mente permanecer pacífica o tempo todo, então, mesmo que venhamos a ser insultados, criticados ou acusados, ou se perdermos nosso emprego ou nossos amigos, não ficaremos infelizes. Não importa quão difíceis nossas circunstâncias exteriores possam se tornar, elas não serão um problema para nós enquanto mantivermos uma mente calma e pacífica. Portanto, se temos o desejo de ser livres de problemas, só há uma coisa a fazer – aprender a manter um estado mental pacífico por meio de seguir o caminho espiritual.

O ponto essencial para compreendermos a mente é que a libertação do sofrimento não pode ser encontrada fora da mente. Libertação permanente apenas pode ser encontrada através da purificação da mente. Por essa razão, se quisermos nos libertar dos problemas e conquistar paz e felicidade duradouras, precisamos melhorar nosso conhecimento e compreensão sobre como a nossa mente se desenvolve.

A mente possui três níveis diferentes: denso, sutil e muito sutil. Durante os nossos sonhos, temos percepção onírica, através da qual diversos tipos de coisas oníricas aparecem para nós; essa percepção é uma mente sutil, porque ela é difícil de ser reconhecida. Durante o sono profundo, temos apenas uma percepção mental, que percebe somente vacuidade. Essa percepção é denominada "clara-luz do sono" e é uma mente muito sutil, porque é extremamente difícil reconhecermos essa mente.

Durante o estado da vigília, temos percepções do estado da vigília, através das quais diversos tipos de coisas do estado da vigília aparecem para nós. Essa percepção é uma mente densa, porque não é difícil de ser reconhecida. Quando dormimos, nossa mente densa – ou mente de vigília – dissolve-se na nossa mente sutil do sono. Ao mesmo tempo, todas as nossas aparências do mundo da vigília tornam-se não existentes; e quando experienciamos o sono profundo, nossa mente sutil do sono dissolve-se na nossa mente muito sutil do sono – a clara-luz do sono. Nesta etapa, ficamos parecidos com uma pessoa que morreu. Então, porque continuamos a manter uma conexão cármica com esta vida, nossa mente densa (ou percepção da vigília) surge novamente a partir da clara-luz do sono, e as várias coisas do estado da vigília aparecem de novo para nós.

O processo de dormir é muito semelhante ao processo de morrer. A diferença entre eles é que, quando estamos morrendo, nossas mentes densa e sutil se dissolvem na nossa mente muito sutil da morte, conhecida como "clara-luz da morte". Depois, porque nossa conexão cármica com esta vida chegou ao fim, nossa mente muito sutil deixa este corpo, vai para a próxima vida e ingressa em um novo corpo; e então, todos os diversos tipos de coisas da próxima vida aparecerão para nós. Tudo será totalmente novo.

Os seres vivos experienciam incontáveis pensamentos, ou mentes, e todos elas estão incluídas em uma destas duas categorias: mentes primárias e fatores mentais. Uma explicação detalhada sobre mentes primárias e fatores mentais pode ser encontrada no livro *Como Entender a Mente*.

Se compreendermos com clareza a natureza da nossa mente, compreenderemos definitivamente que o *continuum* da nossa mente não cessa quando morremos e, assim, não haverá base para duvidarmos da existência de nossas vidas futuras. Se tivermos uma compreensão da existência de nossas vidas futuras, naturalmente ficaremos interessados pelo nosso bem-estar e felicidade nessas vidas e usaremos esta vida atual para fazer as preparações adequadas. Isso irá nos impedir de desperdiçar nossa preciosa vida humana com as preocupações que pertencem apenas a esta vida. Por essa razão, uma compreensão correta da mente é absolutamente essencial.

*Pegue as preciosas joias de sabedoria e de compaixão
do vaso-tesouro do Dharma Kadam*

Renascimento

DEVEMOS SABER QUE *dormir* é semelhante a morrer, *sonhar* é semelhante ao estado intermediário entre a morte e o renascimento, e que *acordar* é semelhante a renascer. O ciclo destes três mostra a existência de renascimento futuro, através do qual podemos compreender a existência de nossas incontáveis vidas futuras.

Muitas pessoas acreditam que, quando o corpo se desintegra na morte, o *continuum* da mente cessa e a mente se torna não existente, do mesmo modo que a chama de uma vela se apaga quando toda a cera foi consumida. Há até mesmo algumas pessoas que consideram cometer suicídio na esperança de que, ao morrerem, seus problemas e sofrimentos chegarão a um fim. Essas ideias, no entanto, são totalmente errôneas. Como já foi explicado, nosso corpo e nossa mente são entidades separadas, e, embora o corpo se desintegre na morte, o *continuum* da mente permanece intacto, ininterrupto. Ao invés de cessar, a mente simplesmente deixa o corpo atual e vai para a próxima vida. Portanto, para os seres comuns, a morte traz somente novos sofrimentos, em vez de nos libertar do sofrimento. Por não compreender isso, muitas pessoas destroem sua preciosa vida humana cometendo suicídio.

Há uma prática espiritual especial, denominada "transferência de consciência para outro corpo", que foi bastante difundida em tempos antigos. Existem muitos exemplos de praticantes do passado que podiam transferir sua consciência do seu próprio corpo para um outro corpo. Se a mente e o corpo fossem a mesma entidade, como seria possível, para esses praticantes, transferir sua consciência desse modo? Mesmo agora, não é algo fora do comum que a mente deixe, temporariamente, o corpo físico antes da morte. Por exemplo, muitas pessoas que não são praticantes espirituais têm as assim denominadas "experiências fora do corpo".

Podemos, também, obter uma compreensão sobre vidas passadas e futuras examinando o processo de dormir, sonhar e acordar, porque esse processo possui semelhança muito próxima com o processo da morte, estado intermediário e renascimento. Quando dormimos, nossos ventos interiores densos se reúnem e se dissolvem interiormente, e a nossa mente se torna, progressivamente, cada vez mais sutil, até se transformar na mente muito sutil da clara-luz do sono. Enquanto a clara-luz do sono está manifesta, experienciamos um sono profundo e parecemos, aos olhos dos outros, uma pessoa morta. Quando a clara-luz do sono cessa, nossa mente se torna cada vez mais densa e passamos pelas várias fases do estado do sonho. Por fim, nossas faculdades habituais de memória e de controle mental são restauradas e acordamos. Quando isso acontece, nosso mundo onírico desaparece e percebemos o mundo do estado da vigília.

Um processo muito semelhante ocorre quando morremos. Conforme morremos, nossos ventos interiores dissolvem-se internamente e a nossa mente torna-se progressivamente mais sutil, até que a mente muito sutil da clara-luz da morte se manifeste. A experiência da clara-luz da morte é muito semelhante à experiência do sono profundo. Depois da clara-luz da morte ter cessado, experienciamos as etapas do estado intermediário, que é um estado semelhante ao sonho e que ocorre entre a morte e o renascimento. Depois de alguns dias ou semanas, o estado intermediário termina e renascemos. Assim como o mundo onírico desaparece quando acordamos e passamos a perceber o mundo do estado da vigília, as aparências do estado intermediário cessam quando renascemos e passamos a perceber o mundo da nossa próxima vida.

A única diferença significativa entre ambos os processos (o de dormir, sonhar e acordar e o da morte, estado intermediário e renascimento) é que, após a clara-luz do sono ter cessado, a conexão entre nossa mente e nosso corpo continua intacta, ao passo que, após a clara-luz da morte ter cessado, essa conexão é rompida. Por contemplar isso, podemos obter uma compreensão clara da existência de vidas passadas e futuras.

Em geral, acreditamos que as coisas que percebemos nos sonhos são irreais, ao passo que as coisas que percebemos quando estamos acordados são verdadeiras; mas, na verdade, tudo o que percebemos é como um sonho, uma vez que tudo é mera aparência à mente. Para aqueles que conseguem interpretá-los corretamente, os sonhos têm um grande significado. Por exemplo, se sonharmos que visitamos um país específico onde nunca estivemos nesta vida, nosso sonho irá indicar uma destas quatro situações: que estivemos naquele país numa vida anterior; que iremos visitá-lo mais tarde, nesta vida; que iremos visitá-lo em uma vida futura; ou que esse país possui algum significado pessoal para nós – por exemplo, talvez tenhamos recebido recentemente uma carta desse país ou assistido a um programa sobre ele na televisão. De modo semelhante, se sonharmos que estamos voando, isso pode significar que, em uma vida anterior, fomos um ser que podia voar (um pássaro ou um meditador com poderes miraculosos, por exemplo); ou o sonho pode pressagiar que, no futuro, iremos nos tornar um ser desse tipo. Um sonho no qual voamos também pode ter um significado menos literal e simbolizar uma melhora da nossa saúde ou estado mental.

Foi com o auxílio de sonhos que eu fui capaz de descobrir onde minha mãe havia renascido, após o seu falecimento. Um pouco antes de morrer, minha mãe, que estava sendo cuidada por minha irmã, adormeceu por alguns poucos minutos e, quando acordou, contou a ela que havia sonhado comigo e que, em seu sonho, eu lhe ofertava uma tradicional echarpe branca. Tomei esse sonho como um sinal de que eu seria capaz de ajudar minha mãe em sua próxima vida e, assim, após o seu falecimento, rezei todos os dias para que ela renascesse na Inglaterra, onde eu estava vivendo, de modo que eu tivesse a oportunidade de encontrar e reconhecer sua reencarnação. Fiz intensas preces para ver sinais claros do lugar onde a reencarnação de minha mãe poderia ser encontrada.

Mais tarde, tive três sonhos que me pareceram significativos. No primeiro, sonhei que havia encontrado minha mãe em um lugar que me pareceu ser a Inglaterra. Perguntei-lhe como conseguira viajar da Índia para a Inglaterra, mas ela respondeu que não tinha vindo da Índia, e sim da Suíça. No segundo sonho, sonhei que via minha mãe conversando com um grupo de pessoas. Aproximei-me dela e falei em tibetano, mas ela parecia não entender o que eu estava dizendo. Enquanto era viva, minha mãe falava somente tibetano, mas, nesse sonho, ela falava inglês fluentemente. Perguntei-lhe por que havia esquecido o tibetano, mas ela não respondeu. Depois, nesse mesmo sonho, sonhei com um casal ocidental que estava me ajudando no desenvolvimento de minhas atividades espirituais na Grã-Bretanha.

Ambos os sonhos pareciam fornecer pistas sobre onde minha mãe havia renascido. Dois dias após o segundo sonho, o marido (do casal com o qual eu havia sonhado) visitou-me e contou que sua esposa estava grávida. Lembrei-me imediatamente do meu sonho e pensei que o bebê poderia ser a reencarnação de minha mãe. O fato de minha mãe, no sonho, ter esquecido o tibetano e falado apenas inglês sugeria que ela teria renascido em um país de língua inglesa, e a presença desse casal no sonho poderia ser uma indicação de que eles eram seus pais. Então, fiz uma prática tradicional de adivinhação, juntamente com preces rituais, e isso indicou que a criança era a reencarnação de minha mãe. Fiquei muito feliz, mas não contei nada a ninguém.

Certa noite, sonhei repetidas vezes com minha mãe. Na manhã seguinte, considerei o assunto cuidadosamente e tomei uma decisão. Se o bebê tivesse nascido naquela noite, então, com certeza, seria a reencarnação de minha mãe; caso contrário, eu precisaria investigar mais. Tendo tomado essa decisão, telefonei ao marido e ele me deu a boa notícia de que, na noite anterior, sua esposa havia dado à luz uma menina. Fiquei deleitado e realizei uma cerimônia especial de oferenda.

Poucos dias mais tarde, o pai me telefonou e contou que, se ele recitasse o mantra de Buda Avalokiteshvara, OM MANI PEME HUM, quando o bebê chorava, o bebê imediatamente parava de chorar e parecia ouvir com atenção o mantra. Ele me perguntou o motivo disso, e respondi que isso acontecia devido a tendências do bebê adquiridas em vidas anteriores. Eu sabia que minha mãe havia recitado esse mantra com forte fé durante toda a sua vida.

A criança recebeu o nome Amaravajra. Mais tarde, quando Kuten Lama, irmão de minha mãe, visitou a Inglaterra e viu Amaravajra pela primeira vez, ficou impressionado com o fato da criança ser muito afetuosa com ele. Disse que era como se a menina o reconhecesse. Eu também tive a mesma experiência. Embora eu pudesse visitar apenas muito ocasionalmente a criança, ela sempre ficava extremamente feliz ao ver-me.

Quando Amaravajra começou a falar, certa vez apontou para um cachorro e disse *"kyi, kyi"*. Depois, costumava dizer *"kyi"* muitas vezes, sempre que via um cachorro. Seu pai perguntou-me se *"kyi"* significava alguma coisa e respondi que, no dialeto falado no Tibete Ocidental, lugar onde minha mãe viveu, *"kyi"* significa "cachorro". Essa não foi a única palavra tibetana que a menina pronunciou espontaneamente.

Mais tarde, eu soube pelo marido de minha irmã que, após o falecimento de minha mãe, um astrólogo tibetano havia feito a predição de que ela renasceria como uma mulher, em um país de língua diferente da tibetana. Essa história vem da minha própria experiência pessoal, mas, se investigarmos, poderemos encontrar muitas outras histórias verdadeiras sobre como pessoas foram capazes de reconhecer a reencarnação de seus maridos, esposas, professores, pais, amigos etc.

No Tibete Ocidental, próximo ao meu primeiro monastério, vivia um homem que tinha a reputação de ser muito mal-humorado. Ele juntava muitas moedas de prata e as guardava dentro de um bule de chá, que mantinha em segredo até mesmo de sua esposa. Mais tarde, quando estava morrendo, ficou obcecado com a ideia de que as moedas pudessem ser roubadas, obsessão essa nascida do grande apego que tinha por elas. Ele tentou contar à esposa sobre as moedas, mas, porque estava muito fraco, só conseguia repetir a palavra *"tib"*, que significa "bule de chá". Ouvindo isso, a mulher pensou que ele queria um pouco de chá, mas quando lhe ofereceu a bebida, não demonstrou nenhum interesse. Pouco depois, o homem faleceu.

Passado algum tempo, sua esposa encontrou o bule de chá escondido. Perguntando-se por que estava tão pesado, abriu a tampa e descobriu as moedas. Enrodilhada ao redor delas, estava uma pequena serpente. Apavorada com a serpente, a mulher chamou a família e, juntos, tentaram tirá-la do bule. No entanto, por mais que tentassem, não conseguiam separar a serpente das moedas. Eles ficaram surpresos e confusos com isso, e perguntaram-se de onde a serpente teria vindo.

A esposa, então, lembrou-se das últimas palavras do marido e compreendeu que, na hora da morte, ele tentou lhe contar sobre as moedas. No entanto, o que significava a serpente? Por que ela estava tão apegada às moedas? A mulher decidiu visitar um iogue clarividente que vivia nas imediações, e o iogue lhe contou que a serpente era a reencarnação do seu marido. Devido às ações que havia criado por causa de sua raiva e devido ao seu apego pelas moedas quando estava morrendo, ele havia renascido como uma serpente e acabou indo parar dentro do bule de chá para ficar próximo das moedas. Com lágrimas caindo dos seus olhos, a esposa implorou ao iogue: "Por favor, diga-me, o que eu posso fazer para ajudar meu marido?". O iogue sugeriu que ela oferecesse as moedas a uma comunidade de Sangha ordenada, que vivia nas vizinhanças, pedindo-lhes que rezassem para que seu marido fosse libertado de seu renascimento animal.

Contemplando, com uma mente positiva, histórias como essas e refletindo sobre a natureza da mente e a analogia do processo de dormir, sonhar e acordar, definitivamente obteremos uma compreensão profunda da existência de nossas vidas futuras. Esse conhecimento é muito precioso e nos ajuda a conquistar grande sabedoria. Compreenderemos que a felicidade das vidas futuras é mais importante do que a felicidade desta vida pela simples razão de que as incontáveis vidas futuras são muito mais longas do que esta breve vida humana. Isso irá nos motivar a preparar a felicidade das nossas incontáveis vidas futuras ou a aplicar esforço para alcançar a libertação permanente do sofrimento por meio do abandono das nossas delusões.

Desfrute da pureza de sua mente e de suas ações

Morte

Ninguém deseja sofrer. Dia e noite, inclusive em nossos sonhos, tentamos instintivamente evitar até mesmo o mais leve e insignificante sofrimento. Isso indica que, embora não estejamos plenamente conscientes disso, o que realmente buscamos, do mais fundo do nosso coração, é a libertação permanente do sofrimento. Há momentos em que estamos livres de sofrimento físico e dor mental, mas esses momentos nunca perduram. Não demora muito até que nosso corpo se torne novamente desconfortável ou doente e que nossa mente esteja perturbada por preocupações e infelicidade. Não importa o problema que superemos, é apenas uma questão de tempo para que outro surja e tome o seu lugar. Isso mostra que, apesar do nosso desejo por libertação permanente do sofrimento, nunca fomos capazes de concretizá-lo. Enquanto as delusões, ou aflições mentais, permanecerem em nossa mente, nunca seremos completamente livres do sofrimento. Podemos desfrutar momentos de pausa ou alívio, mas não demora muito para que nossos problemas retornem. A única maneira de colocar um fim, de uma vez por todas, ao nosso sofrimento é seguir o caminho espiritual. Já que todos desejam, do fundo do coração, a libertação completa do sofrimento, podemos ver que, na verdade, todos precisam seguir o caminho espiritual.

No entanto, porque nosso desejo por prazer mundano é muito intenso, temos pouco ou nenhum interesse pela prática espiritual. Do ponto de vista espiritual, essa ausência de interesse pela prática espiritual é um tipo de preguiça denominada "preguiça do apego".

Enquanto tivermos essa preguiça, a porta para a libertação estará fechada para nós e, consequentemente, continuaremos a vivenciar problemas nesta vida e sofrimento sem fim vida após vida. A maneira de superar essa preguiça é meditar sobre a morte.

Precisamos contemplar e meditar repetidamente sobre a nossa morte, até obtermos uma profunda realização sobre ela. Embora, num nível intelectual, todos nós saibamos que, definitivamente, estamos caminhando para a morte, nossa consciência sobre a morte permanece superficial. Na medida em que o nosso conhecimento intelectual sobre a morte não toca nosso coração, continuamos a pensar todos os dias "eu não vou morrer hoje, eu não vou morrer hoje". Mesmo no dia da nossa morte, ainda estaremos pensando sobre o que faremos no dia ou na semana seguintes. Essa mente que pensa todo dia "eu não vou morrer hoje" é enganosa – ela nos conduz na direção errada e faz com que a nossa vida humana se torne vazia. Por outro lado, por meditar sobre a morte substituiremos, gradativamente, o pensamento *enganoso* "eu não vou morrer hoje" pelo pensamento *não enganoso* "pode ser que eu morra hoje". A mente que espontaneamente pensa todos os dias "pode ser que eu morra hoje" é a realização sobre a morte. É essa realização que elimina diretamente a nossa preguiça do apego e abre a porta para o caminho espiritual.

Em geral, podemos ou não morrer hoje – não sabemos. No entanto, se pensarmos todos os dias "pode ser que eu *não* morra hoje", esse pensamento irá nos enganar porque vem da nossa ignorância; porém, se em vez disso, pensarmos todos os dias "pode ser que eu morra hoje", esse pensamento não irá nos enganar, porque vem da nossa sabedoria. Esse pensamento benéfico impedirá a nossa preguiça do apego e irá nos encorajar a preparar o bem-estar das nossas incontáveis vidas futuras ou a aplicar grande esforço para ingressar no caminho à libertação. Desse modo, iremos tornar a nossa vida humana significativa.

Para meditar sobre a morte, contemplamos que nossa morte é certa e inevitável, mas que a hora da nossa morte é incerta. Depois, precisamos compreender que, na hora da morte e após a morte, somente a prática espiritual pode nos ajudar.

A MORTE É CERTA

A morte virá definitivamente, e não há nada que possa impedi-la. Contemplamos:

> *Onde quer que eu nasça, seja em um estado de existência afortunado ou desafortunado, eu terei definitivamente de morrer. Quer eu nasça na mais feliz condição de um renascimento elevado ou no mais profundo inferno, terei de experienciar a morte. Não importa quanto e quão longe eu viaje, nunca encontrarei um lugar onde eu possa me esconder da morte, mesmo que eu vá aos confins do espaço ou às profundezas da terra.*
>
> *Ninguém que estava vivo no século I permanece vivo hoje, e ninguém que estava vivo no século II e nos seguintes permanece vivo hoje. Apenas seus nomes sobreviveram. Todos os que estavam vivos há duzentos anos já morreram, e todos os que vivem hoje terão partido daqui a duzentos anos.*

Contemplando esses pontos, devemos nos perguntar: "Serei eu o único a sobreviver à morte?".

Quando nosso carma para vivenciar esta vida chegar ao fim, ninguém e nada poderão impedir nossa morte. Quando a hora da nossa morte chega, não há como fugir. Se fosse possível impedir a morte utilizando clarividência ou poderes miraculosos, aqueles que possuíssem tais poderes teriam se tornado imortais; mas até mesmo os clarividentes morrem. Os monarcas mais poderosos que já governaram neste mundo ficaram impotentes e desprotegidos perante o poder da morte. O rei dos animais, o leão, que pode matar um elefante, é imediatamente destruído quando se encontra com o Senhor da Morte. Até mesmo os bilionários não têm como evitar a morte. Eles não podem distrair a morte oferecendo suborno ou comprando mais tempo, dizendo: "se adiares minha morte, darei a ti riquezas que estão além dos teus mais extravagantes devaneios".

A morte é inexorável, implacável, e não fará concessões. Ela é como o desmoronamento de uma imensa montanha em todas as quatro direções; não há maneira de deter sua devastação. Isso também é verdadeiro para o envelhecimento e a doença. O envelhecimento avança furtivamente e corrói nossa juventude, nosso vigor e nossa beleza. Embora estejamos pouco conscientes desse processo, ele já se encontra em andamento e não pode ser revertido. A doença destrói o conforto, o poder e o vigor do nosso corpo. Se os médicos nos ajudarem a superar nossa primeira doença, outras tomarão seu lugar, até o momento em que, por fim, nossa doença não poderá ser curada e morreremos. Não podemos escapar da doença e da morte fugindo delas. Não podemos aplacá-las com riquezas nem utilizando poderes miraculosos que as façam desaparecer. Cada ser vivo neste mundo tem de sofrer o envelhecimento, a doença e a morte.

Nosso tempo de vida não pode ser aumentado e, na verdade, está diminuindo continuamente. A partir do momento da nossa concepção, rumamos inexoravelmente em direção à morte, do mesmo modo que um cavalo de corrida galopa em direção à linha de chegada. Ocasionalmente, até mesmo cavalos de corrida diminuem sua velocidade; porém, em nossa corrida rumo à morte, nunca paramos, nem mesmo por um segundo. Enquanto dormimos e enquanto estamos acordados, nossa vida escapa furtivamente de nós. Todo veículo, de vez em quando, para e interrompe sua viagem, mas nosso tempo de vida nunca interrompe sua corrida. No momento seguinte ao nosso nascimento, parte do nosso tempo de vida já pereceu. Vivemos no próprio abraço da morte. Após nosso nascimento, não temos liberdade para permanecer sequer por um minuto. Rumamos, como um atleta correndo, em direção ao abraço do Senhor da Morte. Podemos pensar que estamos entre os vivos, mas nossa vida é a própria estrada da morte.

Suponha que nosso médico nos revelasse que estamos sofrendo de uma doença incurável e que temos apenas uma semana de vida. Se um amigo nosso, então, nos oferecesse um presente fantástico – como um diamante, um carro novo ou férias gratuitas – não ficaríamos muito excitados com isso. Porém, na verdade, essa é a nossa verdadeira e difícil situação, pois todos nós estamos sofrendo de uma doença mortal. Quanta tolice é ficar excessivamente interessado pelos prazeres passageiros desta breve vida!

Se acharmos difícil meditar sobre a morte, podemos ouvir com atenção o tique-taque de um relógio e tomar consciência de que cada *tique* marca o fim de um momento de nossa vida e nos arrasta para mais perto da morte. Podemos imaginar que o Senhor da Morte vive a uma certa distância de nós. Então, à medida que ouvimos o tique-taque do relógio, podemos imaginar que damos passos em direção à morte, momento a momento. Desse modo, compreenderemos que estamos viajando em direção à morte, sem um único momento de descanso.

Nosso mundo é tão impermanente quanto nuvens de outono, com o nosso nascimento e morte assemelhando-se à entrada e saída de atores em um palco. Os atores frequentemente mudam seus figurinos e papéis, entrando em cena sob muitos e diferentes vestuários e caracterizações. Do mesmo modo, os seres vivos tomam continuamente diferentes formas e entram em novos mundos. Algumas vezes, os seres vivos são seres humanos; outras vezes, são animais e, outras vezes, entram no inferno. Devemos compreender que o tempo de vida de um ser vivo passa como um relâmpago no céu e termina rapidamente, como a água que cai de uma montanha elevada.

A morte virá, independentemente de termos ou não conseguido tempo para a prática espiritual. Embora a vida seja breve, isso não seria tão ruim se tivéssemos tempo suficiente para a prática espiritual, mas a maior parte do nosso tempo está comprometida com dormir, trabalhar, comer, fazer compras, conversar e assim por diante, restando pouquíssimo tempo para uma prática espiritual pura. Nosso tempo é facilmente consumido por outras atividades, até que, repentinamente, morremos.

Insistimos em pensar que temos tempo suficiente para a prática espiritual, mas, se examinarmos com bastante atenção nosso estilo de vida, veremos que os dias passam rapidamente, sem nos darmos conta e sem que tenhamos começado seriamente uma prática.

Se não tivermos arranjado tempo para nos empenharmos puramente na prática espiritual, iremos rememorar nossa vida na hora da morte e ver que ela foi de muito pouco benefício. No entanto, se meditarmos sobre a morte, desenvolveremos um desejo tão sincero de praticar puramente que iremos naturalmente começar a modificar nossa rotina diária de modo que inclua, ao menos, um pequeno tempo para a prática espiritual. Por fim, encontraremos mais tempo para a prática espiritual do que para outras atividades.

Se meditarmos repetidamente sobre a morte, talvez possamos sentir medo; mas não é suficiente, apenas, sentir medo. Uma vez que tenhamos gerado o medo adequado de morrer despreparados, devemos procurar por algo que nos ofereça verdadeira proteção. Os caminhos das vidas futuras são muito longos e desconhecidos. Temos de vivenciar uma vida após outra e não podemos estar seguros onde iremos renascer – se teremos de seguir os caminhos dos estados infelizes de existência ou os caminhos de reinos mais felizes. Não temos liberdade ou independência – temos de ir para onde nosso carma nos levar. Por essa razão, precisamos encontrar algo que nos mostre um caminho seguro para as vidas futuras, algo que nos conduza pelos caminhos corretos e para longe dos caminhos errôneos. As posses e prazeres desta vida não podem nos proteger. Uma vez que somente os ensinamentos espirituais revelam um caminho perfeito que irá nos ajudar e proteger no futuro, precisamos aplicar esforço com nosso corpo, fala e mente para colocar em prática ensinamentos espirituais, como os que são apresentados neste livro. O iogue Milarepa disse:

> Existem mais medos nas vidas futuras do que nesta vida. Preparaste algo que irá te ajudar? Se não te preparaste para as vidas futuras, então, faze-o agora. A única proteção contra aqueles medos é a prática dos sagrados ensinamentos espirituais.

Se refletirmos sobre nossa própria vida, iremos ver que temos gasto muitos anos sem nos interessarmos pela prática espiritual e que, agora, mesmo se tivermos o desejo de praticar, ainda não estamos a praticar puramente devido à preguiça. Um grande erudito chamado Gungtang disse:

> Passei vinte anos não desejando praticar ensinamentos espirituais. Passei os vinte anos seguintes pensando que poderia praticá-los mais tarde. Passei mais vinte anos absorvido em outras atividades e lamentando o fato de que não havia me empenhado na prática espiritual. Esta é a história da minha vida humana vazia.

Essa poderia ser nossa própria história de vida, mas, se meditarmos sobre a morte, evitaremos desperdiçar nossa preciosa vida humana e iremos nos empenhar para torná-la significativa.

Contemplando esses pontos, devemos pensar profundamente: "eu vou morrer, inevitavelmente". Considerando que, na hora da morte, somente nossa prática espiritual será de alguma assistência verdadeira para nós, tomamos a firme resolução: "eu preciso colocar os ensinamentos espirituais, conhecidos como Dharma, em prática". Quando esse pensamento surgir de modo claro e forte em nossa mente, devemos mantê-lo estritamente focado e sem distrações, de modo que nos familiarizemos cada vez mais com ele, até nunca mais perdê-lo.

A HORA DA NOSSA MORTE É INCERTA

Algumas vezes, enganamos a nós mesmos, pensando "sou jovem e, portanto, não morrerei tão cedo"; mas, ao meramente observar quantas pessoas jovens morrem antes que seus pais, podemos ver quão equivocado esse pensamento é. Algumas vezes, pensamos "sou saudável e, portanto, não morrerei tão cedo", mas podemos observar que, de vez em quando, pessoas que são saudáveis e cuidam de doentes morrem antes de seus pacientes. Pessoas que estão indo visitar amigos no hospital podem morrer antes, num acidente de carro, pois a morte não se limita aos idosos e aos enfermos. Uma pessoa que esteja em plena atividade e sentindo-se bem pela manhã pode estar morta à tarde, e outra que se sente bem quando vai dormir pode morrer antes que acorde. Algumas pessoas morrem enquanto estão comendo, ao passo que outras morrem enquanto estão conversando. Algumas pessoas morrem assim que nascem.

A morte pode não dar aviso algum. Esse inimigo pode chegar a qualquer momento e, com frequência, ataca rapidamente, quando menos esperamos por ele. A morte pode chegar enquanto estamos dirigindo para ir a uma festa, ou ligando nossa televisão ou até mesmo enquanto estamos pensando "eu não vou morrer hoje" e fazendo planos para nossas férias de verão ou nossa aposentadoria. O Senhor da Morte pode se aproximar sorrateiramente de nós, do mesmo modo que nuvens escuras movem-se pelo céu, sem que as percebamos. Algumas vezes, quando entramos em casa, o céu está brilhante e claro, mas ao sair, o céu está encoberto. Do mesmo modo, a morte pode lançar rapidamente sua sombra sobre nossa vida.

Existem muito mais condições conducentes à morte do que à sobrevivência. Embora nossa morte seja certa e nosso tempo de vida, indefinido, isso não seria tão ruim se as condições que levam à morte fossem raras; porém, existem inumeráveis condições exteriores e interiores que podem levar à nossa morte. O ambiente exterior causa mortes por fome, enchentes, incêndios, terremotos, poluição, e assim por diante. De modo semelhante, os quatro elementos corporais internos (os elementos terra, água, fogo e vento) causam a morte quando sua harmonia é perdida e um deles se desenvolve em excesso. Quando esses elementos internos estão em harmonia, diz-se que são como quatro serpentes da mesma espécie e de força equivalente, vivendo juntas pacificamente; mas, quando perdem sua harmonia, é como se uma serpente se tornasse mais forte que as outras e passasse a devorar as demais até, por fim, ela própria morrer de fome.

Além dessas causas inanimadas da morte, outros seres vivos (como ladrões, soldados inimigos e animais selvagens) também podem ocasionar nossa morte. Até mesmo coisas que não consideramos ameaçadoras, como aquelas que pensamos que sustentam e protegem nossa vida – como nossa casa, nosso carro ou nosso melhor amigo – podem tornar-se causas da nossa morte. Às vezes, pessoas morrem esmagadas pelo desmoronamento da própria casa ou por caírem da escada em seu próprio lar, e, todos os dias, muitas pessoas morrem em seus carros. Algumas pessoas morrem durante as férias, e outras morrem praticando seu *hobby* ou esporte preferido – por exemplo, um cavaleiro que morre numa queda. O próprio alimento que comemos para nutrir e sustentar nossa vida pode ser uma causa de morte. Nossos amigos ou, até mesmo, nosso marido ou esposa, podem se transformar, involuntariamente ou de modo intencional, em causas da nossa morte. Vemos nas notícias como casais, às vezes, se matam um ao outro, e de pais que, às vezes, matam seus próprios filhos. Se investigarmos cuidadosamente, seremos incapazes de encontrar qualquer prazer mundano que não seja uma causa potencial de morte e que seja, única e exclusivamente, uma causa para permanecermos vivos. O grande erudito Nagarjuna disse:

> Mantemos nossa vida em meio a milhares de condições que ameaçam nos matar. Nossa força vital é como a chama de uma vela ao sabor da brisa – facilmente extinta pelos ventos da morte, que sopram de todas as direções.

Cada pessoa criou o carma para permanecer nesta vida por um determinado período, mas, visto que não podemos lembrar o carma que criamos, não podemos saber a duração exata da nossa vida atual. É possível que morramos de morte prematura, antes de completar nosso tempo de vida, pois podemos esgotar nosso mérito – que é a causa de boa fortuna – mais cedo do que o esgotamento do carma que determina nosso tempo de vida. Se isso acontecer, ficaremos tão doentes que os médicos não conseguirão nos ajudar, ou nos encontraremos numa situação na qual seremos incapazes de obter alimentos e demais necessidades que sustentam nossa vida. No entanto, mesmo quando ficamos seriamente doentes, se nosso tempo de vida não tiver chegado ao fim e ainda tivermos mérito, podemos encontrar todas as condições necessárias para nossa recuperação.

O corpo humano é muito frágil. Embora existam muitas causas de morte, isso não seria tão ruim se nosso corpo fosse forte como o aço; porém, nosso corpo é delicado. Não são necessárias armas e bombas para destruir nosso corpo; ele pode ser destruído por uma pequena agulha. Como Nagarjuna disse:

> Há muitos destruidores da nossa força vital.
> Nosso corpo humano é como uma bolha d'água.

Assim como uma bolha d'água estoura tão logo é tocada, uma única e simples gota de água em nosso coração ou o mais leve arranhão de um espinho venenoso podem causar nossa morte. Nagarjuna disse que, ao final deste éon, o universo inteiro será consumido pelo fogo e nem mesmo suas cinzas irão restar. Uma vez que o universo inteiro irá se tornar vazio, não é necessário dizer que este delicado corpo humano irá se deteriorar muito mais rapidamente.

Podemos contemplar o processo da nossa respiração e como ele continua, sem interrupção, entre a inalação e a exalação. Se esse processo parar, morremos. Até mesmo quando estamos dormindo e nossa contínua-lembrança não está mais funcionando, nossa respiração continua, embora, sob muitos outros aspectos, pareçamos um cadáver. Nagarjuna disse: "isso é a coisa mais maravilhosa!". Quando acordamos pela manhã, deveríamos nos regozijar, pensando: "Como é surpreendente que a minha respiração tenha mantido minha vida durante o sono. Se ela tivesse cessado durante a noite, eu agora estaria morto!".

Por contemplar que a hora da nossa morte é totalmente incerta e compreendendo que não há garantia de que não morreremos hoje, devemos pensar profundamente, dia e noite: "Pode ser que eu morra hoje, pode ser que eu morra hoje". Meditando nesse sentimento, chegaremos, então, a uma forte determinação:

Já que, em breve, terei de partir desta vida, não há sentido em ficar apegado às coisas desta vida. Em vez disso, tomarei a sério a verdadeira essência da minha vida humana, empenhando-me sinceramente numa prática espiritual pura.

O que significa "empenhar-se numa prática espiritual pura"? Quando praticamos ensinamentos espirituais que são métodos para controlar nossas delusões (tais como o desejo descontrolado, raiva e ignorância), estamos nos empenhando numa prática espiritual pura. Isto, por sua vez, significa que estamos seguindo caminhos espirituais corretos. Essa prática espiritual pura tem três níveis: (1) a prática de uma pessoa de escopo inicial, (2) a prática de uma pessoa de escopo mediano e (3) a prática de uma pessoa de grande escopo. Uma explicação detalhada desses três níveis pode ser encontrada nos livros *Caminho Alegre da Boa Fortuna* e *Budismo Moderno*.

*Ouça o precioso som da concha do Dharma,
e contemple e medite no seu significado*

Carma

Carma significa "ações": as ações de nosso corpo, fala e mente. Este assunto é muito significativo. Durante toda a nossa vida, temos de experienciar diversos tipos de sofrimento e problemas, sem escolha. A razão disto é que não compreendemos quais ações precisamos abandonar e quais ações precisamos praticar. Se tivéssemos esse conhecimento e o colocássemos em prática, não haveria base para experienciarmos sofrimento e problemas.

A lei do carma é um caso especial da lei de causa e efeito, segundo a qual todas as nossas ações de corpo, fala e mente são causas, e todas as nossas experiências são seus efeitos. A lei do carma explica a razão pela qual cada indivíduo tem uma disposição mental única e exclusiva, uma aparência física única e exclusiva e experiências únicas e exclusivas. Tudo isso são os diversos efeitos das incontáveis ações que cada indivíduo executou no passado. Não podemos encontrar duas pessoas que tenham criado exatamente a mesma história de ações durante suas vidas passadas e, por essa razão, não podemos encontrar duas pessoas com estados mentais idênticos, experiências idênticas ou aparência física idêntica. Cada pessoa tem um carma individual diferente. Algumas desfrutam de boa saúde, ao passo que outras estão constantemente doentes. Algumas pessoas são vistas como muito bonitas, enquanto outras são vistas como muito feias. Algumas têm um temperamento feliz, que as torna fáceis de serem agradadas, ao passo que outras são mal-humoradas e raramente contentam-se com algo. Algumas pessoas compreendem facilmente o significado dos ensinamentos espirituais, enquanto outras consideram esses ensinamentos difíceis e obscuros.

Toda ação que fazemos deixa uma marca, ou potencial, em nossa mente muito sutil, e cada marca faz surgir, por fim, seu próprio efeito. Nossa mente é como um campo, e fazer ações é como plantar sementes nesse campo. Ações virtuosas plantam sementes de felicidade futura, e ações não virtuosas plantam sementes de sofrimento futuro. Essas sementes permanecem adormecidas em nossa mente até que as condições para que amadureçam se reúnam e, então, produzam seu efeito. Em alguns casos, isso pode acontecer muitas vidas após a ação original ter sido feita.

É devido ao nosso carma, ou ações, que nascemos neste mundo contaminado, impuro, e experienciamos tantas dificuldades e problemas. Nossas ações são impuras porque nossa mente está contaminada pelo veneno interior do agarramento ao em-si. Essa é a razão fundamental pela qual experienciamos sofrimento. Sofrimento é criado pelas nossas próprias ações, ou carma – sofrimento não nos é dado como punição. Sofremos porque acumulamos muitas ações não virtuosas em nossas vidas anteriores. A fonte dessas ações não virtuosas são as nossas próprias delusões, ou aflições mentais, como raiva, apego e ignorância do agarramento ao em-si.

Quando tivermos purificado nossa mente do agarramento ao em-si e de todas as demais delusões, todas as nossas ações serão naturalmente puras. Como resultado das nossas ações puras, ou carma puro, tudo que experienciarmos será puro. Habitaremos um mundo puro, com um corpo puro, desfrutando de prazeres puros e rodeados por seres puros. Não mais haverá o mais leve traço de sofrimento, impureza ou problemas. É desse modo que encontramos felicidade verdadeira a partir de nossa mente.

AS CARACTERÍSTICAS GERAIS DO CARMA

Para cada ação que fazemos, experienciamos um resultado semelhante. Se um jardineiro plantar uma semente de planta medicinal, uma planta medicinal irá crescer, e não uma planta venenosa; e se o jardineiro não plantar semente alguma, então, nada crescerá. De modo semelhante, se fizermos ações positivas, experienciaremos resultados felizes, e não infelicidade; se fizermos ações negativas, experienciaremos somente resultados infelizes; e se fizermos ações neutras, experienciaremos resultados neutros.

Por exemplo, se estivermos agora experienciando qualquer perturbação mental, o motivo é que, em algum momento no passado, perturbamos a mente dos outros. Se estivermos experienciando uma doença física dolorosa, o motivo é que, no passado, causamos dor aos outros – por exemplo, batemos ou atiramos neles, administramos intencionalmente medicamentos errados ou servimos a eles comida envenenada. Se não tivéssemos criado a causa cármica para ficarmos doentes, seria impossível experienciarmos o sofrimento de doença física, mesmo que estivéssemos em meio a uma epidemia, na qual todos ao nosso redor estivessem morrendo. Por exemplo, aqueles que alcançaram o nirvana, a suprema paz interior permanente, nunca experienciam dor física ou mental porque abandonaram de se envolver em ações prejudiciais e purificaram todos os potenciais não virtuosos, que são as causas principais de sofrimento.

A causa principal dos sofrimentos da pobreza é a ação de roubar. As causas principais de ser oprimido são desprezar, bater ou exigir forçosamente o trabalho de pessoas de posição inferior, ou desprezar os outros ao invés de tratá-los com bondade amorosa. As causas principais dos sofrimentos de ser separado de amigos e familiares são ações como as de seduzir os parceiros dos outros ou de, propositadamente, causar a separação de amigos ou afastar pessoas que trabalham para outras.

Costumamos aceitar que as más experiências surgem somente na dependência das condições desta vida atual. Já que não conseguimos ter uma explicação para muitas dessas más experiências com base nas condições desta vida, sentimos, com frequência, que elas são inexplicáveis e injustas e que não há justiça no mundo. Entretanto, na verdade, a maior parte das nossas experiências nesta vida é causada por ações que fizemos em vidas passadas.

Pelo seguinte exemplo dado nas escrituras budistas, podemos começar a compreender como nossas experiências desta vida surgem das ações cometidas em vidas passadas e, também, que os resultados das ações aumentam com o passar do tempo, do mesmo modo que uma pequena semente pode crescer e se transformar em uma imensa árvore. Havia uma vez uma monja chamada Upala, que, antes de receber a ordenação, vivenciou sofrimentos extraordinários. Dos dois filhos que ela teve com seu primeiro marido, um afogou-se e o outro foi atacado e devorado por um chacal. Mais tarde, seu marido foi morto por uma cobra venenosa. Após perder sua família, Upala voltou para a casa dos seus pais, mas, logo após sua chegada, a casa incendiou-se e foi totalmente consumida pelo fogo. Upala casou-se novamente e teve um filho com o seu segundo marido, mas ele era um alcoólico e, uma noite, ficou tão bêbado que matou a criança e forçou Upala a comer sua carne. Ela escapou desse homem louco e fugiu para outro país, onde foi capturada por um bando de ladrões e forçada a casar com o seu líder. Alguns anos depois, seu terceiro marido foi preso e, de acordo com o costume daquele país, ela foi enterrada viva com ele. No entanto, os ladrões tinham um desejo tão grande por Upala que eles a desenterraram e a forçaram a viver com eles. Tendo vivenciado todos esses terríveis sofrimentos e infortúnios, Upala desenvolveu um desejo muito forte de encontrar liberdade de todo tipo de existência sofredora e saiu à procura de Buda para lhe contar sua história. Buda explicou que, em uma vida anterior, ela havia sido uma das esposas de um rei e que era muito ciumenta em relação às outras esposas. Suas ações ciumentas, que causaram o sofrimento de muitas das outras esposas do rei, foram, por si só, suficientes para causar os terríveis sofrimentos de sua vida atual. Esses foram os resultados do seu carma, ou ações. Buda explicou a Upala como ela poderia purificar sua mente, e por ter praticado sinceramente esses ensinamentos, Upala alcançou o nirvana naquela mesma vida.

    Contemplando como os resultados das nossas ações são exatos, definidos, e como eles aumentam, desenvolveremos uma forte determinação de evitar até mesmo a mais leve não virtude e de cultivar até mesmo os mais pequenos pensamentos positivos e ações construtivas. Meditamos, então, nessa determinação para torná-la constante e estável. Se conseguirmos manter nossa determinação o tempo todo e colocá-la em prática, nossas ações de corpo, fala e mente irão se tornar cada vez mais puras, até que não haja mais nenhuma base para o sofrimento.

Se não fizermos uma ação, não poderemos experienciar seu efeito. Numa batalha, alguns soldados são mortos, enquanto outros sobrevivem. Os sobreviventes não se salvaram porque foram mais corajosos que os outros, mas porque não criaram nenhuma ação que os fizesse morrer naquela ocasião. Podemos encontrar muitos outros exemplos como esse nas notícias. Quando um terrorista coloca uma bomba num edifício, algumas pessoas são mortas, ao passo que outras se salvam apesar de estarem no centro da explosão. Quando há um acidente de avião ou ocorre uma erupção vulcânica, algumas pessoas morrem, enquanto outras, como por milagre, se salvam. Em muitos acidentes, os próprios sobreviventes ficam atônitos por estarem vivos, ao passo que outras pessoas, ao seu lado, morreram.

As ações dos seres vivos nunca são desperdiçadas ou perdidas, mesmo que um longo tempo tenha passado antes que seus efeitos sejam experienciados. Ações não podem simplesmente desaparecer e não podemos dá-las a alguém, eximindo-nos, assim, de nossa responsabilidade. Embora as intenções mentais momentâneas que iniciaram nossas ações passadas tenham cessado, os potenciais que elas criaram em nossa mente não cessam até que seus resultados tenham amadurecido. A única maneira de destruir potenciais negativos antes que amadureçam como sofrimento é purificá-los.

Infelizmente, é muito mais fácil destruir nossos potenciais positivos, pois, se deixarmos de dedicar nossas ações virtuosas, elas podem perder completamente seu poder devido a um único instante de raiva. Nossa mente é como uma arca de tesouro, e nossas ações virtuosas são como joias. Se não as protegermos por meio de dedicatória, sempre que ficarmos com raiva será como colocar um ladrão em meio às nossas riquezas.

OS SEIS REINOS DE RENASCIMENTO

As sementes das nossas ações que amadurecem quando morremos são muito importantes, pois elas determinam que tipo de renascimento teremos em nossa próxima vida. A semente específica que amadurece na hora da morte depende do estado mental com o qual morremos. Se morrermos com uma mente pacífica, isso estimulará uma semente virtuosa e experienciaremos um renascimento afortunado. Mas, se morrermos com uma mente perturbada ou agitada – em estado de raiva, por exemplo – isso estimulará uma semente não virtuosa e experienciaremos um renascimento desafortunado. Isso é semelhante ao modo como os pesadelos são provocados por estarmos com um estado mental agitado logo antes de dormir.

O exemplo de dormir, sonhar e acordar não é acidental, pois, como foi explicado no capítulo sobre renascimento, o processo de dormir, sonhar e acordar possui semelhança muito próxima com o processo da morte, estado intermediário e renascimento. Enquanto estamos no estado intermediário, experienciamos diferentes visões, que surgem das sementes cármicas que foram ativadas imediatamente antes da morte. Se sementes negativas forem ativadas, essas visões serão apavorantes, mas se sementes positivas forem ativadas, as visões serão predominantemente agradáveis. Em ambos os casos, quando as sementes cármicas tiverem amadurecido plenamente, elas irão nos impelir a tomar renascimento em um ou outro dos seis reinos do samsara.

Os seis reinos são lugares efetivos nos quais podemos renascer. Eles são trazidos à existência pelo poder das nossas ações, ou carma. Existem três tipos de ação: ações físicas, ações verbais e ações mentais. Já que as nossas ações físicas e verbais são sempre iniciadas por nossas ações mentais, ou intenções, os seis reinos são, em última instância, criados por nossa mente. Por exemplo, o reino do inferno é um lugar que surge como resultado das piores ações, como assassínio ou extrema crueldade física ou mental, ações essas que dependem dos estados mentais mais deludidos.

Para formar uma imagem mental dos seis reinos, podemos compará-los com os andares de uma casa grande e velha. Nesta analogia, a casa representa o samsara, o ciclo de renascimento contaminado. A casa possui três andares acima do solo e três subsolos. Os seres sencientes deludidos são como os moradores dessa casa. Eles estão constantemente mudando para cima e para baixo dessa casa – algumas vezes, vivendo nos andares acima do solo; outras vezes, vivendo no subsolo.

O andar térreo representa o reino humano. Acima dele, no primeiro andar, está o reino dos semideuses – seres não humanos, que estão continuamente em guerra com os deuses. Em termos de poder e prosperidade, eles são superiores aos humanos, mas encontram-se tão obcecados pela inveja e pela violência que suas vidas têm pouco valor espiritual.

Os deuses vivem no último andar. As classes inferiores de deuses – os deuses do reino do desejo – vivem uma vida de ócio e luxo, empregando seu tempo no desfrute e satisfação dos seus desejos. Embora seu mundo seja um paraíso e seu tempo de vida longo, eles não são imortais e, por fim, caem para estados inferiores. Uma vez que suas vidas são repletas de distrações, é muito difícil para os deuses do reino do desejo encontrar a motivação para se empenharem na prática espiritual. Do ponto de vista espiritual, uma vida humana é muito mais significativa que a vida de um deus.

Mais elevados que os deuses do reino do desejo são os deuses dos reinos da forma e da sem-forma. Por terem superado o desejo associado aos sentidos (desejo sensual), os deuses do reino da forma experienciam o êxtase refinado da absorção meditativa e possuem corpos feitos de luz. Transcendendo até mesmo essas formas sutis, os deuses do reino da sem-forma vivem num estado sem forma, permanecendo numa consciência sutil que se assemelha ao espaço infinito. Embora suas mentes sejam as mais puras e excelsas do samsara, eles não superaram a ignorância do agarramento ao em--si, que é a raiz do samsara, e, por essa razão, após experienciarem êxtase por muitos éons, suas vidas por fim acabam e eles renascem outra vez em estados inferiores do samsara. Assim como os demais deuses, eles consomem o mérito que criaram no passado e fazem pouco ou nenhum progresso espiritual.

Os três andares acima do solo são denominados "reinos afortunados" porque os seres que neles habitam têm experiências relativamente agradáveis, cujas causas são a prática de virtude. Abaixo do solo, estão os três reinos inferiores, que são o resultado de ações negativas físicas, verbais e mentais. O reino menos doloroso dentre os três reinos inferiores é o reino animal, que, nesta analogia, corresponde ao primeiro andar abaixo do solo. Nesse reino, estão incluídos todos os mamíferos (exceto os seres humanos), bem como as aves, peixes, insetos e vermes – a totalidade do reino animal. Suas mentes são caracterizadas por uma total ausência de consciência espiritual, e a característica principal de suas vidas são o medo e a brutalidade.

No subsolo abaixo, vivem os fantasmas famintos, ou espíritos famintos. As causas principais de renascer nesse reino são ganância e ações negativas motivadas por avareza. A consequência dessas ações é extrema pobreza. Os fantasmas famintos sofrem de fome e sede contínuas, que eles são incapazes de suportar. Seu mundo é um vasto deserto. Se, por acaso, encontram uma gota de água ou uma migalha ou restos de comida, isso desaparece como uma miragem ou se transforma em algo repulsivo, como pus ou urina. Essas aparências se devem ao seu carma negativo e falta de mérito.

O subsolo mais inferior é o inferno. Os seres nesse reino experienciam tormentos implacáveis. Alguns infernos são uma massa de fogo; outros são regiões desoladas, de gelo e escuridão. Monstros conjurados pelas mentes dos seres-do-inferno infligem torturas terríveis a eles. Esse sofrimento continua ininterruptamente durante um tempo que parece uma eternidade, mas, por fim, o carma que causou o nascimento desses seres no inferno é exaurido e, então, os seres-do-inferno morrem e renascem em algum outro lugar do samsara. O inferno é, simplesmente, aquilo que aparece para os tipos de mente mais negativos e distorcidos. O inferno não é um lugar exterior que normalmente podemos ver, mas é semelhante a um pesadelo do qual não acordamos por um tempo muito longo. Para esses seres que vivem no inferno, os sofrimentos do reino do inferno são tão reais quanto a nossa experiência presente do reino humano.

Este é o panorama geral do samsara. Estamos aprisionados no samsara desde tempos sem início, vagando sem sentido e sem qualquer liberdade ou controle, desde o mais elevado paraíso até o mais profundo inferno. Algumas vezes, habitamos os andares superiores, como deuses; outras vezes, estamos no térreo, com um renascimento humano; porém, na maior parte do tempo, estamos presos nos subsolos como animais, fantasmas famintos ou seres-do-inferno, vivenciando sofrimento físico e mental terríveis por períodos extremamente longos.

Embora o samsara se assemelhe a uma prisão, há uma porta pela qual podemos fugir. Essa porta é a vacuidade, a natureza última dos fenômenos. Por meio de realizar a vacuidade, podemos escapar do samsara. Ao treinar nos caminhos espirituais descritos neste livro, encontraremos, por fim, a passagem que conduz a essa porta e, ao atravessá-la, descobriremos que a casa era simplesmente uma ilusão, a criação da nossa mente impura. O samsara não é uma prisão exterior; ele é uma prisão construída pela nossa própria mente. Ele nunca cessará por si próprio, mas, se praticarmos diligentemente um caminho espiritual puro e, assim, eliminarmos nosso agarramento ao em-si e demais delusões, poderemos colocar um fim ao nosso samsara. Uma vez que tenhamos alcançado nossa própria libertação, ou nirvana, estaremos então em condições de mostrar aos outros como destruir suas próprias prisões mentais por meio de erradicar suas delusões.

TIPOS DE AÇÃO

Embora existam incontáveis e diferentes ações de corpo, fala e mente, todas podem ser incluídas em um destes três tipos: ações virtuosas, ações não virtuosas e ações neutras. As práticas de dar, disciplina moral, paciência, esforço no treino espiritual, concentração meditativa e sabedoria são exemplos de ações virtuosas. Matar, roubar e má conduta sexual são ações não virtuosas físicas; mentir, discurso divisor, discurso ofensivo e conversa não-significativa são ações não virtuosas verbais; e cobiça, maldade e sustentar visões errôneas são ações não virtuosas mentais. Além dessas dez ações não virtuosas, existem muitos outros tipos de ação não virtuosa, como, por exemplo, bater ou torturar os outros ou, deliberadamente, fazê-los sofrer por outras maneiras. Diariamente fazemos, também, muitas ações neutras. Sempre que nos envolvemos com as ações cotidianas – como fazer compras, cozinhar, comer, dormir ou descansar – sem uma motivação especificamente boa ou má, estamos executando ações neutras.

Todas as ações não virtuosas são contaminadas porque são motivadas por delusões, particularmente pela delusão da ignorância do agarramento ao em-si. A maioria das nossas ações virtuosas e neutras também está fundamentada no agarramento ao em-si e, por isso, também são contaminadas. No momento presente, mesmo quando estamos, por exemplo, observando disciplina moral, continuamos a nos aferrar a um *eu*, ou *self*, inerentemente existente que está agindo de uma maneira moral ou ética e, por essa razão, nossa prática de disciplina moral é uma ação virtuosa contaminada, que acarreta um renascimento elevado no samsara.

O tempo todo, dia e noite, aferramo-nos a um *eu* e *meu* inerentemente existentes. Essa mente é a delusão da ignorância do agarramento ao em-si. Sempre que nos sentimos envergonhados ou constrangidos, amedrontados, enraivecidos, indignados ou inchados de orgulho, temos uma sensação, ou percepção, muito forte do nosso *self*, ou *eu*. O *eu* ao qual nos agarramos nessas ocasiões é o *eu* inerentemente existente. Mesmo quando estamos descontraídos e relativamente tranquilos, continuamos a nos agarrar ao nosso *eu* como se fosse inerentemente existente, embora o façamos de maneira menos acentuada. Essa mente de agarramento ao em-si é a base de todas as nossas delusões, ou aflições mentais, e é a fonte de todos os nossos problemas. Para nos libertarmos das delusões e dos problemas que elas causam, precisamos compreender que o *eu* inerentemente existente, ao qual nos aferramos de modo tão firme e contínuo, não existe de modo algum. Ele nunca existiu e nunca existirá. O *eu* inerentemente existente é uma mera fabricação da nossa ignorância do agarramento ao em-si.

Para satisfazer os desejos desse *eu* – o *eu* inerentemente existente que acreditamos realmente existir – costumamos executar inúmeras ações positivas e negativas. Essas ações são conhecidas como "ações arremessadoras", o que significa que são ações motivadas por forte agarramento ao em-si e que são a causa principal do renascimento *samsárico*. Ações virtuosas contaminadas nos arremessam para renascimentos samsáricos elevados (como um ser humano, semideus ou deus), enquanto ações não virtuosas nos arremessam para renascimentos inferiores – nos reinos animal, dos fantasmas famintos ou do inferno. Se, na hora da nossa morte, desenvolvermos um estado mental negativo, como a raiva, isso fará com que o potencial de uma ação arremessadora não virtuosa amadureça, de modo que, após a morte, tenhamos um renascimento inferior. Por sua vez, se, na hora da morte, desenvolvermos um estado mental virtuoso – por exemplo, se nos lembrarmos da nossa prática espiritual diária – isso amadurecerá o potencial de uma ação arremessadora virtuosa, fazendo com que, após a morte, renasçamos como um ser humano ou como um dos outros dois tipos de seres samsáricos elevados, e, em qualquer um desses casos, teremos de vivenciar os sofrimentos desses seres.

Existe outro tipo de ação contaminada, que é denominada "ação completadora". Ela é uma ação contaminada que é a causa principal da felicidade ou do sofrimento que experienciamos após termos tomado um renascimento específico. Todos os seres humanos foram arremessados no mundo humano por ações arremessadoras virtuosas, mas as experiências que têm como seres humanos variam consideravelmente na dependência de suas diferentes ações completadoras. Alguns experienciam uma vida de sofrimento, ao passo que outros experienciam uma vida de facilidades e comodidade. De modo semelhante, os animais foram, todos eles, arremessados no mundo animal por ações arremessadoras não virtuosas, mas suas experiências como animais variam consideravelmente na dependência de suas diferentes ações completadoras. Alguns animais, como os animais de estimação, conseguem experienciar uma vida de luxo, recebendo mais cuidados e atenção do que muitos seres humanos. Os seres-do-inferno e os fantasmas famintos experienciam somente os resultados de ações arremessadoras não virtuosas e de ações completadoras não virtuosas. Desde o dia em que nascem até o dia em que morrem, não experienciam nada além de sofrimento.

Uma única ação arremessadora pode nos arremessar em muitas vidas futuras. Nas escrituras budistas, é dado o exemplo de um homem que ficou com muita raiva de um monge ordenado e disse-lhe que ele se parecia com um sapo. Como resultado, esse homem desafortunado renasceu muitas vezes como um sapo. No entanto, apenas um único renascimento é, às vezes, suficiente para esgotar o poder da nossa ação arremessadora.

Algumas das nossas ações amadurecem na mesma vida em que foram executadas, e estas ações são, necessariamente, ações completadoras; outras, amadurecem na vida seguinte, e outras, em vidas posteriores – ambas estas ações podem ser ações arremessadoras ou completadoras.

Em resumo, podemos ver que, primeiramente, desenvolvemos um forte agarramento ao em-si, a partir do qual surgem todas as demais delusões. Essas delusões nos impelem a criar carma arremessador, que nos faz tomar outro renascimento samsárico, no qual vivenciaremos medo, sofrimento e problemas. Ao longo desse renascimento, desenvolveremos continuamente agarramento ao em-si e demais delusões, que irão nos impelir a criar mais ações arremessadoras e nos levar para mais renascimentos contaminados. Esse processo do samsara é um ciclo sem fim, a não ser que alcancemos o nirvana.

Aplique grande esforço para alcançar a iluminação

Samsara

A PALAVRA "SAMSARA" é sânscrita e significa "ciclo de renascimento contaminado, ou ciclo de vida impura". O ciclo de renascimento contaminado refere-se a tomar, repetidamente, um corpo e mente contaminados, que também são denominados "agregados contaminados". Normalmente, sempre que nosso corpo está doente, pensamos "eu estou doente", e sempre que nossa mente está infeliz, pensamos "eu estou infeliz". Isso indica, claramente, que acreditamos que nosso corpo e mente são o nosso *self*, ou *eu*. Essa crença é ignorância, porque nosso corpo e mente não são o nosso *self*; eles são as posses do nosso *self*, como indicado quando dizemos "meu corpo, minha mente". Devido a essa ignorância que acredita que o nosso corpo e mente são o nosso *self*, desenvolvemos vários tipos de aparência equivocada, através dos quais experienciamos diversos tipos de sofrimento e problemas, semelhantes a alucinações, por toda esta vida e vida após vida, sem fim. A partir disso, podemos compreender que, desde tempos sem início até agora, nossa maneira de identificar nosso *self* tem sido equivocada. Para reduzir e, por fim, cessar completamente nossa experiência de sofrimento e problemas, que são semelhantes a alucinações, precisamos identificar corretamente nosso *self* através do treino em caminhos espirituais que explicarei no capítulo *Bodhichitta Última*. Por meio das instruções apresentadas nesse capítulo, compreenderemos a maneira como as coisas realmente são.

Devemos saber que a nossa vida humana é preciosa e realmente valiosa somente quando a utilizamos para treinar em caminhos espirituais. Em si mesma, ela é um verdadeiro sofrimento. Experienciamos diversos tipos de sofrimento porque tivemos um renascimento que é contaminado pelo veneno interior das delusões, ou aflições mentais. Essa experiência não tem um começo, pois temos tomado renascimentos contaminados desde tempos sem início, e isso não terá um fim a menos que alcancemos a suprema paz interior do nirvana. Se contemplarmos e meditarmos a respeito do modo como experienciamos sofrimentos e dificuldades ao longo desta nossa vida e vida após vida, chegaremos à firme conclusão de que cada um dos nossos sofrimentos e problemas surge porque tivemos um renascimento contaminado. Desenvolveremos, então, um forte desejo de abandonar o ciclo de renascimento contaminado – o samsara. Esse desejo é denominado "renúncia", e é por meio de desenvolver esse desejo que ingressamos, de fato, no caminho à libertação, ou nirvana. Desse ponto de vista, contemplar e meditar sobre o sofrimento possui grande significado. O propósito principal desta meditação é evitar que tenhamos de passar por todas essas experiências novamente no futuro.

Enquanto permanecermos nesse ciclo de renascimento contaminado, sofrimentos e problemas nunca terão fim – teremos de experienciá-los repetidamente toda vez que renascermos. Embora não possamos relembrar nossa experiência quando estávamos no útero da nossa mãe ou durante nossa tenra infância, os sofrimentos da vida humana começaram a partir do momento da nossa concepção. Qualquer pessoa pode observar que um bebê recém-nascido experiencia angústia e dor. A primeira coisa que um bebê faz ao nascer é gritar. Raramente se viu um bebê nascendo em completa serenidade, com uma expressão tranquila e sorridente em seu rosto.

NASCIMENTO

Quando nossa consciência ingressa na união do espermatozoide do nosso pai com o óvulo da nossa mãe, o nosso corpo é uma substância aquosa bastante quente, como iogurte branco tingido de vermelho. Nos primeiros momentos após a concepção, não temos sensações densas, mas, assim que elas se desenvolvem, começamos a experienciar dor. O nosso corpo torna-se, gradualmente, cada vez mais consistente, e os nossos membros crescem como se nosso corpo estivesse sendo esticado numa roda de tortura. Dentro do útero da nossa mãe é quente e escuro. O nosso lar por nove meses é esse espaço pequeno, bastante apertado e cheio de substâncias impuras. É como estar espremido dentro de um pequeno tanque de água cheio de líquido imundo, com a tampa firmemente fechada, de modo que nenhum ar ou luz possam entrar.

Enquanto estamos no útero da nossa mãe, experienciamos muita dor e medo, tudo isso inteiramente sós. Somos extremamente sensíveis a tudo o que a nossa mãe faz. Quando ela anda rapidamente, sentimos como se estivéssemos caindo de uma montanha alta e ficamos aterrorizados. Se ela tem relações sexuais, sentimos como se estivéssemos sendo esmagados e sufocados entre dois imensos pesos e ficamos em pânico. Se nossa mãe der apenas um pequeno salto, sentimos como se estivéssemos sendo jogados contra o chão de uma grande altura. Se ela bebe qualquer coisa quente, sentimos como se água escaldante estivesse queimando nossa pele, e, se ela bebe qualquer coisa gelada, parece como se fosse uma ducha fria no inverno.

Quando saímos do útero da nossa mãe, sentimos como se estivéssemos sendo forçados através de uma abertura apertada entre duas rochas bem firmes e, quando acabamos de nascer, nosso corpo é tão delicado que qualquer tipo de contato é doloroso. Mesmo se alguém nos segurar com muita ternura, suas mãos parecerão arbustos espinhosos furando nossa carne, e os mais delicados tecidos parecerão ásperos e abrasivos. Comparada com a maciez e suavidade do útero da nossa mãe, qualquer sensação tátil é desagradável e dolorosa. Se alguém nos erguer, é como se estivéssemos sendo balançados acima de um grande precipício, e nos sentimos assustados e inseguros. Esquecemo-nos de tudo que sabíamos em nossa vida passada; do útero da nossa mãe trouxemos apenas dor e confusão. Tudo o que escutamos é sem sentido, como o som do vento, e não podemos compreender nada do que percebemos. Nas primeiras semanas, somos como alguém que é cego, surdo e mudo, e que sofre de profunda amnésia. Quando estamos com fome, não podemos dizer "eu preciso de comida", e, quando estamos com dor, não conseguimos falar "isto está me fazendo mal". Os únicos sinais que conseguimos demonstrar são gestos violentos e lágrimas quentes. Nossa mãe frequentemente não tem ideia da dor e do desconforto que estamos experienciando. Somos totalmente impotentes e indefesos, e tudo nos tem que ser ensinado – como comer, como sentar, como andar, como falar.

Embora sejamos muito vulneráveis nas primeiras semanas de nossa vida, nossos sofrimentos não cessam à medida que crescemos. Continuamos a vivenciar vários tipos de sofrimento por toda a nossa vida. Quando acendemos uma lareira numa casa grande, o calor do fogo permeia toda a casa, e todo o calor da casa tem a sua origem no fogo; do mesmo modo, quando nascemos no samsara, o sofrimento permeia toda a nossa vida, e todos os sofrimentos e desgraças que experienciamos surgem porque tivemos um renascimento contaminado.

Por termos nascido como um ser humano, apreciamos nosso corpo e mente humanos e nos aferramos a eles como se fossem nosso corpo e mente próprios e verdadeiros. Na dependência de observarmos nosso corpo e mente, desenvolvemos agarramento ao em-si, que é a raiz de todas as delusões. Nosso renascimento humano é a base do nosso sofrimento humano; sem essa base, não existem problemas humanos. As dores do nascimento gradualmente se convertem nas dores do envelhecimento, da doença e da morte – elas são um único *continuum*.

DOENÇA

Nosso nascimento também dá origem ao sofrimento da doença. Assim como o vento e a neve do inverno roubam a glória dos prados verdejantes, das árvores, das florestas e das flores, a doença nos toma o esplendor da juventude do nosso corpo, destruindo o seu vigor e o poder dos nossos sentidos. Se normalmente somos saudáveis e nos sentimos bem, quando adoecemos ficamos repentinamente incapazes de nos envolver em nossas atividades físicas habituais. Mesmo um campeão de boxe, que normalmente é capaz de levar a nocaute todos os seus adversários, torna-se completamente indefeso quando a doença o atinge. A doença faz com que todas as experiências dos nossos prazeres diários desapareçam, e leva-nos a experienciar sensações desagradáveis dia e noite.

Quando caímos doentes, somos como um pássaro que estava pairando nas alturas do céu e repentinamente é abatido. Quando um pássaro é abatido, ele cai direto ao chão como um pedaço de chumbo, e toda a sua glória e poder são imediatamente destruídos. De modo semelhante, quando adoecemos, ficamos repentinamente incapacitados. Se estivermos seriamente doentes, podemos nos tornar totalmente dependentes dos outros e perder, inclusive, a habilidade de controlar nossas funções corporais. Essa transformação é difícil de suportar, especialmente para os que são orgulhosos de sua independência e bem-estar físico.

Quando estamos doentes, sentimo-nos frustrados por não podermos fazer o nosso trabalho habitual ou concluir todas as tarefas com as quais nos comprometemos. Facilmente ficamos impacientes com nossa doença e deprimidos com todas as coisas que não podemos fazer. Não conseguimos desfrutar das coisas que normalmente nos dão prazer, como a prática de esportes, dançar, beber, comer alimentos saborosos ou a companhia dos nossos amigos. Todas essas limitações nos fazem sentir ainda mais infelizes; e, para aumentar a nossa infelicidade, temos que suportar todas as dores físicas que a doença traz.

Quando estamos doentes, temos de experienciar não apenas todas as dores indesejáveis da própria doença, mas também toda sorte de outras coisas indesejadas. Por exemplo, temos de tomar qualquer medicamento que for prescrito, quer seja um remédio de sabor repugnante, uma série de injeções, passar por uma grande cirurgia ou nos abster de alguma coisa de que gostamos muito. Se tivermos que fazer uma intervenção cirúrgica, teremos de ir ao hospital e aceitar todas as suas condições.

Podemos ter que comer alimentos que não gostamos e ficar numa cama durante o dia todo sem nada para fazer, e podemos nos sentir ansiosos em relação à cirurgia. Nosso médico pode não nos explicar exatamente qual é o problema, e se ele (ou ela) espera que sobrevivamos ou não.

Se descobrirmos que a nossa doença é incurável e não tivermos experiência espiritual, sofreremos de ansiedade, medo e arrependimento. Podemos ficar deprimidos e perder a esperança, ou podemos ficar com raiva da nossa doença, sentindo que ela é um inimigo que maldosamente nos privou de toda a alegria.

ENVELHECIMENTO

O nosso nascimento dá origem aos sofrimentos do envelhecimento. O envelhecimento rouba a nossa beleza, a nossa saúde, a nossa boa aparência, o corado do nosso rosto, a nossa vitalidade e o nosso conforto. O envelhecimento nos transforma em objetos de desdém. Ele traz muitos sofrimentos indesejáveis e leva-nos rapidamente para a nossa morte.

À medida que envelhecemos, perdemos toda a beleza da nossa juventude, e o nosso corpo sadio e forte torna-se fraco e oprimido por doenças. Nosso porte, outrora vigoroso e bem proporcionado, torna-se curvado e desfigurado; nossos músculos e carne encolhem tanto que os nossos membros tornam-se finos como gravetos, e nossos ossos tornam-se salientes e protuberantes. O nosso cabelo perde a cor e o brilho, e a nossa pele perde a radiância. A nossa face torna-se enrugada e a nossa fisionomia fica gradualmente distorcida. Milarepa disse:

> Como os velhos se levantam? Eles se levantam como se estivessem arrancando uma estaca do chão. Como os velhos andam? Uma vez que estejam em pé, eles têm que andar cuidadosamente, como fazem os caçadores de pássaros. Como os velhos se sentam? Eles se estatelam como malas pesadas cujas alças se romperam.

Podemos contemplar o seguinte poema sobre os sofrimentos do envelhecimento, escrito pelo grande erudito Gungtang:

Quando somos idosos, nosso cabelo se torna branco,
Não porque o tenhamos lavado muito bem;
Isso é um sinal de que, em breve, encontraremos o Senhor da Morte.

Temos rugas em nossa fronte,
Não porque tenhamos carne demais;
É um aviso do Senhor da Morte: "Estás prestes a morrer".

Nossos dentes caem,
Não para abrir espaço para novos;
É um sinal de que, em breve, perderemos a capacidade de ingerir alimentos que as pessoas normalmente desfrutam.

Nosso rosto é feio e desagradável,
Não porque estejamos usando máscaras;
Isso é um sinal de que perdemos a máscara da juventude.

Nossa cabeça balança de um lado para outro,
Não porque estejamos discordando;
É o Senhor da Morte batendo em nossa cabeça com o bastão que ele traz em sua mão direita.

Andamos curvados, fitando o chão,
Não porque estejamos à procura de agulhas perdidas;
Isso é um sinal de que estamos em busca da beleza e das memórias que perdemos.

Levantamo-nos do chão usando os quatro membros,
Não porque estejamos a imitar os animais;
Isso é um sinal de que as nossas pernas estão fracas demais para suportar o nosso corpo.

Sentamo-nos como se tivéssemos sofrido uma queda
   repentina,
Não porque estejamos zangados;
Isso é um sinal de que o nosso corpo perdeu seu vigor.

Nosso corpo balança quando andamos,
Não porque pensemos que somos importantes;
Isso é um sinal de que as nossas pernas não podem sustentar
   o nosso corpo.

Nossas mãos tremem,
Não porque estejam com ânsia de roubar;
Isso é um sinal de que os dedos gananciosos do Senhor
   da Morte estão roubando as nossas posses.

Comemos pouco,
Não porque somos avaros;
Isso é um sinal de que não podemos digerir nossa comida.

Sibilamos com frequência,
Não porque estejamos sussurrando mantras aos doentes;
Isso é um sinal de que nossa respiração em breve desaparecerá.

Quando somos jovens, podemos viajar ao redor do mundo inteiro, mas, quando ficamos velhos, dificilmente conseguimos ir até a porta de entrada da nossa própria casa. Tornamo-nos demasiadamente fracos para nos envolvermos em muitas atividades mundanas, e as nossas atividades espirituais são frequentemente abreviadas. Por exemplo, temos pouco vigor físico para fazer ações virtuosas e pouca energia mental para memorizar, contemplar e meditar. Não podemos assistir a ensinamentos que são dados em lugares de difícil acesso ou desconfortáveis de se estar. Não podemos ajudar os outros através de meios que requeiram força física e boa saúde. Privações como essas frequentemente deixam as pessoas idosas muito tristes.

Quando envelhecemos, ficamos como alguém que é cego e surdo. Não podemos ver com clareza e precisamos de óculos cada vez mais fortes, até chegar o momento em que não conseguiremos mais ler. Não podemos escutar claramente, e isso nos deixa com dificuldades cada vez maiores para ouvir música ou para escutar o que a televisão ou as outras pessoas estão dizendo. Nossa memória se enfraquece. Todas as atividades, mundanas e espirituais, tornam-se mais difíceis. Se praticamos meditação, torna-se mais difícil obtermos realizações, porque nossa memória e concentração estão muito fracas. Não conseguimos nos dedicar ao estudo. Desse modo, se não tivermos aprendido e treinado as práticas espirituais quando éramos jovens, a única coisa a fazer quando envelhecermos será desenvolver arrependimento e esperar pela chegada do Senhor da Morte.

Quando somos idosos, não conseguimos obter o mesmo prazer das coisas que costumávamos desfrutar, como alimentos, bebida e sexo. Estamos fracos demais para disputar um jogo, e sentimo-nos frequentemente bastante exaustos até mesmo para nos divertirmos. À medida que o nosso tempo de vida se esgota, não conseguimos nos incluir nas atividades das pessoas jovens. Quando elas viajam, temos que ficar para trás. Ninguém quer nos levar com eles quando somos velhos e ninguém deseja nos visitar. Mesmo os nossos netos não querem ficar conosco por muito tempo. Pessoas idosas frequentemente pensam consigo mesmas: "Que maravilhoso seria se os jovens estivessem comigo. Poderíamos sair para caminhadas e eu poderia mostrar-lhes coisas", mas os jovens não querem ser incluídos em nossos planos. À medida que suas vidas vão chegando ao fim, as pessoas idosas experienciam o sofrimento do abandono e da solidão. Eles têm muitos sofrimentos específicos.

MORTE

O nosso nascimento também dá origem aos sofrimentos da morte. Se, durante a nossa vida, tivermos trabalhado arduamente para adquirir posses e tivermos nos tornado muito apegados a elas, experienciaremos grande sofrimento na hora da morte, pensando:

"Agora, tenho de deixar todas as minhas preciosas posses para trás". Mesmo agora, achamos difícil emprestar algum dos nossos mais preciosos bens, quanto mais dá-lo! Não é de surpreender que fiquemos tão infelizes quando nos damos conta de que, nas mãos da morte, temos de abandonar tudo.

Quando morremos, temos de nos separar até mesmo dos nossos amigos mais próximos. Temos de deixar nosso companheiro ainda que tenhamos estado juntos durante anos, sem passar sequer um dia separados. Se formos muito apegados aos nossos amigos, experienciaremos grande sofrimento na hora da morte, mas tudo o que poderemos fazer será segurar suas mãos. Não seremos capazes de parar o processo da morte, mesmo se eles implorarem para que não morramos. Geralmente, quando somos muito apegados a alguém, sentimos ciúme caso ele (ou ela) nos deixe sozinhos e passe o seu tempo com outra pessoa; mas, quando morrermos, teremos de deixar nossos amigos com os outros para sempre. Teremos de deixar todos, incluindo nossa família e todas as pessoas que nos ajudaram nesta vida.

Quando morrermos, este corpo que temos apreciado e cuidado de tantas e variadas maneiras terá de ser deixado para trás. Ele irá se tornar insensível como uma pedra e será sepultado sob a terra ou cremado. Se não tivermos a proteção interior da experiência espiritual, na hora da morte experienciaremos medo e angústia, assim como dor física.

Quando a nossa consciência deixar o nosso corpo na hora da morte, todos os potenciais que acumulamos em nossa mente, por meio das ações virtuosas e não virtuosas que fizemos, irão com ela. Não poderemos levar nada deste mundo além disso. Todas as outras coisas irão nos enganar e decepcionar. A morte interrompe todas as nossas atividades – as nossas conversas, a nossa refeição, o nosso encontro com amigos, o nosso sono. Tudo chega ao fim no dia da nossa morte e temos de deixar todas as coisas para trás, até mesmo os anéis em nossos dedos. No Tibete, os mendigos carregam consigo um bastão para se defenderem dos cachorros.

Para compreender a completa privação provocada pela morte devemos nos lembrar de que, na hora da morte, os mendigos têm de deixar até esse velho bastão, a mais insignificante das posses humanas. Ao redor do mundo, podemos ver que os nomes esculpidos em pedra são a única posse dos mortos.

OUTROS TIPOS DE SOFRIMENTO

Nós também temos de experienciar os sofrimentos da separação, de ter que nos defrontar com o que não gostamos, e de não ter nossos desejos satisfeitos – os quais incluem os sofrimentos da pobreza, de ser prejudicado por humanos e não humanos, e de ser prejudicado por água, fogo, vento e terra. Antes da separação final na hora da morte, frequentemente temos que experienciar separação temporária de pessoas e coisas de que gostamos, o que nos causa dor mental. Podemos ter que deixar o nosso país, onde todos os nossos amigos e parentes vivem, ou podemos ter que deixar o trabalho de que gostamos. Podemos perder nossa reputação. Muitas vezes, nesta vida, temos que vivenciar o sofrimento de nos separar das pessoas de que gostamos ou abandonar e perder as coisas que consideramos agradáveis e atraentes; mas, quando morrermos, teremos de nos separar para sempre de todos os nossos companheiros e prazeres e de todas as condições exteriores e interiores que contribuem para a nossa prática espiritual pura, ou prática de Dharma, nesta vida.

Frequentemente, temos que nos encontrar e conviver com pessoas de quem não gostamos ou enfrentar situações que consideramos desagradáveis. Algumas vezes, podemos nos achar numa situação muito perigosa, como num incêndio ou enchente, ou onde há violência, como num tumulto ou numa batalha. Nossas vidas estão repletas de situações menos extremas que achamos irritantes. Algumas vezes, somos impedidos de fazer as coisas que queremos. Num dia ensolarado, podemos nos determinar a ir para a praia, mas nos encontrarmos presos num congestionamento. Continuamente, experienciamos interferência dos nossos demônios interiores – as delusões, ou aflições mentais –, que perturbam nossa mente e nossas práticas espirituais. Há inumeráveis condições que frustram nossos planos e nos impedem de fazer o que queremos. É como se estivéssemos vivendo em um arbusto espinhoso – sempre que tentamos nos mexer, somos feridos pelas circunstâncias. Pessoas e coisas são como espinhos perfurando a nossa carne, e nenhuma situação jamais nos parecerá inteiramente confortável. Quanto mais desejos e planos temos, mais frustrações experienciamos. Quanto mais desejamos determinadas situações, mais nos encontramos presos em situações que não queremos. Todo desejo parece convidar seu próprio obstáculo. Situações indesejáveis nos acontecem sem que procuremos por elas. Na verdade, as únicas coisas que vêm sem esforço são aquelas que não queremos. Ninguém deseja morrer, mas a morte vem sem esforço. Ninguém deseja ficar doente, mas a doença vem sem esforço. Por termos renascido sem liberdade ou controle, temos um corpo impuro e vivemos num ambiente impuro, e, por essa razão, coisas indesejáveis desabam sobre nós. No samsara, esse tipo de experiência é completamente natural.

Temos incontáveis desejos, mas não importa quanto esforço façamos, nunca sentimos que os satisfizemos. Mesmo quando conseguimos o que queremos, não o conseguimos da maneira que queríamos. Possuímos o objeto, mas não extraímos satisfação por possuí-lo. Por exemplo, podemos sonhar em nos tornarmos ricos, mas, se nos tornarmos realmente ricos, a nossa vida não será da maneira que havíamos imaginado e não sentiremos que o nosso desejo foi satisfeito. O motivo é que os nossos desejos não diminuem conforme nossa riqueza aumenta. Quanto mais riqueza temos, mais desejamos. A riqueza que procuramos não pode ser encontrada, pois buscamos uma quantidade que sacie os nossos desejos, e nenhuma quantidade de riqueza pode fazer isso. Para piorar as coisas, ao obter o objeto do nosso desejo, criamos novas oportunidades para descontentamento. Com cada objeto que desejamos, vêm outros objetos que não queremos. Por exemplo, com a riqueza vêm impostos, insegurança e complicados assuntos financeiros. Esses acréscimos indesejáveis impedem, definitivamente, que nos sintamos plenamente satisfeitos. De modo semelhante, podemos sonhar com férias num lugar exótico e podemos realmente ir até lá, mas a experiência nunca será o que esperamos e, junto com as nossas férias, vêm outras coisas, como uma queimadura de sol e grandes despesas.

Se examinarmos nossos desejos, veremos que eles são excessivos. Queremos todas as melhores coisas no samsara – o melhor trabalho, o melhor companheiro, a melhor reputação, a melhor casa, o melhor carro, as melhores férias. Qualquer coisa que não seja a melhor deixa-nos com um sentimento de desapontamento – ainda à procura por ela, mas não encontrando o que queremos. Nenhum prazer mundano, no entanto, pode nos dar a satisfação completa e perfeita que desejamos. Coisas melhores estão sempre sendo produzidas. Em toda parte, novas propagandas anunciam que a melhor coisa acabou de chegar ao mercado, mas, poucos dias depois, chega outra ainda melhor que a "melhor" de poucos dias atrás. O surgimento de novas coisas para cativar os nossos desejos não tem fim.

Na escola, as crianças nunca conseguem satisfazer suas próprias ambições ou as de seus pais. Mesmo que cheguem ao primeiro lugar da classe, elas sentem que não podem se contentar com isso, a menos que façam a mesma coisa no ano seguinte. Se elas prosseguem, sendo bem-sucedidas em suas profissões, suas ambições serão mais fortes do que nunca. Não há nenhum ponto a partir do qual possam descansar, sentindo que estão completamente satisfeitas com o que já fizeram.

Podemos pensar que, ao menos, as pessoas que levam uma vida simples no campo devem estar satisfeitas, mas, se olharmos para sua situação, iremos perceber que mesmo os agricultores procuram, mas não encontram o que desejam. Suas vidas estão cheias de problemas e ansiedades, e eles não desfrutam de paz e satisfação verdadeiras. O sustento deles depende de muitos fatores incertos que estão além de seu controle, como o clima. Os agricultores não têm maior liberdade perante o descontentamento do que um homem de negócios que vive e trabalha na cidade. Homens de negócio parecem elegantes e eficientes quando saem a cada manhã para trabalhar, carregando suas pastas, mas, embora exteriormente pareçam muito confiantes, em seus corações eles carregam muitas insatisfações. Eles ainda estão procurando, mas nunca encontram o que desejam.

Se refletirmos sobre essa situação, poderemos chegar à conclusão de que encontraremos o que procuramos se abandonarmos todas as nossas posses. Podemos ver, no entanto, que mesmo as pessoas pobres estão à procura, mas não encontram o que buscam, e muitas pessoas pobres têm dificuldade em obter as necessidades mais básicas da vida – milhões de pessoas no mundo vivenciam os sofrimentos da pobreza extrema.

Não podemos evitar o sofrimento da insatisfação mudando frequentemente a nossa situação. Podemos pensar que se conseguirmos continuamente um novo companheiro, um novo emprego ou se ficarmos viajando por aí, encontraremos finalmente o que queremos; mas, mesmo se viajássemos para todas as partes do planeta e tivéssemos um novo companheiro em cada cidade, ainda assim continuaríamos à procura de um outro lugar e de um outro companheiro. No samsara não existe verdadeira satisfação dos nossos desejos.

Sempre que virmos qualquer pessoa numa posição elevada ou inferior, seja homem ou mulher, essas pessoas diferem apenas na aparência, roupas, comportamento e *status*. Em essência, todos são iguais – todos vivenciam problemas em suas vidas. Sempre que temos um problema, é fácil pensar que ele é causado por nossas circunstâncias particulares e que, se mudássemos nossas circunstâncias, nossos problemas desapareceriam. Acusamos as outras pessoas, os nossos amigos, a nossa comida, o governo, a nossa época, o clima, a sociedade, a história, e assim por diante. No entanto, circunstâncias exteriores como essas não são as causas principais dos nossos problemas. Precisamos reconhecer que todo sofrimento físico e dor mental que experienciamos são a consequência de termos tido um renascimento que é contaminado pelo veneno interior das delusões. Seres humanos têm de vivenciar diversos tipos de sofrimento humano porque tiveram um renascimento contaminado humano; os animais têm de vivenciar sofrimento animal porque tiveram um renascimento contaminado animal; e fantasmas famintos e seres-do-inferno têm de vivenciar seus próprios sofrimentos porque tiveram um renascimento contaminado como fantasmas famintos ou seres-do-inferno. Mesmo os deuses não estão livres do sofrimento, porque eles também tiveram um renascimento contaminado. Assim como uma pessoa presa num violento incêndio desenvolve um medo intenso, devemos desenvolver um medo intenso dos sofrimentos insuportáveis do ciclo sem fim de vida impura. Esse medo é, também, verdadeira renúncia e surge da nossa sabedoria.

Como conclusão, tendo contemplado a explicação acima, devemos pensar:

Não há benefício algum em negar os sofrimentos das vidas futuras; quando eles realmente caírem sobre mim, será tarde demais para me proteger deles. Portanto, preciso, agora e definitivamente, preparar uma proteção para mim, enquanto tenho esta vida humana que me dá a oportunidade de me libertar permanentemente dos sofrimentos das minhas incontáveis vidas futuras. Se eu não aplicar esforço para realizar isso, mas permitir que a minha vida humana se torne vazia de sentido, não haverá maior engano nem maior loucura. Preciso aplicar esforço agora para me libertar permanentemente dos sofrimentos das minhas incontáveis vidas futuras.

Mantemos firmemente essa determinação e permanecemos estritamente focados nela pelo maior tempo possível. Devemos praticar esta meditação continuamente até desenvolvermos o desejo espontâneo de nos libertarmos permanentemente dos sofrimentos das incontáveis vidas futuras. Esse desejo é a realização propriamente dita da renúncia. No momento em que desenvolvermos essa realização, ingressamos no caminho à libertação. Neste contexto, *libertação* refere-se à suprema paz mental permanente, conhecida como "nirvana", que nos dá felicidade pura e duradoura.

Quando tivermos alcançado o nirvana, nunca mais experienciaremos ambientes, prazeres, corpos e mentes contaminados. Experienciaremos tudo como puro, pois nossa mente terá se tornado pura, livre do veneno interior das delusões. O primeiro passo em direção à conquista do nirvana é obter a realização da renúncia, o desejo espontâneo de abandonar o samsara, ou renascimento contaminado. Então, com a realização da renúncia, abandonamos o samsara e alcançamos o nirvana por meio de obtermos uma realização direta da vacuidade, a natureza última dos fenômenos, que será explicada em detalhes no capítulo intitulado *Bodhichitta Última*.

Uma Prática Espiritual Comum a Todas as Pessoas

NESTA PRÁTICA, PRECISAMOS executar ações virtuosas, ou positivas, porque elas são a raiz da nossa felicidade futura; precisamos abandonar ações não virtuosas, ou negativas, porque elas são a raiz do nosso sofrimento futuro; e precisamos controlar nossas delusões, ou aflições mentais, porque elas são a raiz dos nossos renascimentos contaminados. Além disso, precisamos desenvolver fé, senso de vergonha, consideração pelos outros, antiapego, antiódio, anti-ignorância e esforço.

FÉ

Na prática da fé, precisamos desenvolver e manter três tipos de fé: fé de admirar, fé de acreditar e fé de almejar. A fé de admirar é da natureza do regozijo – regozijar-se com a completa pureza dos seres iluminados, com os seus ensinamentos e com as realizações dos seus ensinamentos. A fé de acreditar é da natureza da crença correta – acreditar que os seres iluminados estão realmente presentes diante de nós, mesmo que não possamos vê-los, e acreditar que seus ensinamentos e as realizações dos seus ensinamentos são o verdadeiro refúgio que protege diretamente os seres vivos do sofrimento e do medo. A fé de almejar é da natureza de um desejo – o desejo de nos tornarmos exatamente como os seres iluminados, desejando colocar seus ensinamentos em prática e desejando alcançar as realizações dos seus ensinamentos.

Uma vez que a fé é a raiz de todas as aquisições espirituais puras, ela deve ser nossa prática principal. Certa vez, quando o famoso mestre budista Atisha estava no Tibete, um homem se aproximou dele pedindo instruções espirituais. Atisha permaneceu em silêncio, e o homem, pensando que Atisha não houvesse escutado, elevou bem alto a voz e repetiu seu pedido. Atisha, então, respondeu: "Eu tenho boa audição, mas tu precisas ter fé".

Os seres iluminados são chamados "Budas", seus ensinamentos são denominados "Dharma", e os praticantes que obtiveram realizações desses ensinamentos são chamados "Sangha". Eles são conhecidos como "as Três Joias" – Joia Buda, Joia Dharma e Joia Sangha – e são os objetos de fé e de refúgio. Eles são denominados "Joias" porque são muito preciosos. Na dependência de vermos os medos e sofrimentos do samsara e de desenvolver intensa fé e convicção no poder que Buda, Dharma e Sangha têm de nos proteger, tomamos a determinação de confiar nas Três Joias. Essa é a maneira simples de buscar refúgio em Buda, Dharma e Sangha.

Sem fé, nossa mente é como uma semente queimada, pois, assim como uma semente queimada não pode germinar, um conhecimento sem fé nunca pode produzir realizações espirituais. Fé nos ensinamentos espirituais, ou Dharma, induz uma forte intenção de praticá-los, e isso, por sua vez, induz esforço. Com esforço, podemos realizar qualquer coisa.

Fé é essencial. Se não tivermos fé, ainda que venhamos a dominar ensinamentos profundos e nos tornemos capazes de fazer habilidosas análises, nossa mente continuará indomada, pois não estaremos colocando esses ensinamentos em prática. Se não tivermos fé, não importa quão bem possamos compreender, em nível intelectual, os ensinamentos espirituais – isso nunca nos ajudará a reduzir nossos problemas da raiva e demais delusões. Podemos até mesmo tornarmo-nos orgulhosos do nosso conhecimento e, assim, fazer com que nossas delusões, de fato, aumentem. Conhecimento espiritual sem fé não nos ajudará a purificar nossa negatividade. Poderemos até mesmo criar pesado carma negativo ao utilizar nossa posição espiritual para obter dinheiro, reputação, poder ou autoridade política. Portanto, a fé deve ser cuidada e apreciada como algo extremamente precioso. Assim como o espaço permeia todos os lugares, do mesmo modo a fé permeia todos os estados mentais virtuosos. Com fé na iluminação, desenvolvemos a intenção de alcançá-la; com essa intenção, desenvolvemos esforço; e, com esforço, alcançaremos a iluminação.

Se os praticantes tiverem forte fé, então, mesmo que cometam algum equívoco, ainda assim eles receberão benefícios. Certa vez, na Índia, houve um período de fome em que muitas pessoas morreram. Uma velha senhora foi ao encontro de seu Guia Espiritual e disse: "Por favor, mostra-me como posso salvar minha vida". Seu Guia Espiritual aconselhou-a a comer pedras. A mulher perguntou "Mas como posso fazer com que as pedras se tornem comestíveis?", e ele respondeu: "Se recitares o mantra da deusa iluminada Tsunda, serás capaz de cozinhar as pedras". O Guia Espiritual ensinou-lhe o mantra, mas cometeu um pequeno equívoco. Ele ensinou OM BALE BULE BUNDE SÖHA, em vez de OM TZALE TZULE TZUNDE SÖHA. No entanto, a velha senhora depositou grande fé nesse mantra e, recitando-o com concentração, cozinhou as pedras e as comeu.

O filho dessa velha senhora era um monge, e ele começou a preocupar-se com sua mãe; por isso, dirigiu-se à sua casa para vê-la. O monge ficou espantado ao encontrá-la "gorducha" e bem-disposta. Ele disse: "Mãe, como podes estar tão saudável quando até mesmo os jovens estão morrendo de inanição?". Sua mãe explicou que estava comendo pedras. Seu filho perguntou "Como és capaz de cozinhar pedras?", e ela contou sobre o mantra que havia recebido e o recitou para ele. Seu filho percebeu rapidamente o equívoco e declarou: "Teu mantra está errado! O mantra da deusa iluminada Tsunda é OM TZALE TZULE TZUNDE SÖHA". Quando ouviu isso, a velha senhora afundou-se em dúvidas. Ela tentou recitar ambos os mantras, mas agora nenhum deles funcionava, pois sua fé havia sido destruída.

Para desenvolver e aumentar nossa fé nos ensinamentos espirituais, precisamos de uma maneira especial de ouvir e de ler. Por exemplo, quando estivermos lendo um livro que revela práticas espirituais puras, devemos pensar:

Este livro é como um espelho do Dharma, que mostra todas as falhas das minhas ações físicas, verbais e mentais. Por mostrar-me todas as minhas falhas, este livro oferece-me a grande oportunidade de superá-las e de remover, assim, todas essas falhas do meu continuum mental.

Este livro é o remédio supremo. Por praticar as instruções contidas nele, posso curar a mim mesmo das doenças das delusões, a verdadeira fonte de todos os meus problemas e sofrimentos.

Este livro é a luz de sabedoria, que dissipa a escuridão da minha ignorância; são os olhos divinos com os quais posso enxergar o caminho efetivo à libertação e à iluminação; e é o Guia Espiritual supremo, de quem posso receber os conselhos mais profundos e libertadores.

Não importa se o autor é ou não famoso – se um livro contém ensinamentos espirituais puros, ele é como um espelho do Dharma, um remédio, uma luz de sabedoria e olhos divinos, e é um Guia Espiritual supremo. Se sempre lermos livros de Dharma e ouvirmos com atenção os ensinamentos com esse reconhecimento especial, nossa fé e sabedoria irão definitivamente aumentar. Contemplando desse modo, podemos desenvolver e manter a fé nos ensinamentos espirituais, nos professores que nos mostram os caminhos espirituais e em nossos amigos espirituais. Isso facilitará bastante o nosso progresso em nossa prática espiritual.

SENSO DE VERGONHA E CONSIDERAÇÃO PELOS OUTROS

A diferença entre *senso de vergonha* e *consideração pelos outros* é que, com o primeiro, evitamos ações inadequadas por razões que dizem respeito a nós mesmos, ao passo que, com o segundo, evitamos ações inadequadas por razões que dizem respeito aos outros. Assim, o senso de vergonha nos restringe de cometer ações inadequadas por nos lembrar de que é impróprio nos envolvermos em ações desse tipo porque somos, por exemplo: um praticante espiritual, ou uma pessoa ordenada, ou um professor espiritual, ou um adulto, e assim por diante; ou porque não queremos experienciar os resultados negativos que resultam das nossas ações. Se pensarmos "não é correto para mim matar insetos porque isso me fará experienciar sofrimento no futuro" e, então, tomarmos a firme decisão de não matá-los, estaremos motivados pelo senso de vergonha. Nosso senso de vergonha nos protege de cometer ações negativas ao apelar à nossa consciência e a padrões de comportamento que julgamos adequados. Se formos incapazes de gerar senso de vergonha, acharemos extremamente difícil praticar disciplina moral, a base sobre a qual as realizações espirituais se desenvolvem.

Exemplos de consideração pelos outros são: refrearmo-nos de dizer algo desagradável porque isso aborreceria a outra pessoa, ou desistir de pescar devido ao sofrimento que isso causa ao peixe. Precisamos praticar consideração sempre que estamos com os outros, através da observação atenta do nosso comportamento para ver se ele pode estar perturbando ou causando algum dano. Nossos desejos são intermináveis e muitos deles, se concretizados, causariam muita dor e aflição aos outros. Portanto, antes de agir sob a influência de um desejo, devemos considerar se iremos perturbar ou prejudicar os outros e, se avaliarmos que isso irá ocorrer, devemos desistir de fazê-lo. Consideração pelos outros é estar atento ao bem-estar dos outros.

Consideração pelos outros é importante para todos. Se agirmos com consideração, os outros irão gostar de nós e nos respeitar, e nossas amizades e relações familiares irão se tornar harmoniosas e duradouras. Entretanto, sem consideração pelos outros, as relações se deterioram rapidamente. A consideração impede que os outros percam a fé em nós e é o fundamento para desenvolver uma mente de regozijo.

Somos uma pessoa boa ou uma pessoa má na dependência de termos ou não senso de vergonha e consideração pelos outros. Sem essas duas qualidades, nosso comportamento diário logo se tornará negativo e fará com que os outros se afastem de nós. Senso de vergonha e consideração são como belas roupas que nos tornam pessoas agradáveis aos outros. Sem senso de vergonha e consideração, somos como uma pessoa despida, a quem todos tentam evitar.

Tanto o senso de vergonha quanto a consideração pelos outros são caracterizados por uma determinação de se abster de se envolver em ações negativas e inadequadas e de se abster de quebrar votos e compromissos. Essa determinação é a verdadeira essência da disciplina moral. Geramos e mantemos essa determinação através de contemplar os benefícios de praticar disciplina moral e os perigos de quebrá-la. Em particular, precisamos relembrar que, sem disciplina moral, não temos chance alguma de obter qualquer renascimento elevado, quanto mais alcançar o nirvana!

Senso de vergonha e consideração pelos outros são os fundamentos da disciplina moral, que, por sua vez, é a base para obter realizações espirituais e a causa principal de renascimento elevado. Nagarjuna disse que, assim como os prazeres vêm da prática de dar, a felicidade de um renascimento elevado vem da prática de disciplina moral. Os resultados de praticar generosidade podem ser experienciados tanto em um reino elevado quanto em um reino inferior, na dependência de praticarmos ou não a generosidade em associação com disciplina moral. Se não praticarmos disciplina moral, nossa ação de dar irá amadurecer em um reino inferior. Por exemplo, como resultado de ações de generosidade acumuladas em vidas anteriores, alguns cachorros de estimação têm condições extremamente melhores que a de muitos seres humanos – são mimados por seus donos, recebem comida especial e almofadas macias e são tratados como um filho predileto. Apesar desses confortos, essas pobres criaturas tiveram, no entanto, um renascimento numa forma de vida inferior, com o corpo e a mente de um animal. Eles não têm base física nem mental para continuar com sua prática de dar ou de qualquer outra ação virtuosa. Eles não podem compreender o significado dos ensinamentos espirituais nem transformar suas mentes. Quando seu carma anterior de generosidade, que criaram em vidas passadas, esgotar-se pelo desfrute de boas condições como essas, seus prazeres chegarão ao fim e, numa vida futura, irão experienciar pobreza e fome, pois não tiveram oportunidade de criar mais ações virtuosas. O motivo disto tudo acontecer é que eles não praticaram generosidade associada à disciplina moral e, por essa razão, não criaram a causa para um renascimento elevado. Por meio de praticar senso de vergonha e consideração pelos outros, podemos abandonar as ações não virtuosas, ou inadequadas, a raiz dos nossos sofrimentos futuros.

O que "renascimento inferior" e "renascimento elevado" significam? Se tivermos renascido como um ser-do-inferno, fantasma faminto ou animal, não teremos oportunidade de compreender e praticar ensinamentos espirituais puros, que nos conduzem à felicidade pura e duradoura. Desse ponto de vista, esses renascimentos são denominados "renascimentos inferiores". Por outro lado, se tivermos renascido como um ser humano, semideus ou deus, teremos a oportunidade de compreender e praticar ensinamentos espirituais puros; portanto, deste ponto de vista, esses renascimentos são denominados "renascimentos elevados". Se não tivermos oportunidade para compreender, contemplar e meditar no significado de ensinamentos espirituais, teremos de permanecer com uma vida vazia nesta vida e vida após vida, interminavelmente, sem sentido algum e experienciando unicamente sofrimento.

ANTIAPEGO

Neste contexto, antiapego é a mente de renúncia, que é o oponente ao apego, ou desejo descontrolado. Renúncia não é o desejo de abandonar nossa família, amigos, lar, trabalho e nos transformarmos, então, em um mendigo; mais precisamente, a renúncia é uma mente que atua, ou funciona, para interromper o apego por prazeres mundanos e que busca a libertação do renascimento contaminado.

Precisamos aprender a acabar com o nosso apego por meio da prática de renúncia; caso contrário, nosso apego será um sério obstáculo à pureza da nossa prática espiritual. Assim como um pássaro não pode voar se tiver pedras amarradas às suas pernas, também não podemos fazer progressos no caminho espiritual se estivermos firmemente presos pelas correntes do apego.

O momento de praticar renúncia é agora, antes da nossa morte. Precisamos reduzir nosso apego pelos prazeres mundanos, compreendendo que eles são enganosos e que não podem nos dar satisfação verdadeira. Na verdade, eles somente nos causam sofrimento. Esta vida humana, com todos os seus sofrimentos e problemas, é uma grande oportunidade para aperfeiçoarmos tanto a nossa renúncia quanto a nossa compaixão. Não devemos desperdiçar esta preciosa oportunidade. A realização da renúncia é a porta pela qual ingressamos no caminho espiritual à libertação, ou nirvana. Sem renúncia, é impossível até mesmo ingressar no caminho à felicidade suprema do nirvana, quanto mais progredir nele!

Para desenvolver e aumentar nossa renúncia, podemos contemplar repetidamente o seguinte:

Porque minha consciência não tem um início, tenho renascido incontáveis vezes no samsara. Já tive, também, incontáveis corpos. Se todos esses corpos fossem reunidos, preencheriam o mundo inteiro, e todo o sangue e demais fluidos corporais que corriam dentro deles formariam um oceano. O meu sofrimento em todas essas vidas anteriores foi tão grande que derramei lágrimas de dor suficientes para formar mais um oceano.

Em cada uma dessas vidas, vivenciei os sofrimentos da doença, do envelhecimento, da morte, de ser separado daqueles que amo e de não conseguir satisfazer meus desejos. Se eu não alcançar agora a libertação permanente do sofrimento, terei de vivenciar esses sofrimentos muitas e muitas vezes, em incontáveis vidas futuras.

Contemplando isso, desenvolvemos, do fundo do nosso coração, a firme determinação de abandonar o apego aos prazeres mundanos e de alcançar libertação permanente do ciclo de renascimento contaminado, o samsara. Ao colocar essa determinação em prática, poderemos controlar nosso apego, ou desejo descontrolado, e, desse modo, solucionar nossos problemas diários.

ANTIÓDIO

Neste contexto, antiódio significa amor afetuoso, que é o oponente ao ódio. Muitas pessoas vivenciam problemas porque o amor que sentem está misturado com apego; para essas pessoas, quanto mais seu "amor" aumenta, mais seu apego desejoso se desenvolve. Se os seus desejos não são satisfeitos, elas ficam aborrecidas e com raiva. Se o objeto de apego delas, como um parceiro, simplesmente conversar com outra pessoa, ficam enciumadas ou agressivas. Isso indica claramente que o "amor" que sentem não é verdadeiro amor, mas apego. O amor verdadeiro nunca pode ser uma causa de raiva; o amor é o oposto da raiva e jamais pode causar problemas. Se amarmos a todos do mesmo modo que uma mãe ama seu filho mais querido, não haverá base para que quaisquer problemas surjam, pois nossa mente estará sempre em paz. Amor é a verdadeira proteção interior contra o sofrimento.

O que é o amor afetuoso? Quando, do fundo do nosso coração, sem apego, sentimo-nos muito próximos, calorosos e felizes em relação a alguém, isto é amor afetuoso. O amor afetuoso torna a nossa mente pacífica e equilibrada, livre de raiva e apego. Por isso, ele é também denominado "equanimidade".

Desenvolver equanimidade é como arar um campo: limpamos nossa mente das pedras e ervas daninhas da raiva e do apego, tornando possível, assim, que o verdadeiro amor se desenvolva. Precisamos aprender a desenvolver amor afetuoso por todos, de modo que nossos próprios problemas de raiva e apego cessem e possamos beneficiar os outros efetivamente. Sempre que encontrarmos com alguém, seja quem for, devemos ficar felizes ao vê-lo e tentar gerar um sentimento caloroso por ele. Devemos tentar nos familiarizar com essa prática através de treino contínuo. Desse modo, manteremos um bom coração o tempo todo, e isso irá nos proporcionar bons resultados nesta vida e nas nossas incontáveis vidas futuras.

Com base nesse sentimento de amor afetuoso, devemos desenvolver amor apreciativo, de modo que venhamos a sentir, genuinamente, que todos são preciosos e importantes. Se apreciarmos os outros desse modo, não será difícil desenvolvermos o amor desiderativo – o desejo de dar-lhes felicidade. Por aprender a amar todos os seres, podemos solucionar todos os nossos problemas diários de raiva e inveja, e nossa vida irá se tornar feliz e significativa. Uma explicação mais detalhada sobre como desenvolver e aumentar nosso amor será apresentada nos próximos capítulos.

ANTI-IGNORÂNCIA

Neste contexto, anti-ignorância é a sabedoria que realiza a vacuidade, que é o oponente à ignorância do agarramento ao em-si. A vacuidade não é um nada, ou inexistência, mas a natureza última dos fenômenos, e ela é um objeto muito significativo. Uma explicação detalhada disto pode ser encontrada no capítulo intitulado *Bodhichitta Última*.

Devemos compreender que, normalmente, quando pessoas comuns veem coisas que são atrativas ou belas, elas desenvolvem apego; quando veem coisas que são não atrativas ou desagradáveis, elas desenvolvem ódio; e quando elas veem coisas que são neutras – ou seja, nem atrativas nem não atrativas –, elas desenvolvem a ignorância do agarramento ao em-si. Por outro lado, quando aquelas pessoas que se empenham numa prática espiritual pura veem coisas que são atrativas ou belas, elas desenvolvem e mantêm antiapego; quando veem coisas que são não atrativas ou desagradáveis, elas desenvolvem e mantêm antiódio; e quando veem coisas que são neutras (ou seja, nem atrativas nem não atrativas), elas desenvolvem e mantêm anti-ignorância.

ESFORÇO

Se não nos aplicarmos em nossa prática espiritual, ninguém poderá nos conceder a libertação do sofrimento. Somos, com frequência, irrealistas com respeito às nossas expectativas. Desejamos alcançar rapidamente elevadas aquisições sem que tenhamos de aplicar esforço algum, e desejamos ser felizes sem que tenhamos de criar a causa de felicidade. Relutantes em enfrentar até o mais leve desconforto, queremos que todo o nosso sofrimento cesse e, ao mesmo tempo em que estamos a viver entre as mandíbulas do Senhor da Morte, desejamos permanecer como um deus de longa vida. Não importa o quão ardentemente acalentemos esses desejos, eles nunca irão se realizar. Se não aplicarmos energia e esforço em nossas práticas espirituais, todas as esperanças que temos por felicidade serão em vão.

Neste contexto, "esforço" significa uma mente que se deleita com a prática de virtude. Sua função é tornar a nossa mente feliz para se envolver em ações virtuosas. Com esforço, ficamos deleitados com ações como ouvir, ler, contemplar e meditar em ensinamentos espirituais e em nos empenhar no caminho à libertação. Por meio do esforço, alcançaremos, por fim, a meta suprema e última da vida humana.

Por aplicar esforço em nossa meditação, desenvolvemos maleabilidade mental. Embora possamos experienciar problemas quando começamos a dar os primeiros passos na prática de meditação (como torpor ou sonolência, cansaço ou outras formas de desconforto físico ou mental), devemos, apesar disso, perseverar pacientemente e tentar nos familiarizar com a nossa prática. À medida que nossa meditação se aperfeiçoar, ela irá induzir gradualmente maleabilidade mental – nossa mente e nosso corpo experienciarão um estado de leveza e saúde e estarão imunes ao cansaço, ficando livres de obstáculos à concentração. Todas as nossas meditações irão se tornar fáceis e eficientes e não teremos dificuldade em fazer progressos.

Por mais difícil que a meditação possa ser no início, nunca devemos perder a esperança. Em vez disso, devemos nos empenhar na prática de disciplina moral, que nos protege das distrações densas e atua como base para desenvolvermos concentração pura. Disciplina moral também fortalece a contínua-lembrança (*mindfulness*), que, por sua vez, é a vida da concentração.

Precisamos abandonar a preguiça – a preguiça que surge do apego por prazeres mundanos, a preguiça que surge do apego por atividades distrativas e a preguiça que surge do desânimo, ou desencorajamento. Com preguiça, não realizaremos nada. Enquanto permanecermos com preguiça, a porta para as aquisições espirituais estará fechada para nós. A preguiça faz com que nossa vida humana não tenha significado. Ela nos engana e nos faz vagar sem rumo pelo samsara. Se conseguirmos romper com a influência da preguiça e nos envolver profundamente no treino espiritual, alcançaremos rapidamente nossa meta espiritual. Treinar nos caminhos espirituais é como construir um grande edifício – requer esforço contínuo. Se permitirmos que nosso esforço seja interrompido pela preguiça, nunca chegaremos a ver a conclusão do nosso trabalho.

Nossas aquisições espirituais dependem, portanto, do nosso próprio esforço. Uma compreensão intelectual dos ensinamentos espirituais não é suficiente para nos levar à felicidade suprema da libertação – precisamos superar nossa preguiça e colocar em prática nosso conhecimento. Buda disse:

Se tiveres somente esforço, terás todas as aquisições,
Mas se tiveres somente preguiça, não terás nada.

Uma pessoa sem grande conhecimento espiritual, mas que, no entanto, aplique esforço de modo consistente, alcançará todas as qualidades virtuosas gradualmente. Porém, alguém que tenha um vasto conhecimento, mas possua uma única falha – a preguiça –, não será capaz de aumentar suas boas qualidades nem obter experiência dos caminhos espirituais. Compreendendo tudo isso, devemos aplicar esforço alegre no estudo e na prática de ensinamentos espirituais puros em nossa vida diária.

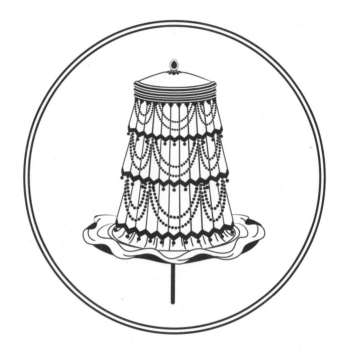

Seja vitorioso sobre o inimigo: as suas delusões

Objetos Significativos

Qualquer objeto que, por meio da nossa compreensão a seu respeito, trouxer grande significado para nós, é um objeto significativo.

Para solucionar nossos problemas humanos e capacitar-nos a encontrar paz e felicidade duradouras, devemos conhecer primeiro qual é a natureza verdadeira dos nossos problemas e quais são as suas causas principais. Nossos problemas não existem fora da nossa mente. A natureza verdadeira dos nossos problemas são as nossas sensações desagradáveis, que são parte da nossa mente. Quando nosso carro, por exemplo, tem um problema, costumamos dizer "eu tenho um problema", mas, na verdade, este não é o *nosso* problema, mas o problema do carro, que é um problema exterior. Nosso problema é um problema interior. Por distinguir, dessa maneira, entre problemas interiores e exteriores, podemos compreender que a natureza verdadeira dos nossos problemas são as nossas próprias sensações, que são parte da nossa mente.

Todos os nossos problemas – nossas sensações desagradáveis – vêm das nossas delusões do apego e do agarramento ao em-si; portanto, essas delusões são as causas principais dos nossos problemas. Temos forte apego à satisfação dos nossos próprios desejos e, para este propósito, trabalhamos arduamente durante toda a nossa vida, experienciando muitas dificuldades e problemas. Quando nossos desejos não são satisfeitos, experienciamos infelicidade e depressão, que, com frequência, fazem-nos ficar com raiva, criando muitos problemas tanto para nós como para os outros. Podemos compreender isso claramente através da nossa própria experiência. Quando perdemos nossos amigos, trabalho, *status*, reputação e assim por diante, experienciamos dor e muitas dificuldades. Isso acontece devido ao nosso forte apego por essas coisas. Se não tivéssemos apego, não haveria base para experienciarmos sofrimento e problemas com as suas perdas.

Devido ao forte apego às nossas próprias opiniões, quando alguém se opõe a elas, imediatamente experienciamos o problema interior das sensações desagradáveis. Isso faz com que fiquemos com raiva, o que nos leva a discutir e a entrar em conflito com os outros, e isso, por sua vez, faz surgir mais problemas, tais como aqueles que surgem de disputas e até mesmo guerras. A maioria dos problemas políticos experienciados no mundo inteiro são causados por pessoas com forte apego às suas próprias opiniões. Muitos problemas também são causados pelo apego que as pessoas têm por suas opiniões religiosas.

Em vidas anteriores, devido ao nosso apego pela satisfação dos nossos próprios desejos, fizemos muitas e diferentes ações que prejudicaram outros seres vivos. Como resultado dessas ações, experienciamos agora muitos sofrimentos e problemas diferentes em nossa vida.

Se olharmos com sabedoria no espelho da nossa mente, poderemos ver como o nosso apego, raiva e especialmente nossa ignorância do agarramento ao em-si são as causas de todos os nossos problemas e sofrimentos. Realizaremos definitivamente que, a menos que controlemos essas delusões, não existe outro método para solucionar nossos problemas humanos. Ensinamentos espirituais puros, ou Dharma, são o único método para controlar nossas delusões do apego, raiva e ignorância do agarramento ao em-si. Se colocarmos sinceramente estas instruções em prática, solucionaremos definitivamente nossos problemas humanos e encontraremos o verdadeiro significado da nossa vida.

Em geral, todos os que têm dor física ou mental, incluindo os animais, compreendem seu próprio sofrimento. Mas o que precisamos realmente compreender são os sofrimentos das nossas incontáveis vidas futuras. Ao compreender isso, desenvolveremos um forte desejo de nos libertarmos desses sofrimentos. Isso é importante para todos porque, se tivermos o desejo de nos libertarmos dos sofrimentos das vidas futuras, usaremos determinadamente nossa vida humana atual para a liberdade e felicidade das nossas incontáveis vidas futuras. Não há nada mais significativo do que isso.

Se não tivermos esse desejo, desperdiçaremos nossa preciosa vida humana apenas para a liberdade e felicidade desta única e breve vida. Isso seria uma loucura, já que nossa intenção e ações não seriam diferentes da intenção e das ações dos animais, que estão preocupados apenas com esta vida. Certa vez, o grande iogue Milarepa disse para um caçador chamado Gonpo Dorje:

> O teu corpo é humano, mas tua mente é a de um animal.
> Tu, um ser humano que possuis uma mente de animal, por favor, ouve a minha canção.

Costumamos acreditar que o mais importante é solucionar os problemas e sofrimentos da nossa vida atual e, por isso, dedicamos toda a nossa vida para esse propósito. Na verdade, a duração dos problemas e sofrimentos desta vida é muito curta; se morrermos amanhã, eles acabarão amanhã. No entanto, já que a duração dos problemas e sofrimentos das vidas futuras não tem fim, a liberdade e felicidade das nossas vidas futuras são imensamente mais importantes que a liberdade e felicidade desta breve vida.

Talvez tenhamos o desejo sincero de evitar sofrimento permanentemente, mas nunca pensamos em abandonar nossas delusões. No entanto, sem controlar e abandonar nossas delusões, é impossível alcançar libertação permanente do sofrimento e dos problemas. A razão disso é que as delusões, principalmente a ignorância do agarramento ao em-si, são a fonte de todo o nosso sofrimento e a causa principal de todos os nossos problemas.

Primeiramente, devemos reconhecer que a delusão principal é o nosso agarramento ao em-si, que habita sempre no nosso coração destruindo nossa paz interior. Sua natureza é uma percepção errônea que equivocadamente acredita que nós mesmos e os outros somos verdadeiramente, ou inerentemente, existentes. É uma mente ignorante porque, na verdade, as coisas não existem inerentemente – elas existem como meras designações, ou imputações. Porque a mente tola do agarramento ao em-si acredita ou aferra-se a um *"eu"*, *"meu"* e a todos os demais fenômenos como verdadeiramente existentes, desenvolvemos apego pelas coisas que gostamos e ódio por aquelas de que não gostamos. Executamos, então, diversas ações que prejudicam os outros seres vivos e, como resultado, experienciamos diversos sofrimentos e problemas ao longo desta vida e vida após vida; esta é a razão fundamental pela qual experienciamos tantos problemas. Porque nosso senso de um *"eu"* e *"meu"* verdadeiramente existentes é tão forte, nosso agarramento ao em-si também atua como a base para todos os nossos problemas diários.

O agarramento ao em-si pode ser comparado a uma árvore venenosa; todas as demais delusões são como seus galhos; e todos os nossos sofrimentos são como seus frutos – ele é a fonte fundamental de todas as demais delusões e de todo o nosso sofrimento e problemas. Compreendendo isso, devemos aplicar grande esforço para reconhecer, reduzir e, por fim, abandonar completamente essa ignorância.

Sabemos que, em geral, todos experienciam, de tempos em tempos, uma cessação temporária de sofrimentos específicos. Por exemplo, aqueles que estão fisicamente saudáveis estão experienciando uma cessação temporária da doença. No entanto, isso não é suficiente, pois é apenas temporário. Posteriormente, eles terão de experienciar o sofrimento da doença muitas e muitas vezes nesta vida e nas incontáveis vidas futuras. Todo ser vivo, sem exceção, tem de experienciar o ciclo dos sofrimentos da doença, envelhecimento, morte e renascimento, vida após vida, interminavelmente. Seguindo o exemplo de Buda, devemos desenvolver forte renúncia por esse ciclo sem fim de sofrimento. Quando vivia no palácio com sua família, Buda observou como o seu povo estava experienciando constantemente esses sofrimentos e tomou a forte determinação de alcançar a iluminação, a suprema cessação permanente do sofrimento, e conduzir cada ser vivo a esse estado.

Buda não nos encorajou a abandonar as atividades diárias que proporcionam as condições necessárias para viver ou aquelas que evitam a pobreza, problemas ambientais, doenças específicas, e assim por diante. No entanto, não importa o quanto sejamos bem-sucedidos nessas atividades, nunca alcançaremos a cessação permanente de tais problemas. Teremos ainda que experienciá-los em nossas incontáveis vidas futuras e, mesmo nesta vida, embora trabalhemos arduamente para evitar tais problemas, os sofrimentos da pobreza, poluição ambiental e doença estão aumentando no mundo inteiro. Além disso, devido ao poder da tecnologia moderna, muitos perigos graves estão agora se desenvolvendo no mundo, perigos que nunca antes foram experienciados. Portanto, não devemos ficar satisfeitos com uma mera libertação temporária de sofrimentos específicos, mas aplicar grande esforço para obter liberdade permanente enquanto temos essa oportunidade.

Devemos considerar a preciosidade da nossa vida humana. Devido às suas visões deludidas passadas, que negavam o valor da prática espiritual, aqueles que renasceram agora, por exemplo, como animais, não têm oportunidade de se envolverem numa prática espiritual, a qual constitui o único fundamento para uma vida significativa. Visto que para eles é impossível ouvir, entender e contemplar instruções espirituais e meditar nelas, o seu renascimento presente como animal é, por si só, um obstáculo. Somente os seres humanos estão livres de tais obstáculos e têm todas as condições necessárias para se empenharem nos caminhos espirituais – os únicos caminhos que conduzem à paz e felicidade duradouras. Essa combinação de liberdade e posse de condições necessárias é a característica especial que faz com que a nossa vida humana seja tão preciosa.

Visto que o agarramento ao em-si é a raiz do sofrimento, se não alcançarmos a cessação permanente do agarramento ao em-si, nunca alcançaremos a cessação permanente do sofrimento. Como podemos alcançar a cessação permanente do agarramento ao em-si? Primeiro, devemos saber que existem nove tipos diferentes de agarramento ao em-si. São eles: agarramento ao em-si do reino do desejo; agarramento ao em-si do primeiro, segundo, terceiro e quarto reinos da forma; e agarramento ao em-si do primeiro, segundo, terceiro e quarto reinos da sem-forma. O primeiro tipo é o nível mais denso de agarramento ao em-si, e eles, progressivamente, se tornam mais sutis; assim, o nono nível, denominado "agarramento ao em-si pertencente ao Topo do Samsara", é o mais sutil.

Por meditarmos continuamente na vacuidade com a motivação de renúncia, abandonaremos gradualmente esses nove tipos de agarramento ao em-si e, por fim, quando abandonarmos o agarramento ao em-si pertencente ao Topo do Samsara, alcançaremos a cessação permanente do nosso agarramento ao em-si e de todas as demais delusões. Alcançaremos, simultaneamente, a cessação permanente de todos os sofrimentos desta vida e das incontáveis vidas futuras. Essa cessação permanente do sofrimento e de sua causa, o agarramento ao em-si, é a libertação efetiva e é conhecida como "nirvana", a suprema paz interior permanente. Teremos realizado, assim, o verdadeiro significado da vida humana.

Aqueles que alcançaram a libertação, ou nirvana, sempre habitam numa Terra Pura, na qual experienciam um ambiente puro, prazeres puros, corpos puros e mentes puras. A razão disso é que suas mentes são completamente puras, livres das máculas de todas as delusões. Eles também beneficiam os seres vivos através de suas emanações.

A libertação não pode ser alcançada sem aplicarmos esforço – apenas esperando e pensando que, um dia, alguém irá nos conceder libertação permanente de todos os problemas. É somente através de seguir o caminho à libertação que alcançaremos o nirvana. O caminho à libertação não é um caminho exterior, mas um caminho interior. Sabemos que caminhos exteriores conduzem de um lugar a outro, ao passo que o caminho à libertação é um caminho interior que conduz do samsara a uma Terra Pura. Um caminho interior é uma ação mental, e pode ser tanto uma ação mental virtuosa quanto não virtuosa; ela não pode ser uma ação mental neutra. Ações mentais que são não virtuosas levam--nos a qualquer um dos três renascimentos inferiores: renascer como um animal, um espírito faminto ou um ser-do-inferno. Ações mentais que são virtudes contaminadas nos levam a qualquer um dos três renascimentos elevados: renascer como um ser humano, um semideus ou um deus. Ações mentais motivadas por renúncia conduzem-nos ao estado da felicidade pura e duradoura da libertação, ou nirvana.

Renúncia é a porta de entrada pela qual ingressamos no caminho à libertação. O caminho propriamente dito à libertação tem cinco níveis: o Caminho da Acumulação, o Caminho da Preparação, o Caminho da Visão, o Caminho da Meditação, e o Caminho do Não-Mais-Aprender. A prática desses Cinco Caminhos está contida na prática dos três treinos superiores: treino em disciplina moral, treino em concentração, ou meditação, e treino na sabedoria que realiza a vacuidade, todos eles motivados por renúncia (o desejo sincero de nos libertarmos permanentemente do sofrimento e de sua causa, o agarramento ao em-si). Precisamos praticar sinceramente os três treinos porque eles são o caminho principal à libertação.

A natureza da disciplina moral é abandonar ações inadequadas, manter comportamento puro e executar qualquer ação corretamente, com uma motivação pura. A disciplina moral é muito importante para todos, porque ela evita problemas futuros para nós e para os outros. Ela nos torna puros porque faz com que nossas ações sejam puras. Nós próprios precisamos ser limpos e puros; apenas ter um corpo limpo não é o suficiente, pois o nosso corpo não é o nosso *self*. A disciplina moral é como um vasto solo que sustenta e nutre a colheita das realizações espirituais, as realizações de Dharma. Sem praticar disciplina moral, é muito difícil fazer progressos nos treinos espirituais. Treinar disciplina moral superior é aprender a tornar-se profundamente familiarizado com a prática de disciplina moral motivada por renúncia.

O segundo treino superior é treinar em concentração superior. A natureza da concentração é impedir distrações e concentrar-se em objetos virtuosos. É muito importante treinar concentração, pois, com distrações, não conseguimos realizar nada. Treinar em concentração superior é, com a motivação de renúncia, aprender a nos tornarmos profundamente familiarizados com a habilidade de parar as distrações e de nos concentrarmos em objetos virtuosos. No que diz respeito a qualquer prática de Dharma, se a nossa concentração for clara e forte, será muito fácil fazer progressos. Normalmente, nosso principal problema são as distrações. A prática de disciplina moral impede as distrações densas, e a concentração impede as distrações sutis; juntas, elas produzem resultados rápidos em nossa prática de Dharma.

O terceiro treino superior é treinar em sabedoria superior. A natureza da sabedoria é ser uma mente inteligente virtuosa cujas funções são dissipar a confusão e compreender objetos significativos. Muitas pessoas são muito inteligentes para destruir seus inimigos, cuidar de suas famílias, encontrar aquilo de que necessitam e assim por diante, mas isso não é sabedoria. Até os animais têm uma inteligência assim. A inteligência mundana é enganosa, ao passo que a sabedoria nunca irá nos enganar ou desapontar. A sabedoria é o nosso Guia Espiritual interior, que nos conduz aos caminhos corretos, e é o olho divino através do qual podemos ver as vidas passadas e futuras e a conexão especial entre as nossas ações e as nossas experiências, conhecida como "carma". O carma é um assunto muito extenso e sutil, e somente podemos compreendê-lo através de sabedoria. Treinar em sabedoria superior significa meditar na sabedoria que realiza a vacuidade, motivada por renúncia. Tendo realizado a vacuidade, transformamos nossa mente na sabedoria que realiza a vacuidade e permanecemos estritamente focados nela pelo maior tempo possível.

A prática dos três treinos superiores é o método científico para alcançar a cessação permanente do sofrimento e de sua causa, o agarramento ao em-si. Isto pode ser compreendido com a seguinte analogia. Quando cortamos uma árvore usando uma serra, a serra sozinha não pode cortar a árvore sem que usemos nossas mãos, que, por sua vez, dependem do nosso corpo. Treinar em disciplina moral superior é como o nosso corpo, treinar em concentração superior é como as nossas mãos, e treinar em sabedoria superior é como a serra. Ao usar os três juntos, podemos cortar a árvore venenosa da nossa ignorância do agarramento ao em-si e, automaticamente, todas as demais delusões (os seus galhos) e todos os nossos sofrimentos e problemas (os seus frutos) cessarão por completo. Então, teremos alcançado a cessação permanente dos sofrimentos desta vida e das incontáveis vidas futuras. Teremos solucionado todos os nossos problemas humanos e realizado o verdadeiro sentido da nossa vida.

PARTE DOIS

Progresso

Beneficie os outros, girando a Roda do Dharma

Aprender a Apreciar os Outros

Do fundo do nosso coração, desejamos ser felizes o tempo todo, mas, em geral, não estamos muito preocupados com a felicidade e a liberdade dos outros. No entanto, na verdade, nossa própria felicidade e sofrimento são insignificantes quando comparados com a felicidade e o sofrimento dos demais seres vivos. Os outros são incontáveis, ao passo que nós próprios somos apenas uma única pessoa. Compreendendo isso, devemos aprender a apreciar os outros e realizar a meta última e suprema da vida humana.

Qual é o objetivo supremo e último da vida humana? Devemos nos perguntar o que consideramos como o mais importante para nós – o que mais desejamos, pelo que nos esforçamos ou o que nos faz sonhar acordados? Para algumas pessoas são as posses materiais, como uma casa grande com os últimos requintes de conforto, um carro veloz ou um emprego bem remunerado. Para outros é reputação, boa aparência, poder, excitação ou aventura. Muitos tentam encontrar o sentido de suas vidas em relacionamentos com pessoas que são objetos do seu desejo. Todas essas coisas podem nos fazer superficialmente felizes por um breve espaço de tempo, mas elas também podem causar muita preocupação e sofrimento. Elas nunca irão nos dar a felicidade pura e duradoura que todos nós, do fundo do nosso coração, desejamos. Já que não podemos levá-las conosco quando morrermos, com certeza elas irão nos decepcionar se tivermos feito delas o principal sentido da nossa vida. As aquisições mundanas, tomadas como um fim em si mesmas, são ocas: elas não são o verdadeiro sentido da vida humana.

É dito que, dentre todas as posses mundanas, a mais preciosa é a legendária joia-que-concede-desejos. É impossível encontrar tal joia nestes tempos degenerados, mas, no passado, quando os seres humanos tinham mérito abundante, era comum haver joias mágicas que tinham o poder de conceder desejos. Essas joias, contudo, podiam satisfazer apenas os desejos de felicidade contaminada – elas nunca podiam conceder felicidade pura, que vem de uma mente pura. Ademais, uma joia-que-concede-desejos tinha poder para conceder apenas desejos numa única vida – ela não podia proteger seu dono em suas vidas futuras. Assim, em última instância, até mesmo uma joia-que-concede-desejos é enganosa.

A única coisa que nunca irá nos enganar é a aquisição da plena iluminação. O que é a iluminação? A iluminação é a luz interior de sabedoria que é completamente livre de toda aparência equivocada, e cuja função é conceder paz mental a todos e a cada um dos seres vivos, todos os dias. Ela é a fonte da felicidade de todos os seres vivos. Uma pessoa que tenha essa sabedoria é um ser iluminado. De acordo com o Budismo, os termos *ser iluminado* e *Buda* são sinônimos. Com exceção dos seres iluminados, todos os seres experienciam aparências equivocadas o tempo todo, dia e noite, inclusive durante o sono.

O que quer que apareça para nós, percebemos como existindo do seu próprio lado. Isso é aparência equivocada. Percebemos *"eu"* e *"meu"* como sendo inerentemente existentes e, aferrando-nos fortemente a eles, acreditamos que essa aparência é verdadeira. Por causa disso, fazemos muitas ações inadequadas, que nos levam a experienciar sofrimento. Essa é a razão fundamental pela qual experienciamos sofrimentos. Os seres iluminados são completamente livres das aparências equivocadas e dos sofrimentos que elas produzem.

É somente por meio de alcançar a iluminação que conseguiremos satisfazer nosso mais profundo desejo por felicidade pura e duradoura, pois nada neste mundo impuro tem o poder de satisfazer esse desejo. Somente quando nos tornarmos um Buda plenamente iluminado, experienciaremos a paz profunda e duradoura que advém da cessação permanente de todas as delusões, ou aflições mentais, e suas marcas. Estaremos, então, livres de todas as falhas e obscurecimentos mentais e possuiremos as qualidades necessárias para ajudar todos os seres vivos diretamente. Seremos, então, um objeto de refúgio para todos os seres vivos. Por meio dessa compreensão, podemos entender claramente que a conquista da iluminação é a meta última, suprema, e o real sentido da nossa preciosa vida humana. Visto que nosso principal desejo é ser feliz o tempo todo e ficar completamente livre de todas as falhas e sofrimentos, precisamos desenvolver a forte intenção de alcançar a iluminação. Devemos pensar: "Preciso alcançar a iluminação porque, no samsara, o ciclo de vida impura, não existe felicidade verdadeira em lugar algum".

A causa principal da iluminação é a *bodhichitta*, o desejo espontâneo de alcançar a iluminação que é motivado pela compaixão por todos os seres vivos. Uma pessoa que tenha essa mente preciosa da bodhichitta é chamada "*Bodhisattva*". A raiz da bodhichitta é a compaixão. Uma vez que o desenvolvimento da compaixão depende de apreciar os outros, o primeiro passo para a felicidade sublime da iluminação é aprender a apreciar os outros. Uma mãe aprecia seus filhos, e nós, talvez, apreciemos nossos amigos até certo ponto, mas esse apreço não é imparcial e, geralmente, está misturado com apego. Precisamos desenvolver uma mente pura que aprecia, sem preconceito ou parcialidade, todos os seres vivos.

Todos e cada um dos seres vivos têm, dentro de si, a semente (ou potencial) para se tornar um Buda, um ser plenamente iluminado – essa é a nossa natureza búdica. Nos ensinamentos de Buda, encontramos o melhor método para amadurecer essa semente, ou potencial. O que precisamos agora é colocar esses ensinamentos em prática. Isso é algo que só os seres humanos podem fazer. Animais podem juntar provisões, derrotar seus inimigos e proteger suas famílias, mas não podem compreender o caminho espiritual nem a ele se dedicar. Seria uma grande vergonha se usássemos nossa vida humana apenas para alcançar aquilo que os animais também podem obter, desperdiçando assim esta oportunidade única de nos tornarmos uma fonte de benefício para todos os seres vivos.

Estamos diante de uma escolha: podemos continuar a desperdiçar nossa vida perseguindo prazeres mundanos, que não proporcionam verdadeira satisfação e que desaparecem quando morremos, ou podemos dedicar nossa vida para realizar todo o nosso potencial espiritual. Se fizermos grande esforço para praticar as instruções contidas neste livro, com toda certeza conquistaremos a iluminação, mas, se não nos esforçarmos, a iluminação nunca acontecerá naturalmente, não importa o tempo que esperemos. Para seguir o caminho à iluminação, não há necessidade de mudar nosso estilo de vida exterior. Não precisamos abandonar nossa família, amigos ou prazeres e nos retirar para uma caverna na montanha. Tudo o que precisamos fazer é mudar o objeto do nosso apreço.

Até agora, temos apreciado a nós mesmos acima de todos os outros e, enquanto continuarmos a fazer isso, nosso sofrimento nunca terá fim. Contudo, se aprendermos a apreciar todos os seres mais do que a nós mesmos, desfrutaremos rapidamente o êxtase da iluminação. O caminho à iluminação é, realmente, muito simples – tudo o que precisamos fazer é parar de apreciar a nós mesmos e aprender a apreciar os outros. Todas as outras realizações espirituais virão naturalmente a partir disso.

Nossa visão instintiva é que somos mais importantes que todos os outros, enquanto a visão de todos os seres iluminados é que os outros é que são mais importantes. Qual dessas visões é mais benéfica? Vida após vida, desde tempos sem início, temos sido escravos da nossa mente de autoapreço. Temos, implicitamente, confiado nessa mente e obedecido a todos os seus comandos, acreditando que a melhor maneira de solucionar nossos problemas e de encontrar felicidade é colocarmos nossos interesses à frente dos interesses de qualquer outra pessoa ou ser. Temos trabalhado longa e arduamente para o nosso próprio benefício, mas o que temos para mostrar? Solucionamos todos os nossos problemas e encontramos a felicidade duradoura que desejamos? Não. É evidente que perseguir nossos próprios interesses egoístas é algo que tem nos enganado. Depois de termos feito a vontade do nosso autoapreço durante tantas vidas, agora é a hora de compreender que isso simplesmente não funciona. Agora é a hora de trocar o objeto do nosso apreço – de *nós mesmos* para *todos os seres vivos*.

Todos os seres iluminados descobriram que, abandonando o autoapreço e apreciando somente os outros, viriam a experienciar verdadeira paz e felicidade. Se praticarmos os métodos que eles ensinaram, não haverá razão de não sermos capazes de fazer o mesmo. Não podemos ter a expectativa de mudar a nossa mente da noite para o dia, mas, praticando de modo paciente e persistente as instruções sobre apreciar os outros – enquanto, ao mesmo tempo, acumulamos mérito, purificamos negatividades e recebemos bênçãos – podemos substituir gradualmente nossa atitude comum de autoapreço pela atitude sublime de apreciar todos os seres vivos.

Para fazer isso, não precisamos mudar nosso estilo de vida; o que precisamos mudar são as nossas ideias e intenções. Nossa visão comum é que somos o centro do universo, e que as outras pessoas e coisas têm sua importância medida principalmente pelo modo como elas nos afetam. Nosso carro, por exemplo, é importante simplesmente porque é *nosso*, e nossos amigos são importantes porque *nos* fazem felizes. Estranhos, por outro lado, não nos parecem tão importantes, porque não afetam diretamente a nossa felicidade, e, se o carro de um estranho for danificado ou roubado, não ficaremos muito preocupados. Como veremos nos próximos capítulos, essa visão autocentrada do mundo está fundamentada em ignorância e não corresponde à realidade. Essa visão é a fonte de todas as nossas intenções comuns e egoístas. É justamente porque pensamos "eu sou importante", "eu preciso disso" ou "eu mereço aquilo" que nos envolvemos em ações negativas, que resultam num fluxo interminável de problemas para nós e para os outros.

Praticando estas instruções, podemos desenvolver uma visão realista do mundo, fundamentada na compreensão da igualdade e da interdependência de todos os seres vivos. Quando enxergarmos todos e cada um dos seres vivos como importantes, desenvolveremos naturalmente boas intenções em relação a eles. Enquanto a mente que aprecia somente nós mesmos é a base para todas as experiências impuras, samsáricas, a mente que aprecia os outros é a base para todas as boas qualidades da iluminação.

Apreciar os outros não é tão difícil – tudo o que precisamos fazer é compreender porque devemos apreciar os outros e, então, tomar a firme decisão de fazê-lo. Meditando sobre essa decisão, desenvolveremos um profundo e poderoso sentimento de apreço por todos os seres vivos. Então, levamos esse sentimento especial para a nossa vida diária.

Existem duas razões principais de porque precisamos apreciar todos os seres vivos. A primeira é que eles têm nos mostrado imensa bondade, e a segunda é que apreciá-los possui enormes benefícios. Esses pontos serão explicados a seguir.

A BONDADE DOS OUTROS

Precisamos contemplar a grande bondade de todos os seres vivos. Podemos começar relembrando a bondade da nossa mãe desta vida; depois, por extensão, podemos relembrar a bondade de todos os demais seres vivos, que, como será explicado a seguir, foram nossas mães nas vidas anteriores. Se não conseguirmos apreciar a bondade da nossa mãe atual, como seremos capazes de apreciar a bondade de todas as nossas mães anteriores?

É muito fácil esquecer a bondade da nossa mãe ou tomar essa bondade por garantida e recordar apenas os momentos que acreditamos que ela nos prejudicou; por essas razões, precisamos relembrar em detalhes quão bondosa nossa mãe tem sido para conosco, desde o primeiro instante da nossa vida.

No início, nossa mãe foi bondosa ao nos oferecer um lugar para renascer. Antes de sermos concebidos no seu útero, estávamos vagando de um lugar a outro como um ser do estado intermediário (um ser que está entre a morte, que já ocorreu, e o próximo renascimento), sem lugar algum para descansar. Éramos soprados pelos ventos do nosso carma, sem liberdade alguma para escolher para onde iríamos, e todas as nossas experiências eram fugazes. Experienciávamos grande dor e medo, mas, desse estado, fomos capazes de ingressar na segurança do útero da nossa mãe. Embora fôssemos um hóspede não convidado, quando ela soube que havíamos ingressado no seu útero, nossa mãe permitiu que ficássemos ali. Se quisesse nos expulsar, ela poderia tê-lo feito e não estaríamos hoje vivos para desfrutar todas as nossas oportunidades presentes. Somos agora capazes de desenvolver a aspiração de alcançar a felicidade suprema da iluminação somente porque nossa mãe foi bondosa o suficiente para nos deixar permanecer no seu útero. No inverno, quando fora está frio e tempestuoso, se alguém nos convidar a entrar em seu lar aquecido e nos hospedar com conforto, consideraremos essa pessoa como sendo extremamente bondosa. Quão mais bondosa é nossa mãe, que nos deixou ingressar em seu corpo e nos ofereceu tão excelente hospitalidade nele.

Quando estávamos no útero da nossa mãe, ela nos protegeu cuidadosamente, com muito mais cuidados do que se estivesse guardando a joia mais preciosa. Em todas as situações, ela pensava em nossa segurança. Ela consultou médicos, fez exercícios, alimentou-se de uma dieta especial e nos nutriu, dia e noite, durante nove meses; ela também foi muita atenta para que nada pudesse prejudicar o desenvolvimento das nossas faculdades físicas e mentais. Porque ela cuidou tão bem de nós, nascemos com um corpo normal e saudável, que podemos utilizar para realizar muitas coisas boas.

No momento do nosso nascimento, nossa mãe experienciou grande dor, mas quando ela nos viu, sentiu-se mais feliz do que se alguém a tivesse presenteado com um magnífico tesouro. Mesmo durante a agonia do parto, nosso bem-estar estava em primeiro lugar em sua mente. Quando tínhamos acabado de nascer, embora parecêssemos muito mais com uma rã do que com um ser humano, nossa mãe nos amou carinhosamente. Éramos totalmente indefesos, muito mais indefesos que um potro que acabou de nascer; ele, ao menos, pode se levantar e se alimentar tão logo tenha nascido. Éramos como cegos, incapazes de identificar nossos pais, e não conseguíamos compreender nada. Se alguém estivesse prestes a nos matar, não teríamos como saber. Não tínhamos ideia alguma do que estávamos fazendo. Não conseguíamos nem mesmo dizer quando estávamos urinando.

Quem cuidou e protegeu esse "arremedo", ou esboço, de ser humano? Foi a nossa mãe. Ela nos vestiu, acalentou e embalou em seus braços e nos alimentou com seu próprio leite. Ela removeu a sujeira do nosso corpo sem sentir qualquer repugnância. Às vezes, as mães removem o muco do nariz dos seus bebês utilizando a própria boca porque não querem causar nenhuma dor a eles utilizando suas próprias mãos, ásperas. Mesmo quando nossa mãe tinha problemas, ela sempre nos mostrava uma expressão amorosa e nos chamava por nomes doces. Enquanto éramos pequenos, nossa mãe estava constantemente vigilante. Se ela tivesse se esquecido de nós por apenas um breve instante, poderíamos ter morrido ou ficado inválidos pelo resto da vida. Todos os dias da nossa infância, nossa mãe nos livrou de muitos perigos, e ela sempre considerava as coisas a partir do ponto de vista da nossa própria segurança e bem-estar.

No inverno, ela se assegurava de que estávamos aquecidos e bem agasalhados, mesmo quando ela própria estava com frio. Ela sempre escolheu as melhores coisas para comermos, ficando com as piores para si, e preferia ela própria ficar doente do que nos ver adoentados. Ela preferiria morrer a nos ver mortos. Nossa mãe naturalmente se comportava conosco como alguém que tivesse obtido a realização de trocar eu por outros, apreciando-nos até mais do que o apreço que tinha por si própria. Ela é capaz de colocar nosso bem-estar à frente do seu próprio bem-estar, e ela faz isso perfeita e espontaneamente. Se alguém ameaçasse nos matar, ela teria se oferecido para morrer em nosso lugar. Nossa mãe tem esse tipo de compaixão por nós.

Quando éramos pequenos, nossa mãe não dormia bem. Ela tinha o sono leve, acordando a cada poucas horas e permanecendo alerta ao nosso choro. À medida que crescíamos, nossa mãe nos ensinou a comer, beber, falar, sentar e andar. Ela nos mandou para a escola e nos incentivou a fazer boas coisas na vida. Se temos agora qualquer tipo de conhecimento e habilidades, isso é principalmente o resultado de sua bondade. Quando crescemos e nos tornamos adolescentes, preferíamos estar com nossos amigos e nos esquecíamos totalmente da nossa mãe. Enquanto nos divertíamos, é como se ela tivesse deixado de existir, e nos lembrávamos da nossa mãe apenas quando necessitávamos de algo dela. Embora fôssemos desatentos e esquecidos e nos permitíssemos ficar totalmente absortos nos prazeres que desfrutávamos com nossos amigos, nossa mãe permanecia continuamente preocupada conosco. Ela frequentemente ficava ansiosa e, em seu íntimo, sempre havia alguma preocupação conosco. Ela tinha o tipo de preocupação que, normalmente, temos somente com nós mesmos. Mesmo quando nos tornamos adultos e constituímos nossa própria família, nossa mãe não interrompe o cuidado que tem por nós. Ela pode estar idosa, fraca e debilitada para ficar em pé por sua própria conta, mas, mesmo assim, ela nunca se esquece de seus filhos.

Por meditar dessa maneira, recordando com grandes detalhes a bondade da nossa mãe, viremos a apreciá-la muito carinhosamente. Quando, do fundo do nosso coração, tivermos esse sentimento de apreço, devemos estendê-lo para todos os demais seres vivos, relembrando que cada um deles tem demonstrado a mesma bondade para conosco.

De que modo todos os seres vivos são nossas mães? Visto que é impossível encontrar um início para o nosso *continuum* mental, segue-se que tivemos incontáveis renascimentos no passado; e se tivemos incontáveis renascimentos, precisamos ter tido incontáveis mães. Onde estão todas essas mães, agora? Elas são todos os seres vivos existentes hoje.

É incorreto raciocinar que nossas mães das vidas passadas deixaram de ser nossas mães apenas porque um longo tempo passou desde que elas efetivamente cuidaram de nós. Se nossa mãe atual viesse a morrer hoje, ela deixaria de ser nossa mãe? Não, nós continuaríamos a considerá-la nossa mãe e rezaríamos pela sua felicidade. O mesmo é verdadeiro para todas as nossas mães anteriores – elas morreram, mas ainda permanecem nossas mães. Não nos reconhecemos mais uns aos outros apenas devido às mudanças em nossa aparência exterior. Em nossa vida diária, vemos muitos seres vivos diferentes, tanto humanos quanto não humanos. Consideramos alguns como amigos, outros como inimigos e a maioria como estranhos. Essas distinções são feitas por nossas mentes equivocadas; elas não são verificadas por mentes válidas.

Devido às mudanças no nosso renascimento, não reconhecemos nossas mães, parentes e amigos das vidas passadas e, por causa disso, vemos agora a maioria dos seres vivos como estranhos e muitos, até mesmo, como inimigos. Essa aparência e concepção equivocadas é ignorância. Estranhos e inimigos são apenas criações dessa ignorância. Na verdade, não existem seres vivos que sejam estranhos ou nossos inimigos, porque eles são todos nossas mães, parentes ou amigos muito próximos. Nosso único inimigo verdadeiro são as nossas delusões, tais como nosso desejo descontrolado (ou apego), nossa raiva e inveja e, especialmente, nossa ignorância do agarramento ao em-si. Compreender e acreditar nisso irá nos dar um grande significado nesta vida e nas nossas incontáveis vidas futuras.

Podemos, então, meditar sobre a bondade das nossas mães quando tivemos outros tipos de renascimento, considerando, por exemplo, o quão atenciosa uma mãe passarinho protege seus ovos contra perigos e como ela protege sua cria sob suas asas. Quando um caçador se aproxima, ela não voa para longe e tampouco deixa seus filhotes desprotegidos. Durante o dia inteiro, ela procura comida para alimentá-los, até que estejam fortes o suficiente para deixarem o ninho.

Certa vez, havia um ladrão no Tibete que apunhalou uma égua que estava carregando um potrinho em seu útero. Sua faca penetrou tão profundamente no flanco da égua que o corte abriu seu útero, e o potrinho saiu pelo flanco da mãe. Enquanto morria, a égua consumiu suas últimas forças lambendo sua cria, com grande afeição. Ao ver isso, o ladrão encheu-se de remorso. Ele ficou admirado ao ver como, mesmo entre as dores da morte, essa mãe tinha tamanha compaixão por seu filho e como estava preocupada somente com o bem-estar dele. O ladrão, então, parou com seu estilo de vida não virtuoso e começou a seguir caminhos espirituais puramente.

Todos os seres vivos têm nos demonstrado a mesma preocupação altruísta, a perfeita bondade de uma mãe. Além disso, mesmo que não consideremos os demais seres vivos como sendo nossas mães, ainda assim eles têm demonstrado extraordinária bondade para conosco. Nosso corpo, por exemplo, é o resultado da bondade não apenas de nossos pais, mas de incontáveis seres que o têm provido com alimentos, abrigo, e assim por diante. É porque temos este corpo atual com faculdades humanas que somos capazes de desfrutar de todos os prazeres e oportunidades da vida humana. Até mesmo simples prazeres, como dar um passeio ou contemplar um belo pôr do sol, podem ser vistos como o resultado da bondade de inumeráveis seres vivos. Nossos talentos e habilidades, tudo provém da bondade dos outros; tivemos que ser ensinados a comer, andar, falar, ler e escrever. Mesmo a língua que falamos não foi inventada por nós mesmos, mas é o produto de muitas gerações. Sem ela, não poderíamos nos comunicar com os outros nem compartilhar de suas ideias. Não poderíamos ler este livro, aprender práticas espirituais ou até mesmo pensar com clareza. Todos os recursos e instalações que damos como certos e garantidos – como casas, carros, estradas, lojas, escolas, hospitais e *internet* – são produzidos somente através da bondade dos outros. Quando viajamos de ônibus ou de carro, tomamos as estradas como se já estivessem ali, prontas, desde sempre, mas muitas pessoas trabalharam arduamente para construí-las e torná-las seguras para o nosso uso.

O fato de que algumas das pessoas que nos ajudam talvez não tenham a intenção de fazê-lo é irrelevante. Recebemos benefício de suas ações; portanto, do nosso ponto de vista, isso é bondade. Em vez de nos focarmos em suas motivações, que, de qualquer modo, não conhecemos, devemos nos concentrar no benefício prático que recebemos. Todos os que contribuem de algum modo para nossa felicidade e bem-estar são merecedores da nossa gratidão e respeito. Se tivéssemos que restituir tudo o que os outros têm dado a nós, não nos restaria absolutamente nada.

Podemos argumentar que não recebemos as coisas gratuitamente, mas que temos que trabalhar por elas. Quando vamos às compras, temos de pagar, e quando comemos num restaurante, temos de pagar a conta. Talvez tenhamos um carro, mas tivemos de comprar o carro e, agora, temos de pagar pelo combustível, impostos e seguro. Ninguém nos dá nada de graça. Porém, de onde tiramos esse dinheiro? É verdade que, em geral, temos de trabalhar para ganhar nosso dinheiro, mas são os outros que nos empregam ou compram nossas mercadorias; portanto, indiretamente, são eles que nos proveem com dinheiro. Além disso, a razão pela qual somos capazes de fazer um determinado tipo de trabalho é que recebemos das outras pessoas a educação ou treinamento necessários. Para onde quer que olhemos, encontramos somente a bondade dos outros. Estamos todos interconectados numa rede de bondade da qual é impossível nos separar. Tudo que temos e tudo do que desfrutamos, inclusive nossa própria vida, deve-se à bondade dos outros. De fato, toda a felicidade que existe no mundo surge como resultado da bondade dos outros.

Nosso desenvolvimento espiritual e a felicidade pura da plena iluminação também dependem da bondade dos seres vivos. Nossa oportunidade de ler, contemplar e meditar nos ensinamentos espirituais depende inteiramente da bondade dos outros. Além disso, como será explicado mais adiante, sem seres vivos com os quais possamos praticar generosidade, testar nossa paciência ou pelos quais possamos desenvolver compaixão, nunca conseguiríamos desenvolver as qualidades virtuosas necessárias à conquista da iluminação.

Em resumo, precisamos dos outros para o nosso bem-estar físico, emocional e espiritual. Sem os outros, não somos nada. Nossa impressão de que somos uma ilha, um indivíduo autossuficiente e independente, não possui relação alguma com a realidade. É mais próximo da verdade nos imaginarmos como uma célula no vasto corpo da vida – distintos, porém intimamente ligados a todos os seres vivos. Não podemos existir sem os outros, e eles, por sua vez, são afetados por tudo o que fazemos. A ideia de que é possível garantir nosso próprio bem-estar enquanto negligenciamos o bem-estar dos outros, ou até mesmo à custa deles, é completamente irrealista.

Contemplando as inúmeras maneiras pelas quais os outros nos ajudam, devemos tomar uma firme decisão: "Preciso apreciar todos os seres vivos, pois eles são muito bondosos comigo". Com base nessa determinação, geramos um sentimento de apreço – uma sensação de que todos os seres vivos são importantes e de que a felicidade e a liberdade deles são, também, muito importantes. Tentamos misturar, de modo estritamente focado, nossa mente com esse sentimento e o mantemos pelo maior tempo que conseguirmos, sem nos esquecer dele. Quando sairmos da meditação, devemos tentar manter essa mente de amor, de modo que, sempre que encontrarmos ou nos lembrarmos de alguém, naturalmente pensemos: "Essa pessoa é importante; a felicidade e a liberdade dessa pessoa são importantes". Desse modo, faremos progressos em nossa prática de aprender a apreciar os outros.

OS BENEFÍCIOS DE APRECIAR OS OUTROS

Outra razão para apreciarmos os outros é que este é o melhor método para solucionar os nossos próprios problemas e os problemas dos outros. Problemas, preocupação, dor e infelicidade são tipos de mente; eles são sensações e não existem fora da mente. Se apreciarmos cada pessoa que encontrarmos ou cada pessoa em que pensarmos, nossa mente ficará em paz o tempo todo, de modo que seremos felizes o tempo todo e não haverá base para desenvolver inveja ou ciúme, raiva ou outros pensamentos prejudiciais. Inveja ou ciúme, por exemplo, é um estado mental que não consegue suportar a boa sorte alheia; mas, se apreciamos alguém, como a sua boa sorte pode perturbar nossa mente? Como podemos desejar prejudicar os outros se consideramos a felicidade de cada ser como de suprema importância? Apreciando genuinamente todos os seres vivos, agiremos sempre com bondade amorosa, de um modo amigável e atencioso, e eles irão retribuir nossa bondade. Os outros não agirão de modo desagradável conosco e não haverá base para conflitos ou disputas. As pessoas irão gostar de nós e nossos relacionamentos serão mais estáveis e satisfatórios.

Apreciar os outros também nos protege dos problemas causados pelo apego desejoso. É comum ficarmos fortemente apegados a uma pessoa que achamos que irá nos ajudar a superar nossa solidão, dando-nos o conforto, a segurança ou o estímulo que ansiamos. No entanto, se tivermos uma mente amorosa por todos, não nos sentiremos sozinhos. Em vez de nos apegar aos outros para que satisfaçam nossas vontades, vamos querer ajudá-los a satisfazerem as suas próprias necessidades e desejos. Apreciar todos os seres vivos soluciona todos os nossos problemas, porque todos os nossos problemas surgem da mente de autoapreço. Por exemplo, se a pessoa com quem vivemos nos deixasse por outra, provavelmente nos sentiríamos transtornados; mas, se os apreciássemos verdadeiramente, desejaríamos que fossem felizes e nos regozijaríamos com sua felicidade. Não haveria base para nos sentirmos enciumados ou deprimidos e, embora pudéssemos achar a situação desafiadora, ela não seria um problema para nós. Apreciar os outros é a proteção suprema contra sofrimentos e problemas e nos permite permanecer calmos e pacíficos o tempo todo.

Apreciar os nossos vizinhos e as pessoas do nosso bairro conduzirá, naturalmente, a comunidade e a sociedade como um todo à harmonia, e isso tornará todos mais felizes. Talvez não sejamos uma personalidade famosa ou influente, mas, se apreciarmos sinceramente cada um que encontrarmos, poderemos dar uma profunda contribuição à nossa comunidade. Isso é verdadeiro até mesmo para quem nega o valor da religião. Se, numa escola, um professor apreciar seus alunos e for livre de egoísmo, os alunos irão respeitá-lo e aprender não apenas o assunto que ele ensina, mas também a bondade e as qualidades admiráveis que revela possuir. Um professor assim naturalmente influenciará, de maneira positiva, todos os que o cercam, e sua presença transformará a escola inteira. Diz-se que existe um cristal mágico que tem o poder de purificar qualquer líquido em que seja colocado. Aqueles que apreciam todos os seres vivos são como esse cristal – com sua simples presença, eles removem a negatividade do mundo e devolvem amor e bondade.

Se alguém, mesmo inteligente e poderoso, não amar os outros, cedo ou tarde enfrentará problemas e achará difícil realizar seus desejos. Se o governante de um país não apreciar seu povo, mas se preocupar somente com seus próprios interesses, ele será criticado e desacreditado e acabará, por fim, perdendo seu cargo. Se um professor espiritual não apreciar e não cultivar boas relações com seus alunos, eles acharão difícil desenvolver fé nele e isso fará com que seus ensinamentos se tornem ineficazes e sem poder.

Se um patrão estiver preocupado apenas com seus próprios interesses e não cuidar do bem-estar de seus empregados, os empregados ficarão infelizes. Provavelmente, eles trabalharão de modo ineficiente e, certamente, não terão entusiasmo algum para cumprir os desejos do patrão. Assim, o patrão sofrerá as consequências da sua própria falta de consideração pelos seus empregados. Do mesmo modo, se os empregados estiverem preocupados apenas com o proveito que podem tirar da empresa, isso irritará seu patrão, que poderá reduzir-lhes o salário ou demiti-los. A empresa talvez venha a falir, fazendo com que todos percam seus empregos. Desse modo, os empregados sofrerão as consequências da sua falta de consideração pelo patrão. Em todo ramo de atividade, a melhor maneira de garantir sucesso é fazer com que as pessoas envolvidas reduzam seu autoapreço e tenham um maior senso de consideração pelos outros. Às vezes pode parecer, ao autoapreço, que existem vantagens a curto prazo, mas, a longo prazo, existem somente problemas. A solução para todos os problemas da vida diária é apreciar os outros.

Todo o sofrimento que experienciamos é o resultado de carma negativo, e a fonte de todo carma negativo é o autoapreço. Porque temos um senso tão exagerado da nossa própria importância, frustramos os desejos das outras pessoas a fim de satisfazer os nossos. Levados por nossos desejos egoístas, não hesitamos em destruir a paz mental dos outros e causar-lhes aflições. Tais ações plantam apenas sementes de sofrimento futuro. Se apreciarmos os outros sinceramente, não teremos o desejo de ofendê-los ou prejudicá-los e iremos parar de nos envolver em ações destrutivas e prejudiciais. Observaremos, naturalmente, disciplina moral pura e iremos nos abster de matar ou de sermos cruéis com os outros seres vivos, de roubá-los ou de interferir em seus relacionamentos. Como resultado, não teremos de experienciar os efeitos desagradáveis dessas ações negativas no futuro. Desse modo, apreciar os outros nos protege de todos os problemas futuros causados por carma negativo.

Ao apreciar os outros, acumulamos mérito continuamente, e mérito é a causa principal de sucesso em todas as nossas atividades. Se apreciarmos todos os seres vivos, realizaremos, naturalmente, muitas ações úteis e virtuosas. Todas as nossas ações de corpo, fala e mente irão gradualmente se tornar puras e benéficas, e seremos uma fonte de felicidade e de inspiração para qualquer um que encontremos. Descobriremos, por experiência própria, que essa preciosa mente de amor é a verdadeira joia-que-concede-desejos, pois ela satisfaz os desejos puros, tanto os nossos como os dos outros.

A mente que aprecia todos os seres vivos é extremamente preciosa. Manter esse bom coração resultará somente em felicidade para nós e para todos que nos rodeiam. Esse bom coração faz surgir a compaixão – o desejo espontâneo de libertar permanentemente todos os seres vivos do medo e do sofrimento. Isso, por fim, transforma-se na compaixão universal de um Buda iluminado, compaixão essa que verdadeiramente tem o poder de proteger todos os seres vivos do sofrimento. Desse modo, apreciar os outros nos conduz à suprema meta última da vida humana.

Por contemplar todas essas vantagens de apreciar os outros, chegamos à seguinte determinação:

Vou apreciar todos os seres vivos sem exceção, porque essa preciosa mente de amor é o método supremo para solucionar todos os problemas e satisfazer todos os desejos. Por fim, ela irá me conceder a felicidade suprema da iluminação.

Meditamos estritamente focados nessa determinação pelo maior tempo possível, e geramos um forte sentimento de apreço por todos e cada um dos seres vivos. Ao sair da meditação, tentamos manter esse sentimento e colocamos em prática a nossa decisão. Sempre que estivermos com outras pessoas, devemos estar continuamente atentos de que a felicidade e a liberdade delas são, no mínimo, tão importantes quanto a nossa própria felicidade e liberdade. É claro que não conseguiremos apreciar todos os seres vivos de imediato, mas, treinando nossa mente nessa atitude, começando com os nossos familiares e amigos, poderemos ampliar gradualmente o escopo do nosso amor até abranger todos os seres vivos. Quando, desse modo, apreciarmos sinceramente todos os seres vivos, não seremos mais uma pessoa comum, mas teremos nos tornado um grande ser, como um Bodhisattva.

Como Aprimorar o Amor Apreciativo

A MANEIRA DE aprofundar nosso amor pelos outros é nos familiarizar com a prática de apreciar os outros. Para fortalecer nossa determinação de apreciar todos os seres vivos, precisamos receber instruções adicionais sobre como aprimorar o amor apreciativo.

Todos nós temos alguém que consideramos especialmente precioso, como nosso filho, cônjuge ou mãe. Essa pessoa nos parece dotada de qualidades únicas, que a destacam das demais. Nós a valorizamos e queremos cuidá-la e protegê-la de uma maneira especial. Precisamos aprender a considerar todos os seres vivos do mesmo modo, reconhecendo todos e cada um deles como sendo especial e exclusivamente precioso. Embora já apreciemos nossa família e os amigos mais próximos, não amamos os estranhos e, certamente, não amamos nossos inimigos. Para nós, a vasta maioria dos seres vivos não tem significado particular algum. Por praticar as instruções sobre apreciar os outros, podemos remover essa parcialidade e passar a valorizar todos e cada um dos seres vivos do mesmo modo que uma mãe estima seu mais querido filho. Quanto mais aprofundarmos e aprimorarmos nosso amor por praticar desse modo, nossa compaixão e bodhichitta irão se tornar mais fortes e alcançaremos a iluminação mais rapidamente.

RECONHECER NOSSAS FALHAS NO ESPELHO DO DHARMA

Uma das funções principais dos ensinamentos de Buda, ou Dharma, é a de servir como um espelho no qual podemos enxergar as nossas próprias falhas. Por exemplo, quando a raiva surge em nossa mente, em vez de procurar uma desculpa, devemos dizer a nós mesmos: "Essa raiva é o veneno interior da delusão, ou aflição mental. Ela não tem nenhum valor ou justificativa; sua única função é prejudicar. Não vou tolerar sua presença em minha mente". Podemos também usar o espelho do Dharma para distinguir entre apego desejoso e amor. Esses dois sentimentos são facilmente confundidos, mas é fundamental discriminá-los corretamente, pois o amor só nos traz felicidade, ao passo que a mente de apego só traz sofrimento e nos prende mais fortemente ao samsara. No instante em que notarmos o apego surgindo em nossa mente, devemos ficar em estado de alerta – não importa quão agradável possa parecer seguir nosso apego, ele é como lamber mel no fio de uma navalha e, a longo prazo, conduz invariavelmente a mais sofrimento.

A razão principal pela qual não apreciamos todos os seres vivos é que estamos muito preocupados com nós mesmos, e isso deixa um espaço muito pequeno em nossa mente para apreciarmos os outros. Se quisermos apreciar os outros sinceramente, precisamos reduzir o interesse obsessivo que sentimos por nós mesmos. Por que nos consideramos tão preciosos, mas não os outros? A razão é que estamos muito familiarizados com o autoapreço. Desde tempos sem início, temos nos agarrado a um *eu* verdadeiramente existente. Esse agarramento ao *eu* faz surgir automaticamente o autoapreço, que, instintivamente, sente "eu sou mais importante que os outros". Para os seres comuns, o agarramento ao seu próprio *eu* e o autoapreço são como os dois lados de uma mesma moeda: o agarramento ao *eu* agarra-se a um *eu* verdadeiramente existente, ao passo que o autoapreço sente que esse *eu* é precioso e o aprecia. A razão fundamental para isso é a nossa constante familiaridade com o nosso autoapreço, dia e noite, até durante o sono.

Porque consideramos nosso *self*, ou *eu*, como muito precioso e importante, exageramos nossas próprias boas qualidades e desenvolvemos uma visão inflada de nós mesmos. Quase tudo pode servir como base para essa mente arrogante, como nossa aparência, posses, conhecimento, experiências ou *status*. Se fizermos um comentário perspicaz, pensamos "sou tão inteligente!", ou, se tivermos viajado ao redor do mundo, sentiremos que isso nos torna automaticamente uma pessoa fascinante. Somos até mesmo capazes de desenvolver orgulho por coisas das quais deveríamos nos envergonhar, como a nossa habilidade de enganar os outros, ou por qualidades que meramente imaginamos possuir. Por outro lado, achamos muito difícil aceitar nossos erros e defeitos. Gastamos tanto tempo contemplando nossas qualidades, reais ou imaginadas, que nos esquecemos das nossas falhas. Na verdade, nossa mente está repleta de delusões – ou aflições mentais – grosseiras, mas nós as ignoramos e até nos iludimos pensando que não temos essas mentes repulsivas. Isso é como fingir que não há sujeira em nossa casa após tê-la varrido para debaixo do tapete.

Muitas vezes, é tão doloroso admitir que temos defeitos que inventamos todo tipo de desculpas, em vez de modificar a visão sublime que temos de nós mesmos. Uma das maneiras mais comuns para não encararmos nossas falhas é culpar os outros. Por exemplo, se temos uma relação difícil com alguém, naturalmente concluímos que a falha é inteiramente da pessoa – somos incapazes de aceitar que, no mínimo, essa falha seja parcialmente nossa. Em vez de assumirmos a responsabilidade por nossas ações e fazermos um esforço para mudar nosso comportamento, discutimos com os outros e insistimos que eles é que devem mudar. Uma sensação exagerada de nossa própria importância conduz, assim, a uma atitude crítica em relação às outras pessoas e faz com que seja quase impossível evitar conflitos. O fato de que estamos cegos para as nossas falhas não impede que sejam notadas e apontadas pelos outros, mas, quando eles o fazem, sentimos que estão sendo injustos. Em vez de olharmos honestamente para o nosso próprio comportamento a fim de verificar se a crítica é ou não justificada, nossa mente de autoapreço torna-se defensiva e passa a retaliar, por meio de encontrar defeitos nos outros.

Outra razão pela qual não consideramos os outros como preciosos é que prestamos atenção em seus defeitos, enquanto ignoramos suas boas qualidades. Infelizmente, podemos nos tornar muito habilidosos em identificar as falhas dos outros e investimos uma grande quantidade de energia mental enumerando-as, analisando-as e, até mesmo, meditando nelas! Com essa atitude crítica, se discordarmos do nosso parceiro ou de um colega sobre algo, em vez de tentarmos compreender seu ponto de vista, pensamos repetidamente nas diversas razões pelas quais estamos certos e eles, errados. Por nos focarmos exclusivamente nas falhas e limitações dos outros, ficamos com raiva e ressentidos e, em vez de apreciá-los, geramos o desejo de prejudicá-los ou desacreditá-los. Desse modo, pequenas desavenças podem facilmente se transformar em conflitos que se arrastam por meses.

Nada de bom jamais virá de insistirmos em nossas próprias qualidades e nos defeitos dos outros. Tudo o que acontecerá é que desenvolveremos uma visão demasiadamente distorcida e presunçosa a nosso respeito e uma atitude arrogante e desrespeitosa em relação aos outros. Como o grande erudito Shantideva diz no *Guia do Estilo de Vida do Bodhisattva*:

> Se nos tivermos em alta conta, renasceremos nos reinos inferiores
> E, mais tarde, como um ser humano, experienciaremos uma posição social inferior e uma mente tola.

Como resultado de considerarmos a nós mesmos como superiores e os outros como inferiores, cometemos muitas ações negativas que, mais tarde, irão amadurecer como renascimentos nos reinos inferiores. Em consequência dessa atitude arrogante, mesmo quando finalmente renascermos de novo como um ser humano, estaremos numa condição social inferior, vivendo como um servo ou escravo. Devido ao orgulho, talvez nos consideremos extremamente inteligentes, mas, na verdade, nosso orgulho nos torna tolos e preenche nossa mente com negatividade. De nada serve nos vermos como mais importantes que os outros e pensar apenas em nossas próprias qualidades. Isso não aumenta nossas qualidades nem reduz nossos defeitos, e não faz com que os outros compartilhem da opinião elevada que temos a nosso respeito.

Se, ao contrário, nos focarmos nas boas qualidades dos outros, nosso orgulho deludido diminuirá e passaremos a considerar os outros como mais importantes e preciosos do que nós mesmos. Como resultado, nosso amor e compaixão aumentarão e naturalmente nos envolveremos em ações virtuosas. Em consequência disso, renasceremos nos reinos superiores, como um ser humano ou um deus, e conquistaremos o respeito e a amizade de muitas pessoas. Somente coisas boas podem vir de contemplar as boas qualidades dos outros. Assim, enquanto os seres comuns procuram falhas nos outros, os Bodhisattvas procuram unicamente boas qualidades.

Em *Conselhos do Coração de Atisha*, está dito:

> Não procurem falhas nos outros; procurem falhas em vocês mesmos e purguem-nas como sangue ruim.

> Não contemplem suas boas qualidades; contemplem as boas qualidades dos outros e respeitem todos como um servo o faria.

Precisamos pensar sobre nossas próprias falhas porque, se não tivermos consciência delas, não nos sentiremos motivados a superá-las. Foi por examinarem constantemente suas mentes à procura de falhas e imperfeições e, então, aplicar grande esforço para abandoná-las que, todos os que agora são seres iluminados, foram capazes de libertar suas mentes das delusões, a fonte de todas as falhas. Buda disse que aqueles que conhecem suas próprias falhas são sábios, ao passo que aqueles que ignoram suas próprias falhas e, além disso, procuram defeitos nos outros, são tolos. Contemplar nossas próprias qualidades e os defeitos dos outros serve apenas para aumentar nosso autoapreço e diminuir nosso amor pelos outros. Todos os seres iluminados concordam que o autoapreço é a raiz de todas as falhas e que apreciar os outros é a fonte de toda a felicidade. As únicas pessoas que discordam dessa visão são aquelas que ainda estão no samsara. Se assim desejarmos, podemos manter nossa visão comum, ou podemos adotar a visão de todos os seres sagrados. A escolha é nossa, mas é mais sábio adotarmos a visão dos seres sagrados se quisermos desfrutar de paz e felicidade verdadeiras.

Algumas pessoas argumentam que um dos nossos principais problemas é a falta de autoestima e que precisamos nos focar exclusivamente em nossas boas qualidades a fim de aumentar nossa autoconfiança. É verdade que, para fazer autêntico progresso espiritual, precisamos desenvolver confiança em nosso potencial espiritual e reconhecer e aperfeiçoar nossas boas qualidades. Contudo, também precisamos de uma consciência aguçada e realista dos nossos defeitos e imperfeições. Se formos honestos conosco, reconheceremos que, no momento presente, nossa mente está repleta de impurezas, como raiva, apego e ignorância. Essas doenças mentais não desaparecerão apenas porque fingimos que elas não existem. O único modo pelo qual podemos nos livrar delas é reconhecendo honestamente sua existência e, então, nos esforçar para eliminá-las.

Embora tenhamos a necessidade de ser rigorosamente conscientes com relação aos nossos defeitos, nunca devemos permitir que venhamos a nos sentir dominados ou desencorajados por causa deles. Talvez tenhamos muita raiva em nossa mente, porém isso não significa que somos uma pessoa inerentemente raivosa. Não importa quantas delusões possamos ter ou quão fortes elas sejam, elas não são a essência da nossa mente. As delusões são impurezas que temporariamente poluem a nossa mente, mas que não contaminam sua natureza essencial, pura. São como o lodo que suja a água, mas que nunca se torna uma parte intrínseca dela. Assim como o lodo pode sempre ser removido para revelar, então, a água clara e pura, as delusões podem também ser removidas para revelar a pureza e claridade natural da nossa mente. Ao reconhecer que temos delusões, não devemos nos identificar com elas, pensando "eu sou um egoísta, uma pessoa inútil" ou "eu sou uma pessoa raivosa". Em vez disso, devemos nos identificar com o nosso potencial puro e desenvolver a sabedoria e a coragem de vencer nossas delusões.

Quando olhamos para as coisas exteriores, podemos normalmente distinguir aquelas que são úteis e valiosas daquelas que não o são. Precisamos aprender a olhar para a nossa mente do mesmo modo. Embora a natureza da nossa mente-raiz seja pura e clara, muitos pensamentos conceituais surgem dela, como bolhas surgindo em um oceano ou raios de luz surgindo de uma chama. Alguns desses pensamentos são benéficos e conduzem à felicidade tanto agora como no futuro, enquanto que outros conduzem ao sofrimento e ao infortúnio extremo de renascer nos reinos inferiores. Precisamos manter nossa mente sob constante observação e aprender a distinguir entre os pensamentos benéficos e os pensamentos prejudiciais, que surgem a cada instante. Aqueles que são capazes de fazer isso são verdadeiramente sábios.

Certa vez, um homem mau que havia assassinado milhares de pessoas conheceu um Bodhisattva chamado Rei Chandra, que o ajudou ensinando-lhe o Dharma e mostrando o erro do seu comportamento. O homem, então, disse: "Depois de ter olhado no espelho do Dharma, agora eu compreendo quão negativas minhas ações têm sido e sinto grande arrependimento por elas". Motivado por profundo remorso, ele se empenhou sinceramente em práticas de purificação e, por fim, tornou-se um iogue altamente realizado. Isso mostra que, reconhecendo seus próprios erros no espelho do Dharma e, então, esforçando-se com determinação para removê-los, até a pessoa mais maldosa pode se transformar em um ser completamente puro.

No Tibete, havia um famoso praticante de Dharma chamado Geshe Ben Gungyal, que não recitava preces nem meditava na postura tradicional de meditação. Sua única prática era observar sua mente com muita atenção e se opor às delusões tão logo surgissem.

Sempre que percebia sua mente sendo tomada até mesmo pela mais leve agitação, ele ficava especialmente vigilante e se recusava a seguir qualquer pensamento negativo. Por exemplo, se percebesse que o autoapreço estava despontando, lembrava-se imediatamente de suas desvantagens e, então, interrompia essa mente de se manifestar aplicando seu oponente, a prática de amor. Sempre que sua mente estava naturalmente pacífica e positiva, ele relaxava e se permitia desfrutar de seus estados mentais virtuosos.

Para medir com precisão seu progresso, Geshe Ben Gungyal colocava uma pedra preta à sua frente sempre que um pensamento negativo surgia, e uma pedra branca sempre que um pensamento positivo surgia; ao final do dia, ele contava as pedras. Se houvesse mais pedras pretas, ele se censurava e tentava ser ainda mais rigoroso no dia seguinte; mas, se houvesse mais pedras brancas, ele se elogiava e encorajava a si mesmo. No início, o número de pedras pretas excedia enormemente ao das brancas, mas, com o passar dos anos, sua mente se aperfeiçoou até o ponto em que ele conseguia passar dias inteiros sem nenhuma pedra preta. Antes de se tornar um praticante de Dharma, Geshe Ben Gungyal tinha a reputação de ter sido uma pessoa agressiva e indisciplinada; porém, vigiando cuidadosamente sua mente o tempo todo e avaliando-a com total honestidade no espelho do Dharma, ele gradualmente se tornou um ser muito puro e sagrado. Por que não podemos fazer o mesmo?

Os mestres kadampa, ou *geshes*, ensinavam que a função de um Guia Espiritual é apontar as falhas dos seus discípulos para que, assim, os discípulos tenham uma compreensão clara desses defeitos e a oportunidade de superá-los. Nos dias de hoje, contudo, se um professor apontasse as falhas dos seus discípulos, eles provavelmente ficariam aborrecidos e poderiam até perder sua fé; por essa razão, o professor precisa adotar, em geral, uma abordagem mais gentil. No entanto, mesmo que nosso Guia Espiritual abstenha-se, com muito tato, de apontar diretamente os nossos defeitos, ainda assim precisamos nos tornar conscientes deles examinando nossa mente no espelho dos seus ensinamentos. Se relacionarmos nossa situação pessoal com os ensinamentos do nosso Guia Espiritual sobre o carma e as delusões, seremos capazes de compreender o que precisamos abandonar e o que precisamos praticar.

Uma pessoa doente não pode ser curada de sua doença apenas lendo a bula de um remédio, mas ela pode alcançar a cura se tomar, efetivamente, o medicamento. De modo semelhante, Buda deu instruções de Dharma como o remédio supremo para curar a doença interior das nossas delusões, mas não podemos curar essa doença apenas lendo ou estudando os livros de Dharma. Só conseguiremos solucionar nossos problemas diários colocando o Dharma no nosso coração e praticando-o sinceramente.

VER TODOS OS SERES VIVOS COMO SUPREMOS

O grande Bodhisattva Langri Tangpa fez a seguinte prece:

> E, com uma pura intenção,
> Que eu aprecie os outros como supremos.

Se quisermos alcançar a iluminação ou desenvolver a bodhichitta superior, que advém de trocar eu por outros, temos de adotar, definitivamente, a visão de que os outros são mais preciosos do que nós mesmos. Essa visão está fundamentada em sabedoria e nos conduz à nossa meta final, ao passo que a visão de nos considerarmos mais preciosos que os outros está fundamentada na ignorância do agarramento ao em-si e nos leva a um renascimento inferior.

O que significa dizer, exatamente, que algo é precioso? Se nos perguntassem o que é mais precioso, um diamante ou um osso, responderíamos que é o diamante. A razão é que o diamante é mais útil para nós. Contudo, para um cachorro, o osso é mais precioso porque ele pode comê-lo, ao passo que não pode fazer nada com o diamante. Isto indica que a preciosidade não é uma qualidade intrínseca de um objeto, mas depende das necessidades e desejos de cada indivíduo, e essas necessidades e desejos dependem, por sua vez, do carma individual. Para alguém cujo desejo principal é alcançar as realizações espirituais de amor, compaixão, bodhichitta e a grande iluminação, os seres vivos são mais preciosos do que um universo repleto de diamantes ou até mesmo de joias-que-concedem-desejos. Qual é a razão disso? A razão é que os seres vivos ajudam essa pessoa a desenvolver amor e compaixão e a realizar o seu desejo de alcançar a iluminação, algo que um universo repleto de joias jamais poderá fazer.

Ninguém deseja permanecer como um ser comum e ignorante para sempre; de fato, todos nós temos o desejo de nos aperfeiçoar e progredir para estados cada vez mais elevados. O estado mais elevado de todos é a plena iluminação, e a estrada principal que conduz à iluminação são as realizações de amor, compaixão, bodhichitta e a prática das seis perfeições – as perfeições de dar, disciplina moral, paciência, esforço, concentração e sabedoria. Somente podemos desenvolver essas qualidades na dependência dos outros seres vivos. Como podemos aprender a amar sem ninguém para amar? Como podemos praticar generosidade sem ninguém a quem dar, ou praticar paciência sem ninguém que nos irrite? Sempre que vemos outro ser vivo, podemos aumentar nossas qualidades espirituais, como amor e compaixão, e, desse modo, nos aproximarmos mais da iluminação e da realização dos nossos mais profundos desejos. Como são bondosos os seres vivos ao atuarem como os objetos do nosso amor e compaixão. Que preciosos eles são!

Quando Atisha estava no Tibete, ele tinha um assistente indiano que sempre o criticava. Quando os tibetanos lhe perguntaram por que mantinha esse assistente, já que havia muitos tibetanos fervorosos que ficariam muito felizes em servi-lo, Atisha respondeu: "Sem esse homem, não haveria ninguém com quem eu pudesse praticar paciência. Ele é muito bondoso para mim. Eu preciso dele!". Atisha compreendia que a única maneira de realizar seu profundo desejo de beneficiar todos os seres vivos era alcançando a iluminação, e que, para tanto, precisava aperfeiçoar sua paciência. Para Atisha, seu assistente mal-humorado era mais precioso do que posses materiais, louvor ou demais conquistas mundanas.

Nossas realizações espirituais são a nossa riqueza interior porque nos ajudam em todas as situações e são as únicas posses que podemos levar conosco quando morremos. Uma vez que tenhamos aprendido a valorizar, acima das condições exteriores, a riqueza interior da paciência, generosidade, amor e compaixão, passaremos a considerar todos e cada um dos seres vivos como supremamente preciosos, não importando como eles nos tratem. Isso tornará muito fácil para nós apreciá-los.

Em nossa sessão de meditação, contemplamos os argumentos acima até chegarmos à seguinte conclusão:

> *Os seres sencientes são extremamente preciosos porque, sem eles, não posso reunir a riqueza interior das realizações espirituais, riqueza essa que, definitivamente, irá me trazer a felicidade suprema da plena iluminação. Uma vez que, sem essa riqueza interior, terei de permanecer para sempre no samsara, vou sempre considerar os seres sencientes como supremamente importantes.*

Meditamos estritamente focados nessa determinação pelo maior tempo possível. Ao sair da meditação, tentamos manter essa determinação o tempo todo, reconhecendo o quanto precisamos de todos e de cada um dos seres sencientes para a nossa prática espiritual. Mantendo esse reconhecimento, nossos problemas de raiva, apego, inveja (ou ciúme) e assim por diante diminuirão e, naturalmente, viremos a apreciar os outros. Em particular, sempre que as pessoas interferirem com os nossos desejos ou nos criticarem, devemos relembrar que precisamos dessas pessoas para desenvolvermos realizações espirituais, que são o verdadeiro sentido da nossa vida humana. Se todos nos tratassem com a bondade e o respeito que nosso autoapreço acha que merecemos, isso só reforçaria nossas delusões e esgotaria o nosso mérito. Imagine como seríamos se sempre obtivéssemos tudo o que queremos! Seríamos como uma criança mimada, que sente que o mundo gira ao seu redor e de quem ninguém gosta. Na verdade, todos nós precisamos de alguém como o assistente de Atisha, porque uma pessoa assim nos dá a oportunidade de destruir nosso autoapreço e de treinar nossa mente, tornando então a nossa vida realmente significativa.

Já que o raciocínio acima é exatamente o oposto da nossa maneira habitual de pensar, precisamos contemplá-lo com muito cuidado, até estarmos convencidos de que todos e cada um dos seres vivos são, de fato, mais preciosos do que qualquer conquista exterior. Na verdade, os Budas e os seres sencientes são igualmente preciosos – os Budas porque revelam o caminho à iluminação, e os seres sencientes porque atuam como os objetos da compaixão que precisamos para alcançar a iluminação. Visto que a bondade deles em nos possibilitar a conquista do nosso objetivo supremo, a iluminação, é igual, podemos considerar os Budas e os seres sencientes como igualmente importantes e preciosos. Como diz Shantideva no *Guia do Estilo de Vida do Bodhisattva*:

> Já que os seres vivos e os seres iluminados são semelhantes
> No sentido de que as qualidades de um Buda surgem na dependência dos seres vivos,
> Por que não mostramos aos seres vivos o mesmo respeito
> Que mostramos aos seres iluminados?

OS SERES VIVOS NÃO TÊM FALHAS

Podemos questionar que, embora seja verdadeiro que dependemos dos seres sencientes como os objetos da nossa paciência, compaixão e assim por diante, todavia é impossível vê-los como preciosos, uma vez que possuem muitas falhas. Como podemos considerar como precioso alguém cuja mente está impregnada de apego, raiva e ignorância? A resposta a essa objeção é bastante profunda. Embora as mentes dos seres sencientes estejam repletas de delusões, os seres sencientes, eles próprios, não são falhos. Dizemos que a água do mar é salgada; porém, a natureza verdadeira da água não é ser salgada, pois o sal pode ser removido dela. Do mesmo modo, todas as falhas que vemos nas pessoas são, de fato, as falhas das suas delusões, não são falhas das próprias pessoas.

Os Budas veem que as delusões possuem muitos defeitos, mas eles nunca veem as pessoas como falhas, pois os Budas distinguem as pessoas das suas delusões. Se alguém está com raiva, pensamos: "Ele é uma pessoa má e raivosa", mas os Budas pensam: "Ele é um ser sofredor, afligido pela doença interior da raiva". Se um amigo nosso estivesse sofrendo de câncer, não iríamos culpá-lo por sua doença física; do mesmo modo, se alguém estiver sofrendo de raiva ou apego, não devemos culpá-lo pelas doenças da sua mente.

As delusões, ou aflições mentais, são os inimigos dos seres sencientes, e assim como não culparíamos uma vítima pelos erros do seu agressor, por que culparíamos os seres sencientes pelas falhas dos seus inimigos interiores? Quando alguém está temporariamente dominado pelo inimigo que é a raiva, é inadequado acusá-lo, pois, na verdade, ele é uma vítima. Assim como o defeito de um microfone não é o defeito de um livro, e o defeito de uma xícara não é o defeito de um bule de chá, as falhas das delusões não são as falhas de uma pessoa. A única resposta adequada diante daqueles que estão sendo movidos por suas delusões a prejudicarem os outros é compaixão. Às vezes, é necessário forçar aqueles que estão se comportando de maneiras muito deludidas a pararem, tanto para o bem deles próprios como para proteger os outros, mas nunca será adequado culpá-los ou ficar com raiva deles.

Costumamos nos referir ao nosso corpo e mente como "meu corpo" e "minha mente", do mesmo modo a que nos referimos às nossas outras posses. Isto indica que eles são diferentes do nosso *eu*. O corpo e a mente são a base sobre a qual estabelecemos nosso *eu*; eles não são o *eu*. As delusões são características da mente de uma pessoa, elas não são características da pessoa. Já que nunca conseguiremos encontrar falhas nos seres sencientes em si mesmos, podemos dizer que, nesse sentido, os seres sencientes são como Budas.

Desse ponto de vista, os seres sencientes são como seres iluminados. Sua mente residente-contínua é completamente pura. Sua mente residente-contínua é como um céu azul, e suas delusões e todas as demais concepções são como nuvens que surgem temporariamente.

De um outro ponto de vista, os seres vivos identificam equivocadamente a si mesmos e são prejudicados pelas delusões. Eles experienciam, incessantemente, sofrimentos imensos que são como alucinações. Por esta razão, precisamos desenvolver compaixão por eles e libertá-los da sua profunda alucinação da aparência equivocada por meio de mostrar-lhes a verdadeira natureza das coisas, que é a vacuidade de todos os fenômenos.

Assim como distinguimos entre uma pessoa e suas delusões, devemos também lembrar que as delusões são apenas características não intrínsecas e temporárias da mente de uma pessoa e que não são sua verdadeira natureza. Delusões são pensamentos conceituais distorcidos que surgem da mente, como ondas em um oceano – assim como as ondas desaparecem no oceano sem que o oceano desapareça, nossas delusões também podem acabar sem que nosso *continuum* mental cesse.

Porque os Budas fazem a distinção entre delusões e pessoas, eles são capazes de enxergar as falhas das delusões sem jamais enxergar uma única falha em qualquer ser senciente. Consequentemente, seu amor e compaixão pelos seres sencientes nunca diminuem. Por sermos incapazes de fazer essa distinção, nós, por outro lado, estamos constantemente encontrando falhas nos outros em vez de reconhecer as falhas das delusões, até mesmo daquelas que estão em nossa própria mente.

Há uma prece que diz:

> Esta falha que vejo não é a falha da pessoa,
> Mas a falha da delusão, ou das ações dessa pessoa.
> Compreendendo isso, que eu nunca enxergue as falhas
>   dos outros,
> Mas veja todos os seres como supremos.

Focar-se nas falhas dos outros é a fonte de muitas das nossas negatividades e um dos principais obstáculos para ver os outros como supremamente preciosos. Se estivermos genuinamente interessados em desenvolver amor apreciativo, precisamos aprender a discriminar entre uma pessoa e suas delusões e compreender que as delusões é que devem ser culpadas por todas as falhas que percebemos.

Talvez possa parecer que haja uma contradição entre isto e a seção anterior, na qual fomos aconselhados a reconhecer nossas próprias falhas. Seguramente, se temos falhas, as outras pessoas também as têm! Mas não há contradição. Para a efetividade da nossa prática de purificação, precisamos reconhecer nossas próprias falhas, que são as nossas delusões e as nossas ações não virtuosas. Isso também se aplica aos outros. E para a efetividade da nossa prática de bondade amorosa para com todos os seres vivos, precisamos compreender que as falhas que vemos nas ações dos seres vivos não são as falhas dos seres vivos, mas as falhas dos seus inimigos – as delusões. Devemos apreciar de uma maneira prática estes ensinamentos; não precisamos de debates sem sentido.

Quando uma mãe vê seu filho tendo um acesso de raiva, ela sabe que o filho está agindo de modo deludido, mas isso não diminui seu amor por ele. Embora a mãe não ignore a raiva do filho, isso não a leva a concluir que o filho seja mau ou intrinsecamente raivoso. Por fazer uma distinção entre a delusão e a pessoa, a mãe continua vendo seu filho como belo e pleno de potencial. Do mesmo modo, devemos considerar todos os seres sencientes como supremamente preciosos, enquanto compreendemos claramente que eles estão afligidos pela doença da delusão.

Também podemos aplicar o raciocínio acima a nós mesmos, reconhecendo que nossas falhas são, na verdade, as falhas das nossas delusões, e não as falhas do nosso *self*, ou *eu*. Isso impedirá que nos identifiquemos com nossos defeitos, sentindo-nos culpados e inadequados, e irá nos ajudar a ver nossas delusões de um modo realista e prático. Precisamos reconhecer nossas delusões e assumir a responsabilidade de superá-las, mas, para fazermos isso efetivamente, precisamos nos distanciar delas. Podemos, por exemplo, pensar: "O autoapreço está presente em minha mente, mas o autoapreço não sou eu. Posso destruí-lo sem destruir a mim mesmo". Desse modo, conseguiremos ser totalmente implacáveis com as nossas delusões, mas bondosos e pacientes conosco.

Não precisamos nos culpar pelas muitas delusões que herdamos das nossas vidas passadas; mas, se desejamos que nosso futuro *self* desfrute de paz e felicidade, é nossa responsabilidade remover essas delusões da nossa mente.

Como foi mencionado anteriormente, uma das melhores maneiras de considerar os outros como preciosos é relembrar sua bondade. Novamente, podemos questionar: "Como posso ver os outros como bondosos quando eles estão envolvidos em tantas ações cruéis e prejudiciais?". Para responder isso, precisamos compreender que, quando pessoas prejudicam outras, elas estão sendo controladas por suas delusões. As delusões, ou aflições mentais, são como um poderoso alucinógeno, que coage as pessoas a agirem de maneira contrária à sua real natureza. Uma pessoa sob a influência das delusões não está em sã consciência, porque cria sofrimentos horríveis para si mesma, e ninguém em sã consciência criaria sofrimento para si mesmo. Todas as delusões fundamentam-se numa maneira equivocada de ver as coisas. Quando vemos as coisas como elas realmente são, nossas delusões naturalmente desaparecem e mentes virtuosas naturalmente se manifestam. Mentes como amor e bondade fundamentam-se na realidade e são uma expressão da nossa natureza pura. Assim, quando vemos os outros como bondosos, estamos vendo para além das suas delusões e estamos nos relacionando com sua natureza pura, sua natureza búdica.

Buda comparou nossa natureza búdica a uma pepita de ouro suja, pois, não importa quão execráveis as delusões de uma pessoa possam ser, a verdadeira natureza da sua mente permanece imaculada, como o ouro puro. No coração até da mais cruel e degenerada pessoa existe o potencial para amor, compaixão e sabedoria ilimitados. Ao contrário das sementes das nossas delusões, que podem ser destruídas, esse potencial é absolutamente indestrutível e é a natureza pura e essencial de todo ser vivo. Sempre que encontrarmos os outros, em vez de nos focarmos em suas delusões, devemos focar no ouro da sua natureza búdica. Isso não apenas irá nos capacitar a considerá-los como especiais e únicos, como também contribuirá para trazer à tona suas boas qualidades. Reconhecendo cada um como um futuro Buda, iremos naturalmente, através do amor e da compaixão, estimular esse potencial para que venha a amadurecer.

Por estarmos tão familiarizados em apreciar mais a nós mesmos do que aos outros, a visão de que todos os seres sencientes são supremamente importantes não surge facilmente e, por essa razão, precisamos treinar pacientemente nossa mente por muitos anos, até que essa visão se torne natural. Assim como um oceano é formado por muitas gotas pequenas de água, que foram se juntando durante um longo período, as realizações de amor e de compaixão dos praticantes avançados também são o resultado de um treino constante. Devemos começar tentando apreciar nossos pais, familiares e amigos mais próximos e, depois, estender esse sentimento às pessoas da nossa comunidade. Gradualmente, poderemos ampliar o escopo do nosso apreço até que ele inclua todos os seres sencientes.

É importante começar com nosso círculo mais próximo porque, se tentarmos amar todos os seres sencientes de modo geral, enquanto negligenciamos apreciar pessoas específicas com as quais convivemos, nosso apreço será abstrato e inautêntico. Podemos desenvolver alguns bons sentimentos em meditação, mas eles desaparecerão rapidamente quando sairmos da sessão de meditação e a nossa mente continuará, basicamente, inalterada. Entretanto, se, no final de cada sessão de meditação, tomarmos a determinação especial de apreciar aqueles com os quais vamos passar a maior parte do nosso tempo e, depois, colocarmos essa determinação em prática, nosso apreço por eles será bem fundamentado e sincero. Esforçando-nos com determinação para amar nosso círculo mais próximo, mesmo quando eles estiverem dificultando nossa vida, nosso autoapreço será constantemente corroído e gradualmente construiremos em nossa mente uma fundação firme para apreciar os outros. Com essa fundação, não será difícil estendermos nosso amor para um número cada vez maior de seres sencientes, até desenvolvermos o amor e a compaixão universais de um Bodhisattva.

Nossa habilidade para ajudar os outros também depende da nossa conexão cármica com eles nesta vida e em vidas anteriores. Todos nós temos um círculo próximo de pessoas com as quais temos uma conexão cármica especial nesta vida. Embora devamos aprender a apreciar todos os seres vivos igualmente, isso não significa que tenhamos que tratar cada um exatamente da mesma maneira. Por exemplo, seria inadequado tratar as pessoas que não gostam de nós da mesma maneira como tratamos nossos amigos mais próximos ou nossos familiares; a razão é que, talvez, elas não aceitem isso. Também há pessoas que apenas querem ficar sozinhas ou que não gostam de qualquer demonstração de afeto. Amar os outros é, principalmente, uma atitude mental, e a maneira como expressamos isso depende das necessidades, desejos e situações de cada indivíduo, bem como da nossa conexão cármica com eles. Não podemos, fisicamente, cuidar de todos, mas podemos desenvolver uma atitude solícita em relação a todos os seres. Este é o ponto principal do treino da mente. Ao treinar nossa mente desse modo, por fim iremos nos tornar um Buda, com o poder efetivo de proteger todos os seres sencientes.

Contemplando cuidadosamente todos os pontos acima, chegamos à seguinte conclusão:

Já que todos os seres sencientes são muito preciosos para mim, devo apreciá-los e cuidar bem deles.

Devemos considerar essa determinação como uma semente e conservá-la continuamente em nossa mente, nutrindo-a até que se transforme no sentimento espontâneo de apreciar igualmente a nós mesmos e a todos os seres sencientes. Essa realização denomina-se "equalizar eu com outros". Assim como valorizamos nossa própria paz e felicidade, devemos também valorizar a paz e a felicidade de todos os seres vivos; e assim como trabalhamos para nos livrar dos nossos sofrimentos e problemas, devemos também trabalhar para libertar os outros.

DESENVOLVER HUMILDADE

O Bodhisattva Langri Tangpa disse:

Sempre que me relacionar com os outros,
Que eu me considere como o mais inferior de todos.

Com essas palavras, Langri Tangpa nos encoraja a desenvolver a mente de humildade e a nos ver como mais inferior e menos precioso que os outros. Como foi mencionado anteriormente, a preciosidade não é uma qualidade inerente de um objeto, mas depende do carma individual. É devido à conexão cármica especial de uma mãe com seus filhos que eles naturalmente aparecem preciosos para ela. Para um praticante que está buscando a iluminação, todos os seres sencientes são igualmente preciosos, tanto porque são imensamente bondosos, quanto porque atuam como objetos supremos para desenvolver e aumentar suas realizações espirituais. Para um praticante assim, nenhum ser é inferior ou menos importante, nem mesmo um inseto. Podemos nos perguntar: se *preciosidade* depende do carma, a razão pela qual um praticante que busca a iluminação vê todos os seres como preciosos é devido ao fato dele ter uma conexão cármica com todos eles? O praticante desenvolve essa visão especial por meio de contemplar razões corretas que fazem amadurecer seu potencial cármico para ver todos os seres como suas preciosas mães. Na verdade, todos os seres sencientes são nossas mães e, portanto, temos uma relação cármica com todos eles; mas, devido à nossa ignorância, não temos a menor ideia de que eles são nossas preciosas mães.

Em geral, todos nós preferimos desfrutar de *status* elevado e boa reputação, e temos pouco ou nenhum interesse em sermos humildes. Praticantes como Langri Tangpa são completamente o oposto. Eles procuram, efetivamente, ocupar posições subalternas e desejam que os outros desfrutem a felicidade de um *status* elevado. Existem três razões pelas quais esses praticantes se empenham em praticar humildade. A primeira é que, praticando humildade, não consumimos nosso mérito em aquisições mundanas, mas o guardamos para o desenvolvimento de realizações interiores. Temos somente um estoque limitado de mérito e, se o desperdiçarmos com posses materiais, reputação, popularidade ou poder, não sobrará energia positiva suficiente em nossa mente para produzir realizações espirituais profundas. A segunda razão é que, praticando humildade e desejando que os outros desfrutem de *status* elevado, acumulamos uma vasta quantidade de mérito. Devemos entender que agora é a hora de acumularmos mérito, não de desperdiçá-lo em prazeres mundanos. A terceira razão é que precisamos praticar humildade porque o *self*, ou *eu*, que normalmente vemos não existe. Devemos considerar nosso *self*, ou *eu* – o objeto do nosso autoapreço – como o mais inferior de todos, como algo que devemos ignorar ou esquecer. Desse modo, nosso autoapreço irá se enfraquecer e nosso amor pelos outros aumentará.

Embora muitos praticantes pratiquem humildade, eles aceitam, todavia, qualquer posição social que lhes permita beneficiar o maior número de seres sencientes. Um praticante como esse pode se tornar um próspero, poderoso e respeitado membro da sociedade, mas sua motivação para fazer isso será unicamente a de beneficiar os outros. Aquisições mundanas não o atraem minimamente, pois ele as reconhece como enganosas e um desperdício de seu mérito. Ainda que se tornasse um rei, consideraria toda sua riqueza como pertencente aos outros, e ele continuaria, em seu coração, a ver os outros como supremos. Porque ele não se aferraria à sua posição ou posses como se fossem suas propriedades, elas não serviriam para esgotar o seu mérito.

Precisamos praticar humildade inclusive quando nos relacionamos com aqueles que, segundo as convenções sociais, são iguais ou inferiores a nós. Como não conseguimos ver a mente dos outros, não sabemos quem, de fato, é um ser realizado e quem não é. Alguém pode não ter uma posição social elevada, mas, se no seu coração, mantém bondade amorosa por todos os seres vivos, ele é, na verdade, um ser realizado. Além disso, os Budas são capazes de se manifestar sob qualquer forma para ajudar os seres vivos e, a menos que nós mesmos sejamos um Buda, não temos como saber quem é uma emanação de Buda e quem não é. Não podemos afirmar com certeza que nosso melhor amigo ou o pior inimigo, que nossa mãe ou até mesmo o nosso cachorro, não sejam uma emanação. O fato de sentir que conhecemos muito bem uma pessoa e de a termos visto comportando-se de maneiras deludidas não significa que ela seja uma pessoa comum. O que vemos é um reflexo da nossa própria mente. Uma mente comum e deludida naturalmente percebe um mundo repleto de pessoas comuns e deludidas.

Somente quando purificarmos nossa mente é que seremos capazes de ver diretamente seres puros e sagrados. Até lá, não podemos saber com certeza se alguém é ou não uma emanação. Talvez todas as pessoas que conhecemos sejam emanações de um Buda! Isso pode nos parecer bastante improvável, mas é só porque estamos muito acostumados a ver as pessoas como comuns. Simplesmente, não sabemos. Tudo o que podemos realisticamente dizer é que talvez alguém seja uma emanação, talvez não seja. Essa é uma maneira muito útil de pensar, pois, se acharmos que uma pessoa possa ser uma emanação de um Buda, iremos naturalmente respeitá-la e evitaremos prejudicá-la. Do ponto de vista do efeito que isso tem sobre nossa mente, pensar que alguém possa ser um Buda é quase o mesmo que pensar que ele (ou ela) é um Buda. Visto que sabemos, com certeza, que a única pessoa que não é um Buda somos nós mesmos, se treinarmos esse modo de pensar iremos considerar gradualmente todos os outros seres como superiores e mais preciosos do que nós.

Ver-nos a nós próprios como o mais inferior de todos não é fácil de se aceitar inicialmente. Quando encontramos um cachorro, por exemplo, admitimos nos ver como inferiores ao cachorro? Podemos contemplar a história do mestre budista Asanga, que encontrou um cachorro moribundo que, na realidade, mostrou-se ser uma emanação de Buda Maitreya. O cachorro diante de nós pode nos aparecer como se fosse um animal comum, mas o fato é que não conhecemos sua verdadeira natureza. Talvez ele também tenha sido emanado por Buda para nos ajudar a desenvolver compaixão. Como não podemos saber com certeza sobre uma coisa ou outra, em vez de perder tempo especulando se o cachorro é um animal comum ou uma emanação, devemos simplesmente pensar: "Esse cachorro pode ser uma emanação de Buda". Desse ponto de vista, podemos pensar que somos inferiores ao cachorro, e esse pensamento irá nos proteger contra qualquer sentimento de superioridade.

Uma das vantagens da humildade é que ela nos permite aprender com todos os seres. Uma pessoa orgulhosa não consegue aprender com os outros porque sempre acha que já sabe mais do que eles. Por outro lado, uma pessoa humilde, que respeita a todos e reconhece que eles talvez sejam, inclusive, emanações de Buda, tem abertura mental para aprender com os outros e em todas as situações. Assim como a água não pode se acumular no pico de uma montanha, boas qualidades e bênçãos não podem se juntar nos picos rochosos do orgulho. Se, em vez disso, mantivermos uma atitude humilde e respeitosa para com todos os seres, boas qualidades e inspiração fluirão para a nossa mente o tempo todo, como riachos fluindo para os vales.

Assim como os pavões que, segundo se diz, alimentam-se à base de plantas que são venenosas para os outros pássaros, os praticantes espirituais sinceros podem fazer bom uso de quaisquer circunstâncias que venham a surgir em sua vida diária.

Trocar Eu por Outros

ENQUANTO OS DOIS primeiros capítulos explicam a prática daquilo que é conhecido como "equalizar eu com outros" (apreciar igualmente nós mesmos e todos os outros seres vivos), este capítulo nos mostra como trocar *eu* por *outros*. Isso significa desistir do nosso autoapreço e passar a apreciar somente os outros. Como os principais obstáculos para obtermos essa realização são as nossas delusões, ou aflições mentais, explicarei agora como podemos superar nossas delusões e, em particular, nosso autoapreço.

Normalmente, dividimos o mundo exterior naquilo que consideramos como sendo bom ou valioso, ruim ou sem valor, ou nem um nem outro. Na maior parte do tempo, essas discriminações são incorretas ou fazem pouco sentido. Por exemplo, nossa maneira habitual de classificar as pessoas em amigos, inimigos e estranhos na dependência de como elas afetam aquilo que sentimos, é incorreta e um grande obstáculo para desenvolvermos amor imparcial por todos os seres vivos. Em vez de nos prendermos tão firmemente às nossas discriminações sobre o mundo exterior, seria muito mais benéfico se aprendêssemos a discriminar entre os estados mentais valiosos e os estados mentais inúteis.

Para superar uma delusão específica, precisamos ser capazes de identificá-la corretamente e distingui-la com clareza de outros estados mentais. É relativamente fácil identificar delusões como a raiva ou a inveja e ver de que modo elas estão nos prejudicando. Contudo, delusões como o apego, o orgulho, o agarramento ao em-si e o autoapreço são mais difíceis de serem identificadas e podem ser facilmente confundidas com outros estados mentais. Por exemplo, temos muitos desejos, mas nem todos são motivados por apego desejoso. Podemos ter o desejo de dormir, comer, estar com amigos ou meditar, mas isso não significa que estejamos influenciados pelo apego. Um desejo que é apego perturba, necessariamente, nossa mente; mas, visto que ele pode nos afetar de maneiras sutis e indiretas, talvez achemos difícil identificar quando o apego surge em nossa mente.

O QUE É O AUTOAPREÇO?

De todos os inúmeros pensamentos conceituais que surgem do oceano da nossa mente-raiz, o mais prejudicial é o autoapreço, e o mais benéfico é a mente de apreciar os outros. O que é, exatamente, o autoapreço? O autoapreço é a nossa mente que pensa "eu sou importante", enquanto negligencia ou descuida dos outros. Ele é definido como uma mente que considera a própria pessoa, a si mesma, como supremamente importante e preciosa e que se desenvolve a partir da aparência de existência verdadeira do *self*. A delusão do autoapreço está funcionando em nossa mente quase que o tempo todo e é o verdadeiro âmago da nossa experiência samsárica.

É o nosso autoapreço que nos faz sentir que a nossa felicidade e liberdade são mais importantes que as de qualquer outra pessoa, que os nossos desejos e sentimentos contam mais e que nossa vida e experiências são mais interessantes. Devido ao nosso autoapreço, ficamos perturbados quando somos criticados ou insultados, mas não sentimos o mesmo quando um estranho é criticado e podemos, até mesmo, nos sentir felizes quando alguém que não gostamos é insultado. Quando sentimos dor, achamos que a coisa mais importante do mundo é interrompê-la o mais rapidamente possível, mas somos muito mais pacientes quando alguém está com dor. Estamos tão familiarizados com o autoapreço que achamos difícil imaginar a vida sem ele – para nós, o autoapreço é quase tão natural quanto respirar. No entanto, se verificarmos com nossa sabedoria, veremos que o autoapreço é uma mente totalmente equivocada, sem base alguma na realidade. Não existe, absolutamente, nenhuma razão válida para pensar que somos mais importantes que os outros. Para os Budas, que possuem mentes inequívocas e veem as coisas exatamente como elas são, todos os seres são igualmente importantes.

O autoapreço é uma percepção errônea porque seu objeto observado, o *self* (ou *eu*) inerentemente existente, não existe. O "*self*, ou *eu*, inerentemente existente", o "*self*, ou *eu*, que normalmente vemos" e "o *self*, ou *eu*, verdadeiramente existente" são sinônimos. Se observarmos nossa mente quando o autoapreço está se manifestando fortemente, como quando estamos com medo, envergonhados ou indignados, iremos notar que temos uma sensação muito vívida do *eu*. Devido à ignorância do agarramento ao em-si, nosso *eu* nos aparece como uma entidade sólida e real, existindo do seu próprio lado, independente do nosso corpo ou da nossa mente. Esse *eu* independente é chamado de "*eu* inerentemente existente" e não existe de modo algum. O *eu* ao qual nos agarramos tão intensamente, que apreciamos de modo tão carinhoso e a quem devotamos toda a nossa vida para servir e proteger é meramente uma criação da nossa ignorância. Se refletirmos profundamente sobre este ponto, compreenderemos quão ridículo é apreciar algo que não existe. Uma explicação sobre como o *eu* inerentemente existente não existe é dada no capítulo sobre a bodhichitta última.

Devido às marcas do agarramento ao em-si acumuladas desde tempos sem início, tudo o que aparece à nossa mente, incluindo o nosso *eu*, aparece como se fosse inerentemente existente. Por nos agarrarmos ao nosso próprio *self* como inerentemente existente, agarramo-nos também ao *self* dos outros como inerentemente existentes e, então, concebemos *self* e *outros* como sendo inerentemente diferentes. Geramos, então, autoapreço, que instintivamente sente "eu sou supremamente importante e precioso". Em resumo, nosso agarramento ao em-si apreende o nosso *eu* como sendo inerentemente existente e, então, o nosso autoapreço aprecia esse *eu* inerentemente existente acima do de todos os outros. Para os seres comuns, o agarramento ao em-si e o autoapreço estão intimamente relacionados e quase fundidos um ao outro. Podemos dizer que ambos são tipos de ignorância, pois ambos apreendem equivocadamente um objeto não existente, o *eu* inerentemente existente. Uma vez que qualquer ação motivada por essas mentes é uma ação contaminada, que nos faz renascer no samsara, também é correto afirmar que, para os seres comuns, o agarramento ao em-si e o autoapreço são, ambos, a raiz do samsara.

Há um tipo mais sutil de autoapreço que não está vinculado ao agarramento ao em-si e que não é, portanto, um tipo de ignorância. Esse tipo de autoapreço existe na mente de praticantes *hinayana* que abandonaram por completo a ignorância do agarramento ao em-si e todas as demais delusões e que alcançaram o nirvana. No entanto, eles ainda possuem uma forma sutil de autoapreço, que surge das marcas do agarramento ao em-si e os impede de trabalhar para o benefício de todos os seres senscientes. Uma explicação desse tipo de autoapreço não faz parte do objetivo deste livro. Aqui, *autoapreço* refere-se ao autoapreço dos seres comuns, que é uma mente deludida que aprecia um *self* inexistente e o considera como supremamente importante.

AS FALHAS DO AUTOAPREÇO

É impossível encontrar um único problema, infortúnio ou experiência dolorosa que não surja do autoapreço. Como diz o Bodhisattva Shantideva:

> Toda a felicidade que existe neste mundo
> Surge de desejar que os outros sejam felizes,
> E todo o sofrimento que existe neste mundo
> Surge de desejar que nós mesmos sejamos felizes.

De que modo podemos entender isso? Como foi mencionado anteriormente, todas as nossas experiências são efeitos das ações que executamos no passado: experiências agradáveis são os efeitos de ações positivas, e experiências desagradáveis são os efeitos de ações negativas. Sofrimentos não nos são dados como punições. Eles todos vêm da nossa mente de autoapreço, que deseja que nós próprios sejamos felizes enquanto negligenciamos ou descuidamos da felicidade dos outros. Há duas maneiras de se entender isso. A primeira é que a mente de autoapreço é a criadora de todo o nosso sofrimento e problemas; e a segunda, que o autoapreço é a base para experienciar todos os nossos sofrimentos e problemas.

Sofremos porque, em nossas vidas anteriores, motivados por intenções egoístas – nosso autoapreço – cometemos ações que fizeram os outros experienciarem sofrimento. Como resultado dessas ações, experienciamos agora nossos sofrimentos e problemas atuais. Portanto, o verdadeiro criador de todo o nosso sofrimento e problemas é a nossa mente de autoapreço. Se nunca tivéssemos nos envolvido em ações negativas, seria impossível experienciarmos quaisquer efeitos desagradáveis. Todas as ações negativas são motivadas por delusões, que, por sua vez, surgem do autoapreço. Primeiro, geramos o pensamento "eu sou importante" e, por causa desse pensamento, sentimos que a satisfação dos nossos desejos é de suprema importância. Então, desejamos para nós tudo aquilo que nos aparece atraente e geramos apego, sentimos aversão por tudo aquilo que nos aparece desagradável e geramos raiva, e sentimos indiferença por tudo aquilo que nos aparece neutro e geramos ignorância. A partir dessas três delusões, todas as demais delusões surgem. O agarramento ao em-si e o autoapreço são as raízes da árvore do sofrimento; as delusões, como raiva e apego, são o tronco; as ações negativas são os galhos; e as desgraças e dores do samsara, seus amargos frutos.

Ao entender como as delusões se desenvolvem, podemos constatar que o autoapreço está no âmago da nossa negatividade e sofrimento. Desconsiderando a felicidade dos outros e perseguindo egoisticamente nossos próprios interesses, cometemos muitas ações não virtuosas, cujos efeitos são somente sofrimento. Todo o infortúnio de enfermidades, doenças, catástrofes naturais e guerras pode ser rastreado até chegarmos ao autoapreço.

É impossível experienciar o sofrimento de doenças ou qualquer outro infortúnio sem que tenhamos criado, em algum momento do passado, sua causa, que é, necessariamente, uma ação não virtuosa motivada por autoapreço.

Não devemos tomar isso como se significasse que o sofrimento de uma pessoa fosse uma falha da própria pessoa e que, portanto, é inadequado sentir compaixão por ela. Motivados por suas delusões, os seres vivos cometem ações negativas e, sempre que estão sob a influência das delusões, eles não estão no controle de suas mentes. Se um doente mental ferisse sua própria cabeça batendo-a contra uma parede, os médicos não se recusariam a socorrê-lo alegando que a culpa foi dele. Do mesmo modo, se numa vida anterior uma pessoa cometeu uma ação negativa que agora resultou na experiência de uma doença grave, isso não é motivo para não sentirmos compaixão por ela. De fato, por compreender que os seres vivos não estão livres das delusões e que elas são a causa de todo o seu sofrimento, nossa compaixão irá se tornar muito mais forte. Para sermos capazes de ajudar os outros efetivamente, precisamos de uma intenção profundamente compassiva que deseja libertá-los dos seus sofrimentos manifestos e de suas causas subjacentes.

A mente de autoapreço é, também, a base para experienciar todo o nosso sofrimento e problemas. Por exemplo, quando as pessoas são incapazes de satisfazer seus próprios desejos, muitas experienciam depressão, desânimo, infelicidade e dor mental, e outras até desejam se matar. Isso acontece porque o autoapreço delas acredita que os seus próprios desejos são muito importantes. Por essa razão, o seu autoapreço é o principal responsável pelos seus problemas. Sem o autoapreço, não haveria base para experienciar tal sofrimento.

Não é difícil de ver como o autoapreço que temos nesta vida nos faz sofrer. Toda desarmonia, desacordo e brigas surgem do autoapreço das pessoas envolvidas. Com autoapreço, sustentamos e defendemos muito fortemente nossas opiniões e interesses e não estamos dispostos a ver a situação a partir de outro ponto de vista. Como consequência, ficamos facilmente com raiva e desejamos prejudicar os outros verbalmente ou até fisicamente. O autoapreço sempre nos faz sentir deprimidos quando nossos desejos não são satisfeitos, falhamos em nossas ambições ou quando nossa vida não acontece como havíamos planejado. Se examinarmos todas as ocasiões em que nos sentimos infelizes, descobriremos que elas são caracterizadas por uma preocupação excessiva com o nosso próprio bem-estar. Se perdemos nosso trabalho, nossa casa, nossa reputação ou nossos amigos, sentimo-nos tristes, mas isso apenas acontece porque apreciamos profundamente a nós mesmos. Estamos longe de nos preocuparmos quando os outros perdem seu emprego ou são separados de seus amigos.

Em si mesmas, as condições exteriores não são boas nem más. Por exemplo, riqueza é, geralmente, considerada como algo desejável, mas se formos fortemente apegados à riqueza, ela somente irá nos causar muitas preocupações e servirá para exaurir nosso mérito. Por outro lado, se a nossa mente estiver direcionada prioritariamente a apreciar os outros, até mesmo perder todo o nosso dinheiro poderá ser útil, pois irá nos dar a oportunidade de entender o sofrimento daqueles que estão em situações semelhantes, além de nos proporcionar as condições de nos distrairmos menos da nossa prática espiritual. Ainda que satisfizéssemos todos os desejos do nosso autoapreço, não há garantia de que seríamos felizes, pois toda conquista samsárica traz consigo novos problemas e conduz invariavelmente a novos desejos. A busca insaciável por nossos desejos egoístas é como beber água salgada para aplacar a nossa sede. Quanto mais nos entregarmos aos nossos desejos, maior será a nossa sede.

Quando as pessoas cometem suicídio é porque, geralmente, seus desejos não foram satisfeitos, e isso foi intolerável para elas apenas porque seu autoapreço as fez sentir que seus desejos eram a coisa mais importante do mundo. É por causa do autoapreço que levamos nossos desejos e planos muito a sério e somos incapazes de aceitar e aprender com as dificuldades que a vida nos apresenta. Não nos tornaremos uma pessoa melhor apenas satisfazendo nossos desejos por sucesso mundano; é mais provável que desenvolvamos as qualidades que realmente importam – como sabedoria, paciência e compaixão – tanto por meio dos nossos fracassos quanto por meio dos nossos sucessos.

Com frequência, achamos que alguém é que está nos fazendo infelizes e, por isso, podemos ficar bastante ressentidos. Contudo, se olharmos cuidadosamente para a situação, veremos que o responsável pela nossa infelicidade é sempre a nossa atitude mental. As ações dos outros nos tornam infelizes somente se permitimos que estimulem uma reação negativa em nós. Críticas, por exemplo, não têm poder para, do seu próprio lado, nos ferir; somos feridos somente devido ao nosso autoapreço. Com o autoapreço, somos tão dependentes das opiniões e da aprovação dos outros que perdemos nossa liberdade de reagir e de atuar de maneira mais construtiva.

Às vezes, achamos que a razão pela qual estamos infelizes é que uma pessoa que amamos está em dificuldades. Precisamos lembrar que, no momento presente, nosso amor pelos outros está quase que invariavelmente misturado com apego, que é uma mente autocentrada. Por exemplo, o amor que os pais geralmente sentem por seus filhos é profundo e genuíno, mas nem sempre é amor puro. Misturado com esse amor, estão sentimentos como: a necessidade de se sentirem amados e apreciados pelos filhos; a crença de que seus filhos são, de certa maneira, uma extensão deles; o desejo de impressionar os outros por meio dos filhos; ou a esperança de que os filhos irão realizar, de algum modo, os sonhos e as ambições dos pais. Algumas vezes, é muito difícil distinguir entre o nosso amor e o nosso apego pelos outros, mas, quando formos capazes de fazê-lo, veremos que o apego é, invariavelmente, a causa do nosso sofrimento. Amor incondicional puro nunca causa dor ou preocupação, mas somente paz e alegria.

Todos os problemas da sociedade humana – como guerras, crimes, poluição, dependência de drogas, pobreza, injustiça e desarmonia familiar – são o resultado do autoapreço. Pensando que só os seres humanos são importantes e que a natureza existe para servir aos desejos humanos, exterminamos milhares de espécies animais e poluímos o planeta a tal ponto que existe o grande perigo de ele se tornar, em breve, impróprio até mesmo para a vida humana. Se todos praticassem apreço pelos outros, muitos dos principais problemas do mundo seriam solucionados em poucos anos.

O autoapreço é como uma corrente de ferro que nos mantém presos ao samsara. A razão fundamental para o nosso sofrimento é que estamos no samsara, e estamos no samsara porque criamos continuamente as ações deludidas e autocentradas que perpetuam o ciclo de renascimento descontrolado. O samsara é a experiência de uma mente autocentrada. Os seis reinos do samsara, desde o reino dos deuses até o reino do inferno, são todos projeções, semelhantes a um sonho, de uma mente distorcida pelo autoapreço e pelo agarramento ao em-si. Fazendo-nos perceber a vida como uma constante batalha para servir e proteger nosso próprio *eu*, essas duas mentes nos impelem a cometer inúmeras ações destrutivas, que nos mantêm aprisionados no pesadelo do samsara. Enquanto não destruirmos essas duas mentes, nunca conheceremos liberdade ou felicidade verdadeiras, nunca estaremos realmente no controle da nossa mente e nunca estaremos a salvo da ameaça de um renascimento inferior.

Controlar nosso autoapreço é algo muito valioso, mesmo que temporariamente. Todas as preocupações, ansiedade e tristeza têm por base o autoapreço. No momento em que abandonarmos nossa preocupação obsessiva com o nosso próprio bem-estar, nossa mente naturalmente irá relaxar e se tornar mais leve. Mesmo se recebermos más notícias, se conseguirmos superar nossa habitual reação autocentrada, nossa mente permanecerá em paz. Por outro lado, se falharmos em dominar nosso autoapreço, até as coisas mais insignificantes irão nos perturbar. Se um amigo nos critica, ficamos imediatamente aborrecidos, e até mesmo a frustração dos nossos menores desejos nos deixa desanimados. Se um professor de Dharma diz algo que não queremos ouvir, podemos ficar muito aborrecidos com ele ou ela, ou até perder a nossa fé. Muitas pessoas ficam bastante transtornadas apenas porque um camundongo entrou em seu quarto. Camundongos não comem gente; então, qual é o motivo para ficarem descontroladas? É apenas a mente tola do autoapreço que nos perturba. Se amássemos o camundongo tanto quanto amamos a nós mesmos, receberíamos o ratinho em nosso quarto, pensando "ele tem tanto direito de estar aqui quanto eu".

Para aqueles que aspiram se tornar iluminados, a pior falha é o autoapreço. O autoapreço é o principal obstáculo para apreciar os outros; não conseguir apreciar os outros é o principal obstáculo para desenvolver grande compaixão, e não conseguir desenvolver grande compaixão é o principal obstáculo para desenvolver bodhichitta e ingressar no caminho à iluminação – o Caminho Mahayana. Uma vez que a bodhichitta é a causa principal da grande iluminação, podemos ver que o autoapreço é, também, o principal obstáculo à conquista da Budeidade.

Embora possamos concordar que, objetivamente, não somos mais importantes que qualquer outra pessoa e que o autoapreço possui muitas falhas, talvez continuemos a sentir que ele é, todavia, indispensável. Se não nos apreciarmos e não cuidarmos de nós mesmos, certamente ninguém o fará! Essa é uma maneira equivocada de pensar. Embora seja verdade que devemos cuidar de nós, não precisamos estar motivados por autoapreço. Cuidar de nós mesmos não é autoapreço. Podemos cuidar da nossa saúde, ter um trabalho e administrar nossa casa e nossas posses interessados unicamente no bem-estar dos outros. Se considerarmos nosso corpo como um instrumento com o qual podemos beneficiar os outros, podemos alimentá-lo, vesti-lo, lavá-lo e deixar que descanse – tudo sem autoapreço. Assim como um motorista de ambulância pode cuidar de seu veículo sem considerá-lo como sua propriedade, também podemos cuidar do nosso corpo e das nossas posses para o benefício dos outros. A única maneira pela qual podemos verdadeiramente ajudar todos os seres vivos para sempre é nos tornando um Buda, e a forma humana é o melhor veículo possível para realizar essa meta. Portanto, precisamos cuidar bem do nosso corpo. Se fizermos isso com a motivação de bodhichitta, todas as nossas ações de cuidar do nosso corpo irão se tornar parte do caminho à iluminação.

Às vezes, podemos confundir autoapreço com autoconfiança e autorrespeito, mas, na verdade, não há nenhuma relação entre eles. Não é por autorrespeito que sempre queremos o melhor para nós mesmos, nem é por autorrespeito que enganamos ou exploramos os outros ou deixamos de cumprir com nossas responsabilidades que temos com eles. Se examinarmos honestamente, veremos que é o nosso autoapreço que nos faz agir de diversas maneiras que roubam nosso autorrespeito e destroem nossa confiança. Algumas pessoas são levadas pelo autoapreço delas às profundezas do alcoolismo ou da dependência das drogas, perdendo completamente, nesse processo, qualquer traço de autorrespeito. Por outro lado, quanto mais apreciarmos os outros e agirmos para beneficiá-los, maior nosso autorrespeito e confiança irão se tornar. Por exemplo, o voto bodhisattva, no qual o Bodhisattva promete superar todas as falhas e limitações, alcançar todas as boas qualidades e trabalhar até que todos os seres vivos tenham se libertado dos sofrimentos do samsara, é uma expressão de extraordinária autoconfiança, muito além que a de qualquer indivíduo autocentrado.

Podemos também perguntar: "Se eu não tivesse autoapreço, isso significaria que eu não gosto de mim? Com toda certeza, preciso me aceitar e amar a mim mesmo, porque, se eu não amar a mim mesmo, como poderei amar os outros?". Este é um ponto importante. Em *Treinar a Mente em Sete Pontos*, Geshe Chekhawa explica vários compromissos que servem de orientações para os praticantes do treino da mente. O primeiro deles afirma: "Não permita que sua prática do treino da mente cause um comportamento inadequado". Esse compromisso aconselha a esses praticantes para serem felizes com eles mesmos. Se formos excessivamente autocríticos, acabaremos por nos voltar contra nós mesmos e ficaremos desencorajados, e isso fará com que seja muito difícil direcionar nossa mente para apreciar os outros. Embora seja necessário ter consciência das nossas falhas, não devemos nos odiar por conta delas. Esse compromisso também nos aconselha a cuidar de nós mesmos e das nossas necessidades. Se tentarmos viver sem as necessidades básicas, como comida e abrigo suficientes, provavelmente iremos prejudicar nossa saúde e enfraquecer nossa capacidade de beneficiar os outros. Além disso, se as pessoas nos virem nos comportando de um modo extremista, elas poderão concluir que somos desequilibrados e, consequentemente, não irão confiar em nós ou acreditar naquilo que dizemos; e, sob tais circunstâncias, não seremos capazes de ajudá-las. Abandonar o autoapreço por completo não é fácil e levará muito tempo. Se não estivermos contentes conosco ou negligenciarmos insensatamente nosso próprio bem-estar, não teremos a confiança nem a energia para efetuar uma transformação espiritual tão radical.

Uma vez que estejamos livres do autoapreço, não perderemos nosso desejo de ser feliz, mas compreenderemos que a felicidade verdadeira é encontrada em beneficiar os outros. Teremos descoberto uma fonte inesgotável de felicidade dentro da nossa própria mente – o nosso amor pelos outros. As condições externas difíceis não irão nos deprimir e as condições agradáveis não irão nos superexcitar, pois seremos capazes de transformar e de desfrutar de ambas. Em vez de nos focarmos em reunir boas condições exteriores, nosso desejo por felicidade será canalizado para a determinação de alcançar a iluminação, reconhecida por nós como o único meio de conquistar felicidade pura. Embora almejemos desfrutar o êxtase supremo da plena iluminação, fazemos isso unicamente para o benefício dos outros, pois alcançar a iluminação é meramente um meio para satisfazer nosso verdadeiro desejo, que é conceder a mesma felicidade para todos os seres vivos. Quando nos tornarmos um Buda, nossa felicidade irá se irradiar eternamente como compaixão, nutrindo todos os seres vivos e atraindo-os, gradualmente, para o mesmo estado.

Em resumo, o autoapreço é uma mente totalmente inútil e desnecessária. Talvez sejamos muito inteligentes, mas, se estivermos preocupados somente com o nosso próprio bem-estar, nunca conseguiremos satisfazer nosso desejo básico de encontrar felicidade. Na verdade, o autoapreço nos torna estúpidos. Ele faz com que experienciemos infelicidade nesta vida, leva-nos a cometer incontáveis ações negativas que causam sofrimento em vidas futuras, amarra-nos ao samsara e bloqueia o caminho à iluminação. Apreciar os outros tem os efeitos opostos. Se apreciarmos unicamente os outros, seremos felizes nesta vida; realizaremos muitas ações virtuosas, que conduzem à felicidade em vidas futuras; ficaremos livres das delusões, que nos mantêm no samsara; e desenvolveremos rapidamente todas as qualidades necessárias para alcançar a plena iluminação.

COMO INTERROMPER
O DESENVOLVIMENTO DO AUTOAPREÇO

Se tivermos realizado a vacuidade, a mera ausência das coisas que normalmente vemos – a respeito da qual há uma explicação detalhada no capítulo *Bodhichitta Última* – devemos pensar, do fundo do nosso coração: "O objeto do meu autoapreço é apenas o meu *self* que eu normalmente percebo, que não existe efetivamente. Assim, preciso parar de desenvolver autoapreço, porque seu objeto – o meu *self*, ou *eu*, que normalmente percebo – não existe". Meditamos então nessa determinação muitas e muitas vezes. Fora da sessão de meditação, não devemos nos permitir apreciar o nosso *self* que normalmente percebemos – fazemos essa prática por meio de relembrar que ele não existe. Por aplicarmos continuamente esforço para praticar este método especial, que é uma instrução oral, podemos parar facilmente de desenvolver autoapreço.

Entretanto, como eu disse anteriormente, abandonar o autoapreço não é, em geral, fácil; portanto, segue-se agora uma explicação detalhada sobre como interromper o desenvolvimento do autoapreço. Do fundo do nosso coração, repetimos mentalmente, muitas e muitas vezes, as instruções explicadas acima sobre as falhas do autoapreço e os benefícios de apreciar os outros. Tendo profunda familiaridade com a contemplação do significado dessas instruções, geramos uma forte determinação de não nos permitirmos pensar e acreditar que somos mais importantes que os outros. Meditamos, então, nessa determinação. Devemos praticar essa contemplação e meditação continuamente. Entre as sessões de meditação, devemos aplicar esforço para colocar nossa determinação em prática.

Tendo gerado a determinação de superar nosso autoapreço, o próximo passo é identificá-lo assim que surgir em nossa mente. Para fazer isso, precisamos examinar nossa mente ao longo do dia e da noite. Isso significa que devemos praticar como Geshe Ben Gungyal e observar nossa própria mente em tudo que pensamos e acreditamos. Costumamos vigiar o que as outras pessoas estão fazendo, mas seria bem melhor se vigiássemos, o tempo todo, o que a nossa mente está pensando e acreditando. Sempre que estivermos trabalhando, conversando, descansando ou estudando Dharma, uma parte da nossa mente deve estar sempre atenta para examinar quais pensamentos estão surgindo em nossa mente. Tão logo uma delusão, ou aflição mental, do autoapreço comece a surgir, devemos tentar interrompê-la imediatamente. Se identificarmos uma delusão em seus estágios iniciais, será muito fácil interrompê-la, mas, se permitirmos que ela se desenvolva plenamente, ela irá se tornar muito difícil de ser controlada.

Uma das nossas delusões mais destrutivas é o autoapreço. A razão pela qual naturalmente desenvolvemos autoapreço é que nunca aplicamos esforço para aprender a interrompê-lo assim que ele começa a se desenvolver. Se surpreendermos nossa mente tão logo ela comece a se focar no objeto do nosso autoapreço, o nosso *self* – ou *eu* – inerentemente existente, será muito fácil impedir que o autoapreço surja e, assim, orientar nossos pensamentos para uma direção mais construtiva. Tudo o que precisamos fazer é dizer para nós mesmos: "Esta é uma maneira inadequada de pensar e logo dará origem ao autoapreço, que tem muitas falhas". Entretanto, se falharmos em surpreender nosso autoapreço logo no seu início e permitirmos que cresça, ele rapidamente se tornará extremamente poderoso e muito difícil de ser vencido. O mesmo é verdadeiro para todas as demais delusões. Se tomarmos consciência de um encadeamento deludido de pensamentos assim que ele surja, poderemos facilmente evitá-lo, mas, se permitirmos que prossiga, ele ganhará impulso até se tornar quase impossível de ser interrompido.

Há três níveis para abandonar as delusões. O primeiro é reconhecer uma determinada delusão quando ela está prestes a surgir e, relembrando suas desvantagens, impedi-la de se manifestar. Enquanto mantivermos vigilância sobre nossa mente, isso será bastante simples e é algo que devemos tentar praticar o tempo todo, não importa o que estejamos fazendo. Em particular, assim que notarmos que nossa mente está se tornando tensa ou infeliz, devemos ser especialmente vigilantes, pois esse tipo de mente é um terreno fértil perfeito para as delusões. Por essa razão, Geshe Chekhawa diz em *Treinar a Mente em Sete Pontos*: "Sempre confie, unicamente, numa mente feliz".

O segundo nível de abandono das nossas delusões é subjugá-las através de aplicar seus oponentes específicos. Por exemplo, para subjugar nosso apego, podemos meditar nas falhas do samsara e substituir nosso apego pela mente oposta de renúncia. Meditando no caminho à iluminação de modo regular e sistemático, não apenas impedimos o surgimento de padrões deludidos de pensar e de sentir, como também os substituímos por padrões virtuosos fortes e estáveis, fundamentados em sabedoria, em vez de ignorância. Desse modo, podemos impedir o surgimento da maioria das delusões no seu início. Por exemplo, por meio de profunda familiaridade com a visão de que os outros são mais importantes que nós mesmos, o autoapreço raramente surgirá.

O terceiro nível de abandono das nossas delusões é abandoná-las por completo, juntamente com suas sementes, por meio de obtermos uma realização direta da vacuidade. Desse modo, destruímos o agarramento ao em-si, que é a raiz de todas as delusões.

Na prática de equalizar eu com outros, explicada anteriormente, pensamos "assim como minha felicidade é importante, a felicidade de todos os outros seres também é importante" e, desse modo, partilhamos nosso sentimento de apreço. Por fazer apelo ao nosso senso de justiça e não desafiar diretamente nossa mente de autoapreço, esse ensinamento é mais fácil de ser aceito e praticado.

Podemos também refletir que, não importa o quanto possamos estar sofrendo, somos apenas uma única pessoa, ao passo que os outros seres vivos são incontáveis; logo, é obviamente importante para eles experienciarem paz e felicidade. Embora consideremos como preciosos cada um dos dedos da nossa mão, estaríamos dispostos a sacrificar um deles para salvar os outros nove, ao passo que sacrificar nove para salvar um seria absurdo. De modo semelhante, nove pessoas são mais importantes do que uma; logo, é evidente que incontáveis seres vivos são mais importantes do que um único. Segue-se que é lógico apreciar os outros, pelo menos, tanto quanto apreciamos a nós mesmos.

Tendo obtido alguma familiaridade com a prática de equalizar eu com outros, estamos prontos para enfrentar a mente de autoapreço de modo mais direto. Visto que o autoapreço tem tantas falhas, devemos nos encorajar a enfrentá-lo e vencê-lo no instante em que surgir em nossa mente. Mantendo uma rigorosa vigilância sobre nossa mente o tempo todo, podemos nos treinar a identificar nosso autoapreço no momento em que ele surge e, então, recordar imediatamente suas desvantagens. Geshe Chekhawa nos aconselha a "reunir toda a culpa em um"; com isso, ele quer dizer que devemos culpar o autoapreço por todos os nossos problemas e sofrimentos. Normalmente, quando as coisas vão mal, culpamos os outros, mas a verdadeira causa dos nossos problemas é a nossa mente de autoapreço. Uma vez que tenhamos identificado corretamente o autoapreço, devemos considerá-lo como nosso pior inimigo e culpá-lo por todo o nosso sofrimento. Embora seja bom sermos tolerantes com os outros e perdoarmos suas fraquezas, nunca devemos tolerar nosso autoapreço, pois, quanto mais indulgentes formos com ele, mais ele irá nos prejudicar. É muito melhor sermos absolutamente impiedosos e culpá-lo por tudo o que acontece de errado. Se quisermos ficar com raiva de algo, devemos ficar com raiva do demônio do nosso autoapreço. Na verdade, a raiva dirigida contra o autoapreço não é raiva de verdade, pois ela está fundamentada em sabedoria, não em ignorância, e serve para tornar nossa mente pura e serena.

Para praticar desse modo, precisamos ser bastante habilidosos. Se, como resultado de acusar o nosso autoapreço por todos os nossos problemas, percebermos que estamos nos sentindo culpados e inadequados, isso indicará que não fizemos uma distinção clara entre *culpar* o nosso autoapreço e *culparmos a nós mesmos*. Embora seja verdade que o autoapreço deva ser acusado por todos os nossos problemas, isso não significa que estamos culpando a nós mesmos. Mais uma vez, precisamos aprender a distinguir entre nós e as nossas delusões. Se formos agredidos, isso não é uma falha nossa, mas a falha do nosso autoapreço. Por quê? Porque a agressão foi o efeito cármico de uma ação não virtuosa que cometemos em uma vida anterior, sob a influência do autoapreço. Além disso, nosso agressor nos prejudica unicamente devido ao seu autoapreço, e culpar o agressor não ajudará em nada, pois isso somente irá nos tornar mais amargurados. Entretanto, se pusermos toda a culpa na nossa mente de autoapreço e decidirmos destruí-la, não apenas permaneceremos imperturbáveis como também destruiremos a base de todo o nosso sofrimento futuro.

Esse ensinamento sobre reconhecer as falhas do nosso autoapreço e, subsequentemente, desenvolver o desejo de superá-lo não é fácil de ser colocado em prática, e, por essa razão, precisamos ser pacientes. Uma prática que é adequada a uma pessoa não é necessariamente adequada a outra, e uma prática que é apropriada para alguém num determinado momento não é, necessariamente, apropriada para a mesma pessoa em outro momento. Buda não esperava que puséssemos todos os seus ensinamentos em prática de imediato; eles se destinam a uma grande variedade de praticantes com diferentes níveis e inclinações. Há também algumas instruções que não podem ser praticadas enquanto estamos enfatizando outras práticas, assim como não é adequado beber chá e café ao mesmo tempo. As instruções de Dharma são como remédios e devem ser administradas habilidosamente, levando-se em conta a natureza de cada indivíduo e suas necessidades particulares. Por exemplo, para nos encorajar a desenvolver renúncia, o desejo de alcançar a libertação do samsara, Buda deu extensos ensinamentos sobre como a vida comum é da natureza do sofrimento – mas nem todos podem aplicar esses ensinamentos de imediato. Para algumas pessoas, meditar no sofrimento somente faz com que se sintam desanimadas. Em vez de gerarem uma mente alegre de renúncia, elas ficam deprimidas. Para essas pessoas, é preferível, no início, que não meditem sobre o sofrimento, mas que voltem a fazê-lo mais tarde, quando suas mentes estiverem mais fortes e sua sabedoria, mais clara.

Se praticarmos ensinamentos avançados e notarmos que nosso orgulho ou confusão aumentaram, isso indicará que ainda não estamos prontos para tais ensinamentos e que devemos enfatizar, primeiro, a construção de um fundamento sólido de práticas básicas. Se alguma meditação ou prática não está tendo um bom efeito em nossa mente, se estiver nos fazendo infelizes ou aumentando nossas delusões, isso é um sinal claro de que estamos praticando incorretamente. Em vez de teimosamente insistirmos com essa prática, talvez seja melhor deixá-la de lado por algum tempo e buscar conselhos de praticantes mais experientes. Poderemos voltar a essa prática quando tivermos compreendido onde estávamos errando e qual a maneira correta de praticar. O que nunca devemos fazer, no entanto, é rejeitar qualquer instrução de Dharma, pensando: "Eu nunca praticarei isso".

Quando vamos às compras, não nos sentimos obrigados a comprar tudo o que está na loja; contudo, é útil nos lembrarmos o que a loja oferece, para que possamos retornar mais tarde quando precisarmos de algo. Do mesmo modo, quando ouvimos ensinamentos de Dharma, talvez não sejamos capazes de praticar imediatamente tudo o que ouvimos, mas ainda assim é importante nos lembrarmos de tudo para que possamos desenvolver uma compreensão abrangente do Dharma. Mais tarde, quando estivermos prontos, conseguiremos colocar as instruções que ouvimos em prática. Uma das grandes vantagens das instruções de Lamrim, as etapas do caminho à iluminação, é que elas nos dão uma estrutura, ou "arquivo", no qual podemos guardar todos os ensinamentos de Dharma que ouvimos.

Se nos lembrarmos apenas daqueles ensinamentos que somos capazes de aplicar imediatamente à nossa situação atual, não teremos nada a que recorrer quando nossas circunstâncias mudarem. Entretanto, se pudermos recordar todos os ensinamentos que recebemos, teremos ao nosso dispor uma vasta variedade de instruções que poderemos aplicar no momento oportuno. Uma prática que agora possa nos parecer obscura e de pouco significado poderá se tornar, mais tarde, uma parte essencial da nossa prática espiritual. O importante é avançar cuidadosamente e em nosso próprio ritmo; caso contrário, poderemos nos sentir confusos ou desanimados e acabar até mesmo rejeitando o Dharma como um todo.

Não existe prática espiritual mais importante do que identificar o autoapreço sempre que ele surgir e, então, culpá-lo por todos os nossos problemas. Não importa quanto tempo empregaremos nisso; ainda que leve muitos anos ou toda a nossa vida, precisamos continuar até que nosso autoapreço seja completamente destruído. Não devemos ter pressa de ver resultados, mas, em vez disso, praticar com paciência e sinceridade. A expectativa por resultados rápidos está fundamentada, ela própria, no autoapreço, e é uma receita para decepções. Se praticarmos com alegria e constância enquanto, ao mesmo tempo, purificamos negatividades, acumulamos mérito e recebemos bênçãos, seremos, definitivamente, bem-sucedidos em reduzir e, por fim, abandonar nosso autoapreço.

Mesmo quando nossa meditação não está indo bem, podemos praticar contínua-lembrança (*mindfulness*) e vigilância em nossa vida diária e interromper o autoapreço tão logo ele surja. Essa é uma prática simples, mas que tem grandes resultados. Se treinarmos nela continuamente, nossos problemas desaparecerão e seremos naturalmente felizes o tempo todo. Existem pessoas que foram bem-sucedidas em abandonar completamente o autoapreço e que agora apreciam somente os outros. Como resultado, todos os seus problemas desapareceram e suas mentes estão sempre repletas de alegria. Eu garanto que, quanto menos você apreciar a si mesmo e quanto mais você apreciar os outros, mais feliz você irá se tornar.

Devemos manter, em nosso coração, uma forte determinação de abandonar nossa mente de autoapreço. Se empregarmos o esforço-armadura nessa determinação dia após dia, ano após ano, nosso autoapreço diminuirá gradualmente e, por fim, cessará por completo. Os antigos geshes kadampas frequentemente diziam que, para levar uma vida virtuosa, tudo o que precisamos fazer é prejudicar nossas delusões tanto quanto possível e beneficiar os outros tanto quanto possível. Compreendendo isso, devemos travar uma luta constante contra o nosso inimigo interior, o autoapreço, e, por sua vez, nos empenhar para apreciar e beneficiar os outros.

Para destruir nosso autoapreço por completo, precisamos confiar na prática de trocar eu por outros, na qual paramos de nos agarrar à nossa própria felicidade e, em vez disso, sentimos que todos os seres vivos, assim como suas necessidades e desejos, são de suprema importância. Nosso único interesse é com o bem-estar dos outros.

Embora alguém que tenha trocado completamente a si próprio por outros não tenha mais autoapreço, isso não significa que ele não cuida mais de si mesmo. Ele cuida de si mesmo, mas para o benefício dos outros. Ele se considera como um servo de todos os seres vivos e como se pertencesse a eles, mas até mesmo os servos precisam comer e descansar para que possam ser eficientes. De modo geral, seria muita tolice, por exemplo, dar tudo o que possuímos e ficarmos sem nada para viver ou para sustentar nossa prática espiritual. Visto que nosso verdadeiro desejo é beneficiar todos os seres vivos e a única maneira de podermos fazer isso é tornando-nos um Buda, precisamos proteger nossa prática espiritual, organizando nossa vida de modo a sermos capazes de praticar da maneira mais efetiva. Além disso, quando ajudamos os outros, devemos também nos certificar de que, ao ajudar uma pessoa, não estamos enfraquecendo nossa capacidade de ajudar muitas outras. Embora, em nossos corações, pudéssemos dar alegremente tudo o que temos para ajudar uma única pessoa, precisamos, na prática, administrar nosso tempo e recursos para que possamos ser de máximo benefício para todos os seres vivos.

A prática de trocar eu por outros pertence à linhagem de sabedoria especial que veio de Buda Shakyamuni, através de Manjushri e Shantideva, até Atisha e Je Tsongkhapa. A bodhichitta que é desenvolvida por meio desse método é mais profunda e poderosa do que a bodhichitta desenvolvida por meio de outros métodos. Embora qualquer pessoa com interesse no desenvolvimento espiritual possa reduzir seu autoapreço e aprender a apreciar os outros, uma realização completa de trocar eu por outros é uma aquisição muito profunda. Para transformar nossa mente de modo tão radical, precisamos de profunda fé nessa prática, de mérito em abundância e das poderosas bênçãos de um Guia Espiritual que tenha experiência pessoal desses ensinamentos. Com todas essas condições contribuintes, a prática de trocar eu por outros não será difícil.

Podemos nos perguntar por que é necessário apreciar os outros mais do que a nós mesmos. Em vez de almejar por realizações espirituais tão elevadas, não seria melhor dar ênfase em ajudar os outros de uma maneira mais prática e imediata? Sem compaixão e sabedoria, não sabemos se, ao ajudar os outros de maneiras práticas e imediatas, estamos a beneficiá-los ou prejudicá-los. Devemos saber que a felicidade ou paz mental que vem dos prazeres mundanos não é verdadeira felicidade, mas apenas sofrimento-que-muda, ou seja, uma redução do sofrimento anterior. As pessoas precisam da felicidade e paz mental que vêm de sabedoria. A sabedoria que realiza o significado das instruções sobre trocar eu por outros trará felicidade pura e duradoura.

A razão pela qual precisamos treinar nossa mente em trocar eu por outros é porque o nosso autoapreço interfere com a nossa intenção e a nossa capacidade de beneficiar os outros. Com autoapreço, não temos amor imparcial, universal, por todos os seres vivos, e enquanto o nosso desejo de ajudá-los estiver misturado com autoapreço, nunca poderemos estar seguros de que nossas ações irão realmente beneficiá-los. Embora possamos querer genuinamente ajudar algumas pessoas, como nossos familiares, amigos ou pessoas necessitadas, geralmente esperamos algo em troca e nos sentimos feridos e desapontados se isso não acontece. Uma vez que nosso desejo de beneficiar está misturado com interesses egoístas, nossa ajuda quase sempre vem acompanhada de expectativas ou de reconhecimento pessoal. Como nossa intenção é impura, nossa capacidade para ajudar carece de poder e permanece limitada.

Se, enquanto não fazemos nenhum esforço para eliminar nosso autoapreço, afirmarmos estar trabalhando para o benefício de todos, nossa afirmação estará vindo da boca e não do nosso coração e da nossa sabedoria. É claro que devemos ajudar os outros de maneiras práticas sempre que pudermos, mas sempre devemos relembrar que nossa intenção principal é desenvolver nossa mente. Treinando em trocar eu por outros experienciaremos, por fim, a felicidade última da Budeidade e teremos o pleno poder de beneficiar todos os seres vivos. Só então estaremos em condições de dizer: "Sou um benfeitor de todos os seres vivos". Desse modo, nosso treino de trocar eu por outros cumpre tanto os nossos próprios propósitos como os dos outros.

Nossa tarefa mais importante, agora, é treinar nossa mente e, em particular, fortalecer nossa intenção de estar a serviço dos outros. Em *Carta Amigável*, Nagarjuna diz que, embora possamos não ter, atualmente, capacidade para ajudar os outros, se mantivermos o tempo todo em nossa mente a intenção de fazê-lo, nossa capacidade para ajudá-los aumentará gradualmente. A razão é que, quanto mais apreciarmos os outros, mais nosso mérito, sabedoria e capacidade de realmente beneficiá-los aumentarão, e as oportunidades para ajudar de maneiras práticas surgirão naturalmente.

COMO É POSSÍVEL TROCAR EU POR OUTROS?

Trocar eu por outros não significa que iremos nos tornar a outra pessoa – significa que trocamos o objeto do nosso apreço, ou seja, de "nós mesmos" para "outros". Para compreender como isso é possível, devemos entender que o objeto da nossa mente de autoapreço está sempre mudando. Quando somos novos, o objeto do nosso autoapreço é uma menina ou um menino, mas depois muda para um adolescente, para uma pessoa de meia-idade e, por fim, para um idoso. No momento presente, talvez apreciemos a nós mesmos como um ser humano específico, chamado Maria ou João, mas, depois que morrermos, o objeto do nosso apreço mudará totalmente. Desse modo, o objeto do nosso apreço está mudando continuamente, tanto durante esta vida como de uma vida para outra. Visto que nosso apreço se transfere naturalmente de um objeto para outro, é plenamente possível para nós, por meio de treino em meditação, mudar o objeto do nosso apreço: de *eu* para *outros*.

Devido à nossa ignorância, aferramo-nos intensamente ao nosso corpo, pensando "este é o meu corpo". Identificando este corpo como "meu", isso nos faz apreciá-lo e amá-lo carinhosamente, sentindo-o como se fosse a nossa posse mais preciosa. Na verdade, contudo, nosso corpo pertence aos outros; não o trouxemos conosco da nossa vida anterior, mas o recebemos dos nossos pais desta vida. No momento da concepção, nossa consciência ingressou na união do espermatozoide do nosso pai com o óvulo da nossa mãe, que se desenvolveu gradualmente no corpo que temos hoje. Nossa mente então se identificou com este corpo e passamos a apreciá-lo. Como diz Shantideva no *Guia do Estilo de Vida do Bodhisattva*, nosso corpo não é realmente nosso, mas pertence aos outros; ele foi produzido pelos outros e, depois da nossa morte, estará à disposição dos outros. Se contemplarmos isso cuidadosamente, compreenderemos que já estamos apreciando um objeto que, na verdade, pertence aos outros; logo, por que não podemos apreciar os outros seres vivos? Além disso, ao passo que apreciar nosso corpo somente nos leva a renascer no samsara, apreciar os outros é uma causa para alcançarmos o nirvana da plena iluminação, o estado além do sofrimento.

"Eu" e "outro" são termos relativos, como "esta montanha" e "aquela montanha", mas não como "burro" e "cavalo". Quando olhamos para um cavalo, não podemos dizer que é um burro; tampouco podemos dizer que um burro é um cavalo. No entanto, se escalarmos uma montanha situada a leste, vamos denominá-la "esta montanha", e denominaremos a montanha a oeste de "aquela montanha"; porém, se descermos da montanha situada a leste e subirmos a montanha situada a oeste, iremos nos referir à montanha do oeste como "esta montanha", e à montanha do leste como "aquela montanha". Portanto, "esta" e "aquela" dependem do nosso ponto de referência. Isso também é verdadeiro para "eu" e "outro". Descendo da "montanha do *eu*", é possível subir a "montanha do outro" e, assim, apreciar os outros tanto quanto atualmente apreciamos a nós mesmos. Podemos fazer isso reconhecendo que, do ponto de vista da outra pessoa, para si mesma ela é "eu", ao passo que nós é que somos "outro".

Aqueles que são habilidosos no Mantra Secreto, ou Tantra, têm uma profunda experiência de trocar eu por outros. Na prática tântrica de autogeração, trocamos nosso *self* atual pelo *self* de um Buda tântrico. Suponha que haja uma praticante de Vajrayogini chamada Sara. Quando ela não está fazendo a prática tântrica, seu corpo comum lhe aparece e ela se identifica com ele e o aprecia. No entanto, quando ela se concentra profundamente na meditação de autogeração, sua noção de ser Sara e de ter o corpo de Sara desaparece por completo. Em vez de se identificar com o corpo de Sara, a praticante se identifica com o corpo divino de Buda Vajrayogini e desenvolve o pensamento: "Eu sou Vajrayogini". Nesse momento, a praticante mudou por completo o objeto de apreço, do corpo impuro de um ser comum para o corpo incontaminado de um ser iluminado, Buda Vajrayogini. Por treinar em meditação, a praticante desenvolve uma profunda familiaridade com o corpo da Deidade e se identifica por completo com ele. Porque o corpo de Vajrayogini é um corpo puro, identificar-se com ele e apreciá-lo é uma causa de iluminação. A partir disto, podemos compreender que é definitivamente possível mudar nossa base de identificação – depende apenas da nossa motivação e da nossa familiaridade. Uma explicação detalhada sobre a prática tântrica pode ser encontrada nos livros *Budismo Moderno*, *Novo Guia à Terra Dakini* e *Solos e Caminhos Tântricos*.

A PRÁTICA PROPRIAMENTE DITA
DE TROCAR EU POR OUTROS

Pensamos:

Tenho trabalhado para o meu próprio proveito desde tempos sem início, tentando encontrar felicidade para mim mesmo e evitar sofrimento, mas o que eu tenho para mostrar de todos os meus esforços? Eu ainda continuo a sofrer. Ainda tenho uma mente descontrolada. Continuo a experienciar desapontamento atrás de desapontamento. Ainda estou no samsara. Isso é a falha do meu autoapreço. Ele é o meu pior inimigo e um terrível veneno, que prejudica a mim e aos outros.

No entanto, apreciar os outros é a base de toda felicidade e bondade. Aqueles que agora são Budas enxergaram a futilidade de trabalhar para o seu próprio proveito e, em vez disso, decidiram trabalhar para os outros. Como resultado, eles se tornaram seres puros, livres de todos os problemas do samsara, e alcançaram a felicidade duradoura da plena iluminação. Preciso mudar radicalmente minha atitude comum infantil: de agora em diante, vou parar de apreciar a mim mesmo e vou apreciar somente os outros.

Com uma compreensão das grandes desvantagens de apreciar a nós mesmos e das grandes vantagens de apreciar todos os seres vivos, como foi explicado acima, e relembrando que tomamos a determinação de abandonar nosso autoapreço e de sempre apreciar todos os seres vivos sem exceção, pensamos do fundo do nosso coração:

Preciso desistir de apreciar a mim mesmo e, em vez disso, apreciar todos os outros seres vivos, sem exceção.

Meditamos, então, nessa determinação. Devemos praticar continuamente essa meditação até acreditarmos espontaneamente que a felicidade e liberdade de todos e de cada ser vivo são muito mais importantes que a nossa própria felicidade e liberdade. Essa crença é a realização de trocar eu por outros, e dela surgirá um profundo sentimento de amor apreciativo por todos os seres vivos. Meditamos nesse sentimento pelo maior tempo que pudermos.

Tentamos levar esse sentimento conosco durante o intervalo entre as meditações. Seja quem for que encontremos, devemos pensar: "Esta pessoa é importante. Sua felicidade e liberdade são importantes". Sempre que o autoapreço começar a surgir em nossa mente, devemos pensar: "O autoapreço é veneno, não o permitirei em minha mente". Desse modo, podemos mudar nosso objeto de apreço – de *nós mesmos* para *todos os seres vivos*. Quando tivermos desenvolvido amor apreciativo espontâneo por todos os seres vivos, teremos obtido a realização de trocar eu por outros.

Se os nossos desejos não forem satisfeitos e começarmos a nos sentir infelizes, devemos relembrar imediatamente que a falha não está na outra pessoa nem na situação, mas na nossa própria mente de autoapreço, que instintivamente sente: "meus desejos são de primordial importância". Manter-se continuamente consciente dos perigos do nosso autoapreço fortalecerá nossa resolução de abandoná-lo e, em vez de sentirmos pena de nós mesmos quando tivermos problemas, poderemos usar nosso próprio sofrimento para nos lembrarmos do sofrimento dos incontáveis seres-mães e desenvolver amor e compaixão por eles.

No *Guia do Estilo de Vida do Bodhisattva*, Shantideva explica um método especial para aprimorar nossa experiência de trocar eu por outros. Em meditação, imaginamos que trocamos de lugar com outra pessoa e tentamos ver o mundo a partir do seu ponto de vista. Normalmente, desenvolvemos o pensamento "*eu*" sobre a base do nosso próprio corpo e mente, mas agora tentaremos pensar "*eu*" observando o corpo e a mente de outra pessoa. Essa prática ajuda-nos a desenvolver uma profunda empatia com os outros e mostra-nos que eles têm um *self* que também é um *eu*, e que é tão importante quanto o nosso próprio *self* ou *eu*. Devido à sua habilidade de identificar-se com os sentimentos de seu bebê, uma mãe é capaz de compreender as necessidades e desejos de seu filho muito melhor que outra pessoa. Do mesmo modo, à medida que nos familiarizarmos com essa meditação, nossa compreensão e empatia com os outros aumentarão.

Essa técnica é particularmente poderosa quando a utilizamos com uma pessoa com a qual temos um relacionamento difícil, como alguém de quem não gostamos ou que vemos como nosso rival. Por imaginarmos que somos essa pessoa e vendo a situação a partir do seu ponto de vista, acharemos difícil mantermos nossas atitudes deludidas. Compreendendo a relatividade de "eu" e "outro" a partir da nossa própria experiência e aprendendo a ver nosso "eu" como sendo "outro", iremos nos tornar mais objetivos e imparciais em relação ao nosso *eu*, e nossa sensação de que somos o centro do universo será abalada. Iremos nos tornar mais receptivos ao ponto de vista dos outros, mais tolerantes e mais compreensivos, e, naturalmente, trataremos os outros com mais respeito e consideração. Mais detalhes sobre essa prática são oferecidos no livro *Contemplações Significativas*.

Em resumo, por terem praticado as instruções do treino da mente, Bodhisattva Langri Tangpa e incontáveis outros praticantes do passado alcançaram profundas realizações espirituais, incluindo a plena realização de trocar eu por outros. No início, esses praticantes eram pessoas autocentradas, exatamente como nós, mas, por meio de constante perseverança, eles conseguiram eliminar seu autoapreço completamente. Se praticarmos essas instruções sincera e pacientemente, não haverá razão para que não obtenhamos realizações semelhantes. Não devemos esperar destruir nosso autoapreço de imediato, mas, por meio de uma prática paciente, ele irá se tornar cada vez mais fraco até que, por fim, cesse por completo.

*Com o espelho dos ensinamentos de Buda, o Dharma,
podemos enxergar nossas próprias falhas
e ter a oportunidade de removê-las.*

Grande Compaixão

Tendo obtido alguma experiência de apreciar todos os seres vivos, podemos agora expandir e aprofundar nossa compaixão, e o método para fazermos isso é revelado neste capítulo. Em geral, todos os seres já possuem alguma compaixão. Todos nós sentimos compaixão quando vemos nossos familiares ou amigos sofrendo ou em dificuldades, e inclusive os animais sentem compaixão quando veem seus filhotes sofrendo. Nossa compaixão é a nossa semente búdica, ou natureza búdica – nosso potencial para nos tornarmos um Buda. É por possuírem essa semente que todos os seres vivos irão, por fim, se tornar Budas.

Quando uma cadela vê seus filhotes sofrendo, ela desenvolve o desejo de protegê-los e livrá-los da dor, e esse desejo compassivo é a sua semente búdica. Infelizmente, os animais não têm capacidade para treinar compaixão e, por isso, sua semente búdica não pode amadurecer. Os seres humanos, ao contrário, têm uma grande oportunidade de desenvolver sua natureza búdica. Praticando meditação, podemos expandir e aprofundar nossa compaixão até que ela se transforme na mente de compaixão universal, ou grande compaixão – o desejo sincero de libertar todos os seres vivos permanentemente do sofrimento. Aprimorando essa mente de compaixão universal, ela irá se transformar, por fim, na compaixão de um Buda, compaixão esta que tem o poder efetivo de libertar todos os seres vivos. Portanto, o meio para nos tornarmos um Buda consiste em despertar nossa natureza búdica compassiva e completar o treino em compaixão universal. Somente os seres humanos podem fazer isso.

Compaixão é a verdadeira essência de uma vida espiritual e a prática principal daqueles que devotaram suas vidas para alcançar a iluminação. Ela é a raiz das Três Joias – Buda, Dharma e Sangha. É a raiz de Buda porque todos os Budas nascem da compaixão. É a raiz do Dharma porque os Budas dão ensinamentos de Dharma motivados unicamente por compaixão pelos outros. É a raiz da Sangha porque é através de ouvir e praticar os ensinamentos de Dharma, dados por compaixão, que nos tornamos Sangha, ou seres superiores.

O QUE É COMPAIXÃO?

O que é, exatamente, compaixão? Compaixão é uma mente motivada por apreço pelos outros seres vivos e que deseja libertá-los dos seus sofrimentos. Às vezes, devido a intenções egoístas, podemos desejar que uma pessoa se liberte do seu sofrimento; isso é bastante comum nas relações que estão fundamentadas principalmente em apego. Se um amigo nosso ficar doente ou deprimido, por exemplo, podemos talvez desejar que ele se recupere rapidamente para que possamos desfrutar novamente de sua companhia, mas esse desejo é, basicamente, autocentrado, e não é verdadeira compaixão. A verdadeira compaixão está necessariamente fundamentada em apreciar os outros.

Embora já tenhamos algum grau de compaixão, no momento ela é muito parcial e limitada. Quando nossos familiares e amigos estão sofrendo, geramos facilmente compaixão por eles, mas achamos bem mais difícil sentir solidariedade por pessoas que achamos desagradáveis ou por estranhos. Além do mais, sentimos compaixão por aqueles que estão experienciando dor manifesta, mas não sentimos compaixão por aqueles que estão desfrutando de boas condições e, em particular, por aqueles que estão envolvidos em ações nocivas. Se realmente quisermos realizar nosso potencial para alcançar a plena iluminação, precisamos ampliar o escopo da nossa compaixão até que ela inclua todos os seres vivos, sem exceção, do mesmo modo que uma mãe amorosa sente compaixão irrestrita por todos os seus filhos, não importando se eles se comportam bem ou mal. Diferentemente da nossa compaixão atual, limitada, que já surge naturalmente de tempos em tempos, a compaixão universal precisa primeiramente ser cultivada por meio de treino, durante um longo período.

COMO DESENVOLVER COMPAIXÃO

Existem duas etapas essenciais para cultivar compaixão universal. Primeiro, precisamos apreciar os outros e, depois, sobre a base de apreciar os outros, precisamos contemplar seus sofrimentos. Através disso, desenvolveremos naturalmente compaixão por eles. Normalmente, quando vemos nosso inimigo sofrendo, não desenvolvemos compaixão porque não o apreciamos. Isso é o oposto da maneira que reagimos quando vemos um amigo nosso sofrendo – a razão é que nós o apreciamos. Apreciar os outros é o fundamento para desenvolver compaixão. A maneira para desenvolver e aprimorar nossa mente de amor apreciativo já foi explicada. Agora, devemos contemplar de que modo todos e cada um dos seres samsáricos estão experienciando sofrimento.

Para começar, podemos pensar sobre aqueles que estão sofrendo de intensa dor manifesta neste exato momento. Há muitas pessoas experienciando terrível sofrimento físico e mental provocado por doenças como o câncer, AIDS e a doença de Parkinson. Quantas pessoas perderam um filho ou um amigo queridos devido ao flagelo do câncer, vendo-o tornar-se cada vez mais fraco e sabendo que a cura é difícil? Todos os dias, milhares de pessoas experienciam a agonia de morrer de doenças ou em acidentes. Sem escolha, elas são separadas para sempre daqueles que amam, e aqueles que são deixados para trás experienciam frequentemente luto e solidão inconsoláveis. Imagine uma senhora idosa perdendo seu marido e parceiro de uma vida inteira, voltando tristemente ao lar depois do funeral para uma casa vazia, onde viverá sozinha o restante de seus dias.

No mundo inteiro, podemos ver como milhões de pessoas estão sofrendo os horrores da guerra e da limpeza étnica, dos bombardeios, minas terrestres e massacres. Suponha que o seu filho saísse para brincar no campo e, ao pisar em uma mina terrestre, perdesse um membro ou, até mesmo, sua própria vida! Centenas de milhares de refugiados no mundo inteiro vivem em campos miseráveis, à espera de, um dia, retornarem para seus lares destruídos, muitos deles esperando se reunir com os seus entes queridos, mas – todo dia – sem saber se eles estão vivos ou mortos.

Todos os anos, catástrofes naturais como enchentes, terremotos e furacões devastam comunidades inteiras e deixam as pessoas sem lar e famintas. Em poucos segundos, um terremoto pode matar milhares de pessoas, destruir suas casas e soterrar tudo sob toneladas de entulho. Pense como nos sentiríamos se isso acontecesse conosco. Fome e seca são endêmicas em muitos países do mundo. Muitas pessoas vivem à base de uma alimentação de subsistência, mal-e-mal conseguindo juntar uma escassa refeição por dia, enquanto outras, que são menos afortunadas, sucumbem e morrem de inanição. Imagine o tormento de testemunhar aqueles que você ama definhando lentamente, sabendo que não há nada que você possa fazer. Sempre que lemos, ouvimos ou assistimos às notícias, vemos seres vivos que estão em terrível sofrimento, e todos nós conhecemos, pessoalmente, pessoas que estão experienciando imenso sofrimento físico ou mental.

Podemos especialmente considerar a difícil situação de incontáveis animais que experienciam os extremos do calor e do frio e sofrem de grande fome e sede. Todo dia, ao nosso redor, podemos ver o sofrimento dos animais. Na natureza, os animais vivem, quase sempre, com medo constante de se tornarem presas de outros e, de fato, muitos deles são devorados vivos por seus predadores. Imagine, apenas, o terror e a dor que um rato do campo experiencia quando é agarrado e dilacerado por um falcão! Incontáveis animais são mantidos pelos seres humanos para trabalho, comida ou diversão e, frequentemente, vivem em condições deploráveis até serem abatidos, retalhados e empacotados para o consumo humano. Os fantasmas famintos e os seres-do-inferno têm de experienciar sofrimentos muito piores e por períodos inconcebivelmente longos.

Também devemos lembrar que, mesmo aqueles que, neste momento, não estão experienciando sofrimento manifesto, ainda assim experienciam outras formas de sofrimento. Todos, no samsara, experienciam o sofrimento de não satisfazerem seus desejos. Por essa razão, muitas pessoas encontram dificuldade para satisfazer até mesmo desejos básicos, como ter um abrigo adequado, comida suficiente ou companhia; e, mesmo se esses desejos forem satisfeitos, teremos mais desejos para tomar o lugar. Quanto mais conseguirmos o que desejamos, mais forte nosso apego irá se tornar; e quanto mais forte for o nosso apego, mais difícil será obter satisfação. Os desejos dos seres samsáricos não têm fim. Não existe um único ser comum que tenha satisfeito todos os seus desejos; somente aqueles que transcenderam as mentes egoístas conseguem fazê-lo.

Todo sofrimento é o resultado de carma negativo. Se desenvolvemos compaixão por aqueles que estão experienciando os efeitos de suas ações negativas passadas, por que não podemos desenvolver, também, compaixão por aqueles que estão criando a causa para experienciar sofrimento no futuro? A longo prazo, um torturador estará numa condição pior que a de sua vítima, pois o sofrimento dele está apenas começando. Se a vítima puder aceitar sua dor sem gerar ódio, ela esgotará esse carma negativo específico e não criará outro; desse modo, seu sofrimento chegará ao fim em pouco tempo. Por outro lado, o torturador terá, primeiro, de sofrer por muitos éons no inferno e, depois, quando renascer novamente como um ser humano, terá de experienciar dores semelhantes àquelas que infligiu à sua vítima. Por essa razão, é inteiramente apropriado desenvolver forte compaixão por tais pessoas.

Se uma criança se queimar ao colocar a mão no fogo, isso não fará com que sua mãe pare de sentir compaixão, mesmo que a criança tenha sido anteriormente alertada sobre os perigos do fogo. Ninguém deseja sofrer, ainda que, por ignorância, os seres vivos criem as causas de sofrimento – as ações não virtuosas – porque estão controlados por suas delusões, ou aflições mentais. Portanto, devemos sentir igual compaixão por todos os seres vivos – por aqueles que estão criando as causas de sofrimento, bem como por aqueles que já estão sofrendo as consequências de suas ações inábeis. Não existe um único ser vivo que não seja um objeto adequado da nossa compaixão.

Podemos, também, achar difícil sentir compaixão por pessoas ricas, saudáveis e respeitadas, que não aparentam estar experienciando nenhuma dor manifesta. Na verdade, contudo, elas também experienciam sofrimento mental considerável e encontram dificuldade para manter a mente em paz. Elas se preocupam com o dinheiro que possuem, a forma física dos seus corpos e com a reputação. Como todos os outros seres samsáricos, elas sofrem de raiva, apego e ignorância e não têm escolha a não ser passar, de maneira incessante e implacável, pelos sofrimentos do nascimento, envelhecimento, doença e morte, vida após vida. Além disso, suas riquezas e boas condições serão totalmente sem sentido se, devido à sua ignorância, as utilizarem unicamente para criar a causa de sofrimento futuro.

Se, com base no apreço por todos os seres vivos, contemplarmos o fato de que estão vivenciando o ciclo de sofrimento físico e dor mental vida após vida, sem fim, sua inabilidade para se libertarem do sofrimento, sua falta de liberdade e o modo como criam as causas de sofrimento futuro ao se envolverem em ações negativas, desenvolveremos profunda compaixão por eles. Precisamos ter empatia por todos os seres vivos e sentir suas dores tão vividamente como se fossem nossas próprias dores. Por fim, concentramo-nos em gerar compaixão universal, o desejo sincero de libertar permanentemente todos os seres vivos dos sofrimentos desta vida e das incontáveis vidas futuras. Contemplamos como segue:

> *Todos os seres vivos sofrem porque tiveram renascimentos contaminados. Os seres humanos não têm escolha a não ser experienciar imensos sofrimentos humanos porque tiveram um renascimento humano, que é contaminado pelo veneno interior das delusões. De modo semelhante, os animais têm de experienciar sofrimento animal, e os fantasmas famintos*

e seres-do-inferno têm de experienciar todos os sofrimentos dos seus respectivos reinos. Se os seres vivos tivessem de experienciar todo esse sofrimento por apenas uma única vida, ele não seria tão mau, mas o ciclo de sofrimento continua vida após vida, interminavelmente.

Do fundo do nosso coração, devemos então compreender e pensar:

> Eu não posso suportar o sofrimento desses incontáveis seres-mães. Afogando-se no vasto e profundo oceano do samsara, o ciclo de renascimento contaminado, eles têm de experienciar insuportável sofrimento físico e dor mental nesta vida e nas incontáveis vidas futuras. Preciso libertar permanentemente todos os seres vivos do ciclo de sofrimento.

Devemos meditar continuamente nessa determinação, que é a compaixão universal, e aplicar grande esforço para cumprir seu objetivo.

A RIQUEZA SUPREMA DA COMPAIXÃO

Durante o intervalo entre as meditações, devemos manter continuamente nosso sentimento de compaixão por todos os seres vivos. Sempre que nos encontrarmos com qualquer ser vivo, devemos recordar como estão sofrendo e desenvolver compaixão por eles. Desse modo, o simples fato de ver um ser vivo será como ter encontrado um raro e precioso tesouro. O motivo é que a compaixão que experienciamos quando nos encontramos com os outros é a suprema riqueza interior, uma fonte inesgotável de benefício para nós, tanto nesta vida como nas vidas futuras.

Como já foi mencionado anteriormente, riqueza exterior não pode nos ajudar em nossas vidas futuras e, mesmo nesta vida, não é certeza de que ela irá nos trazer felicidade, pois riqueza é causa frequente de muita ansiedade e pode até colocar nossa vida em perigo. As pessoas ricas têm preocupações específicas que as pessoas pobres não têm; por exemplo, os ricos, frequentemente, temem por ladrões, estão preocupados com investimentos e taxas de juros e com a perda de seu dinheiro e *status*. Isso é um fardo pesado para eles. Enquanto a maioria das pessoas pode sair livremente toda vez que deseje, muitos milionários e celebridades precisam de guarda-costas e podem até se angustiar com a possibilidade de serem sequestrados. As pessoas ricas têm pouca liberdade ou independência e nunca se sentem completamente relaxadas. Quanto mais elevada for a nossa posição no mundo, maior será nossa queda; é mais seguro estarmos o mais próximos do chão.

Não importa quão bem-sucedidos sejamos em aperfeiçoar nossas condições exteriores, elas nunca irão nos trazer felicidade pura, tampouco irão nos proporcionar verdadeira proteção contra o sofrimento. Felicidade verdadeira não pode ser encontrada neste mundo impuro. Em vez de nos empenharmos para obter riqueza exterior, seria muito melhor se buscássemos a riqueza interior da compaixão e da sabedoria, pois, diferentemente da riqueza exterior, ela nunca pode nos enganar – ela irá nos dar, definitivamente, a paz e a felicidade que desejamos.

Se formos habilidosos, amigos poderão ser como tesouros, de quem poderemos obter a preciosa riqueza do amor, da compaixão, da paciência, e assim por diante. Entretanto, para que os nossos amigos desempenhem esse papel, nosso amor por eles precisa estar livre de apego. Se nosso amor por nossos amigos estiver misturado com forte apego, esse amor estará condicionado ao modo como o comportamento deles nos agrada e, tão logo façam algo que desaprovemos, nossa afeição por eles poderá se transformar em raiva. Na verdade, os objetos mais comuns da nossa raiva costumam ser nossos amigos, e não nossos inimigos ou estranhos!

Se ficamos frequentemente com raiva dos nossos amigos, nós os transformamos em *maras*. Um mara, ou demônio-obstrutor, é alguém ou algo que interfere com a nossa prática espiritual. Ninguém é um mara do seu próprio lado, mas se permitirmos que as pessoas estimulem mentes deludidas em nós, como raiva, forte apego ou autoapreço, nós as transformamos em maras para nós. Um mara não precisa ter chifres nem uma expressão assustadora; alguém que nos apareça como sendo um bom amigo, que nos elogie em excesso e nos influencie a realizar atividades sem significado pode ser um grande obstáculo à nossa prática espiritual. Se os nossos amigos são tesouros preciosos ou maras, isso depende inteiramente de nós; se estivermos sinceramente praticando paciência, compaixão e amor, eles poderão ser como joias inestimáveis, mas se frequentemente ficarmos com raiva deles, eles podem se tornar maras.

Ficaríamos deleitados e nos consideraríamos muito afortunados se descobríssemos um tesouro enterrado ou se ganhássemos uma grande soma de dinheiro. Entretanto, se considerarmos o caráter enganoso da riqueza exterior e a superioridade da riqueza interior da virtude, quão mais afortunados deveríamos nos sentir sempre que encontrássemos outro ser vivo, a fonte potencial de riqueza interior ilimitada? Para praticantes compassivos sinceros, apenas ver outros seres vivos, falar com eles ou meramente pensar neles é como achar um tesouro enterrado. Todos os seus encontros com outras pessoas servem para aprimorar sua compaixão, e até atividades cotidianas, como fazer compras ou conversar com amigos, tornam-se causas de iluminação.

De todas as nossas mentes virtuosas, a compaixão e a sabedoria são supremas. A compaixão purifica nossa mente e, quando nossa mente é pura, seus objetos também se tornam puros. Há muitos relatos de praticantes espirituais que, por desenvolverem forte compaixão, purificaram suas mentes da negatividade que há muito obstruía seu progresso espiritual. Por exemplo, Asanga, um grande erudito que viveu na Índia no século V, meditou numa caverna isolada na montanha a fim de obter uma visão de Buda Maitreya. Após doze anos, ele ainda não havia conseguido realizar seu objetivo e, sentindo-se desanimado, abandonou seu retiro. Descendo a montanha, deparou-se com um velho cachorro caído no meio do caminho. Seu corpo estava coberto de feridas infestadas de larvas e ele parecia próximo da morte. Essa cena provocou em Asanga um irresistível sentimento de compaixão por todos os seres vivos aprisionados no samsara. Enquanto retirava meticulosamente as larvas do cachorro moribundo, Buda Maitreya apareceu subitamente diante dele. Maitreya explicou que estava com Asanga desde o início do seu retiro, mas, devido às impurezas na mente de Asanga, Asanga não tinha sido capaz de vê-lo. Foi a extraordinária compaixão de Asanga que, por fim, purificou as obstruções cármicas que o impediam de ver Maitreya. Na verdade, durante o tempo todo, o cachorro era uma emanação de Buda Maitreya – com o propósito de despertar a compaixão de Asanga, Maitreya havia se emanado como um cachorro sofredor. Podemos compreender, a partir disso, como os Budas manifestam-se das mais diferentes maneiras para ajudar os seres vivos.

Qualquer pessoa que morra com uma mente de pura compaixão renascerá, definitivamente, numa Terra Pura, onde ele (ou ela) nunca mais terá de experienciar os sofrimentos do samsara novamente. O principal desejo do Bodhisattva Geshe Chekhawa era o de renascer no inferno para que pudesse ajudar os seres que ali estão sofrendo. No entanto, no seu leito de morte, ele vislumbrou uma Terra Pura e compreendeu que seu desejo não seria realizado. Em vez de renascer no inferno, ele não tinha outra escolha a não ser ir para uma Terra Pura! A razão disso é que sua compaixão havia purificado sua mente de modo tão profundo que, do ponto de vista da sua experiência pessoal, objetos impuros, como os reinos do inferno, não mais existiam – para ele, tudo era puro. No entanto, embora Geshe Chekhawa tenha renascido numa Terra Pura, ele era capaz de ajudar os seres-do-inferno por meio de suas emanações.

Podemos achar difícil acreditar nessas histórias, mas isso acontece porque não compreendemos a relação entre nossa mente e seus objetos. Como Milarepa disse, nossa mente e seus objetos são, na verdade, a mesma natureza; mas, devido à ignorância, acreditamos que são de naturezas diferentes. Sentimos que o mundo existe "lá fora", independente da mente que o percebe, mas, na verdade, os objetos são totalmente dependentes das mentes que os percebem. Este mundo impuro que experienciamos agora existe apenas em relação à nossa mente impura. Uma vez que tenhamos purificado completamente nossa mente através dos treinos em trocar eu por outros, compaixão e assim por diante, este mundo impuro desaparecerá e perceberemos um mundo novo e puro. Nossa sensação de que as coisas existem separadas da nossa mente, com sua própria natureza inerente e fixa, provém da nossa ignorância. Quando compreendermos a verdadeira natureza das coisas, veremos que nosso mundo é como um sonho, no qual tudo existe como uma mera aparência à mente. Compreenderemos que podemos mudar nosso mundo simplesmente mudando nossa mente e que, se desejamos ser livres do sofrimento, tudo o que precisamos fazer é purificar nossa mente. Tendo purificado nossa própria mente, estaremos, então, na condição de realizar nosso desejo compassivo, por meio de mostrar aos outros como fazer o mesmo.

Considerando todos esses benefícios da compaixão, devemos tomar a determinação de usar todas as oportunidades para desenvolvê-la. A coisa mais importante é colocar em prática os ensinamentos sobre compaixão e sabedoria, tanto para o nosso próprio propósito como para o dos outros; caso contrário, eles permanecerão, para nós, apenas como palavras vazias. A natureza e as funções da sabedoria estão explicadas na seção sobre treinar a sabedoria superior, no capítulo *Objetos Significativos*.

Compaixão pura é uma mente que considera o sofrimento dos outros insuportável, mas ela não nos deixa deprimidos. Na verdade, a compaixão nos dá tremenda energia para trabalhar para os outros e para concluir o caminho espiritual para o benefício deles. Ela destrói nossa complacência e torna impossível que continuemos contentes com a felicidade superficial de satisfazer nossos desejos mundanos e, em vez disso, seremos levados a conhecer uma profunda paz interior, que não pode ser perturbada por condições mutáveis. É impossível que fortes delusões, ou aflições mentais, surjam em uma mente repleta de compaixão. Se não desenvolvermos delusões, as circunstâncias exteriores, por si próprias, não terão o poder de nos perturbar; portanto, quando nossa mente é governada por compaixão, ela está sempre em paz. Essa é a experiência de todos aqueles que desenvolveram sua compaixão para além da compaixão limitada que normalmente sentimos por aqueles que consideramos mais próximos, transformando-a na compaixão altruísta por todos os seres vivos.

Desenvolver compaixão e sabedoria e ajudar os necessitados sempre que possível é o verdadeiro sentido da vida humana. Aumentando nossa compaixão, aproximamo-nos da iluminação e da satisfação dos nossos desejos mais profundos. Como são bondosos os seres vivos ao atuarem como objetos da nossa compaixão. Como eles são preciosos! Se não houvesse seres sofredores a quem pudéssemos ajudar, os Budas teriam de emaná-los para nós! Na verdade, se pensarmos sobre a história de Maitreya e Asanga, veremos que não temos como saber ao certo se aqueles que estamos tentando ajudar agora são ou não, de fato, emanações de Buda, manifestadas para o nosso benefício. O sinal de que dominamos as meditações de apreciar os outros e compaixão é que, sempre que nos encontrarmos com outra pessoa – mesmo com alguém que esteja nos prejudicando – sentiremos, genuinamente, como se houvéssemos encontrado um raro e precioso tesouro.

*Assim como o Sol dissipa as nuvens, podemos desenvolver
a sabedoria que pode remover todas as delusões da nossa mente.*

Amor Desiderativo

EM GERAL, EXISTEM três tipos de amor: amor afetuoso, amor apreciativo e amor desiderativo. Por exemplo, quando uma mãe olha para seus filhos, ela sente grande afeição por eles e os percebe como belos, não importa o modo como eles aparecem para os outros. Devido ao seu amor afetuoso, ela naturalmente sente que seus filhos são preciosos e importantes; esse sentimento é o amor apreciativo. Porque aprecia seus filhos, ela deseja sinceramente que eles sejam felizes; esse desejo é o amor desiderativo, ou amor que deseja a felicidade dos outros. O amor desiderativo surge do amor apreciativo, que, por sua vez, surge do amor afetuoso. Precisamos desenvolver esses três tipos de amor por todos os seres vivos, sem exceção.

COMO DESENVOLVER AMOR DESIDERATIVO POR TODOS OS SERES VIVOS

Se, tendo desenvolvido a experiência de amor apreciativo por todos os seres vivos através da prática das instruções anteriores, contemplarmos como eles carecem de felicidade pura, desenvolveremos naturalmente um desejo sincero de conduzir todos os seres vivos ao estado de felicidade pura. Este desejo é amor universal que deseja a felicidade dos outros.

O que é felicidade pura? Felicidade pura é felicidade que surge de uma mente pacífica. A felicidade que surge de prazeres mundanos, tais como comer, beber, sexo e descansar, não é felicidade pura ou verdadeira. Por meio de treino, podemos desenvolver e manter paz mental o tempo todo, de modo que seremos felizes o tempo todo. Em *Quatrocentas Estrofes*, o grande erudito Aryadeva diz:

> A experiência de sofrimento nunca será transformada pela mesma causa,
> Mas podemos ver que a experiência de felicidade será transformada pela mesma causa.

Isso significa que, por exemplo, o sofrimento causado por fogo nunca será transformado em felicidade pelo fogo, mas podemos observar que a felicidade causada, por exemplo, por comer será transformada em sofrimento simplesmente pelo ato de comer. Como podemos entender isso? Quando comemos nossa comida favorita, ela tem um sabor delicioso, mas, se continuássemos a comer um prato após outro, nossa felicidade logo se converteria em desconforto, em nojo e, por fim, em dor. Isso prova que a experiência de felicidade é transformada em sofrimento pela mesma causa. Do comer vem felicidade, mas vem também o sofrimento de doenças. Isso mostra que prazeres mundanos, tais como comer, não são causas verdadeiras de felicidade, e isto implica que o prazer que vem dos prazeres mundanos não é felicidade verdadeira. No entanto, o inverso não acontece com as experiências dolorosas. Por exemplo, bater em nosso dedo repetidamente com um martelo nunca irá se tornar algo agradável, porque isso é uma causa verdadeira de sofrimento. Assim como uma causa verdadeira de sofrimento nunca pode dar origem à felicidade, uma causa verdadeira de felicidade nunca pode dar origem à dor. Visto que as sensações agradáveis resultantes dos prazeres mundanos se convertem em dor, segue-se que elas não podem ser felicidade verdadeira. Entregar-se de maneira prolongada a comer, à prática de esportes, atividade sexual ou qualquer outro prazer comum leva, invariavelmente, ao sofrimento. Por mais que tentemos encontrar felicidade nos prazeres mundanos, nunca seremos bem-sucedidos. Como foi mencionado anteriormente, entregar-se aos prazeres samsáricos é como beber água salgada: em vez de saciar nossa sede, quanto mais bebemos, mais sedentos ficamos. No samsara, nunca alcançamos um ponto em que podemos dizer: "Agora estou completamente satisfeito, não preciso de mais nada".

A questão não é apenas que os prazeres mundanos não sejam felicidade verdadeira, mas que eles também não duram. As pessoas devotam suas vidas para adquirir posses, projetar-se socialmente, construir uma casa, constituir família e ter um círculo de amigos; mas, quando elas morrem, perdem tudo. Tudo pelo qual elas trabalharam desaparece subitamente, e elas ingressam na próxima vida sozinhas e de mãos vazias. Elas anseiam fazer amizades profundas e duradouras, mas, no samsara, isso é impossível. Os mais apaixonados amantes serão, por fim, involuntariamente separados; e, quando voltarem a se encontrar numa vida futura, não se reconhecerão um ao outro. Podemos achar que aqueles que têm bons relacionamentos e realizaram suas ambições de vida são verdadeiramente felizes, mas, na verdade, sua felicidade é tão frágil como uma bolha-d'água. A impermanência não poupa nada nem ninguém; no samsara, todos os nossos sonhos são desfeitos no final. Como disse Buda nos *Sutras Vinaya*:

O fim da reunião é a dispersão.
O fim da ascenção é a queda.
O fim do encontro é a separação.
O fim do nascimento é a morte.

A natureza do samsara, o ciclo de vida impura, é sofrimento. Nesta vida impura, nunca experienciaremos felicidade pura, a não ser que nos empenhemos numa prática espiritual pura. Buda comparou viver no samsara com o sentar-se na ponta de um alfinete – não importa o quanto tentemos ajustar nossa posição, ela será sempre dolorosa, e não importa o quanto tentemos corrigir e melhorar nossa situação samsárica, ela irá sempre nos irritar e causar dor.

Felicidade pura vem de sabedoria, que, por sua vez, vem de praticar ensinamentos espirituais puros, conhecidos como "Dharma". Cada uma das práticas espirituais apresentadas neste livro nos dá a capacidade de desenvolver e manter paz mental. Essa paz interior é felicidade pura porque vem de sabedoria, e não de prazeres mundanos. Se tivermos um conhecimento profundo que compreende os grandes benefícios da prática espiritual pura, que é sabedoria, iremos nos empenhar definitivamente numa prática espiritual pura. Sem essa sabedoria, nunca faremos isso; portanto, sabedoria é a fonte de todas as práticas espirituais puras. Sem sabedoria, somos como uma pessoa que tem olhos, mas que não pode enxergar nada. De modo semelhante, sem sabedoria não podemos compreender objetos significativos.

O significado de *prática espiritual pura* foi explicado anteriormente no capítulo sobre a morte. O que é sabedoria? Sabedoria é um conhecimento profundo que compreende objetos significativos. Todos os objetos de meditação apresentados neste livro são objetos significativos, porque o conhecimento que compreende esses objetos nos dá grande significado nesta vida e nas incontáveis vidas futuras. Existem muitos níveis de felicidade pura. Dentre eles, a felicidade suprema é a felicidade da iluminação. Por essa razão, nesta prática de desenvolver amor desiderativo por todos os seres vivos, geramos o objeto de meditação por meio de tomar uma forte determinação de conduzir todos os seres vivos à felicidade pura da iluminação. Fazemos isso através de nos empenharmos na seguinte contemplação. Apreciando todos os seres vivos, devemos pensar, do fundo do nosso coração:

> *Embora todos os seres vivos, que estão se afogando no profundo oceano de sofrimento, estejam procurando felicidade o tempo todo, nenhum deles encontra felicidade verdadeira. Preciso conduzi-los à felicidade pura da iluminação.*

Meditamos nessa determinação muitas e muitas vezes, até desenvolvermos um desejo espontâneo de conduzir todos os seres vivos à felicidade suprema da iluminação.

O termo "oceano de sofrimento" possui grande significado. O oceano de sofrimento é muito diferente de um oceano comum.

Qualquer parte de um oceano comum é da natureza da água, mas toda e qualquer parte do oceano de sofrimento é da natureza do sofrimento. Um oceano comum tem um fim, mas o oceano de sofrimento é sem fim. Todos os seres vivos estão se afogando nesse oceano sem fim de sofrimento; embora todos eles estejam procurando felicidade dia e noite, no oceano de sofrimento não há felicidade de modo algum. Através de pensar e contemplar sobre isso, geramos amor desiderativo, desejando sinceramente conduzir todos os seres vivos à felicidade pura da iluminação. Embora utilizemos normalmente a expressão "oceano do samsara", se, em seu lugar, utilizarmos algumas vezes a expressão "oceano de sofrimento", ela irá tocar nossos corações de uma maneira muito poderosa.

A meditação em amor é muito poderosa. O amor desiderativo, ou amor que deseja a felicidade dos outros, é também chamado de "amor incomensurável" porque, por meramente meditar em amor desiderativo, receberemos incomensuráveis benefícios nesta vida e nas incontáveis vidas futuras, mesmo que nossa concentração não seja muito forte. Com base nos ensinamentos de Buda, o grande erudito Nagarjuna enumerou oito benefícios do amor afetuoso e do amor desiderativo: (1) meditando em amor afetuoso e no amor desiderativo por apenas um instante, acumulamos mais mérito, ou boa fortuna, do que se déssemos comida, três vezes todos os dias, para todos os que estão com fome no mundo.

Quando damos comida para os que estão com fome, não estamos dando felicidade verdadeira a eles. O motivo é que a felicidade que vem de comer não é felicidade verdadeira, mas apenas uma redução temporária do sofrimento da fome. No entanto, meditar em amor afetuoso e no amor desiderativo, ou amor que deseja a felicidade dos outros, nos conduz, e a todos os seres vivos, à felicidade pura e duradoura da iluminação.

Os sete benefícios restantes de meditar em amor afetuoso e no amor desiderativo são que, no futuro: (2) receberemos grande bondade amorosa de humanos e não humanos; (3) seremos protegidos de diversas maneiras por humanos e não humanos; (4) seremos mentalmente felizes o tempo todo; (5) seremos fisicamente saudáveis o tempo todo; (6) não seremos feridos por armas, prejudicados por veneno e outras condições prejudiciais; (7) obteremos todas as condições necessárias sem esforço; e (8) nasceremos no paraíso superior de uma Terra Búdica.

Tendo contemplado esses benefícios, devemos aplicar esforço em meditar no amor desiderativo muitas vezes, todos os dias.

O amor é o grande protetor, que nos protege da raiva e da inveja e de danos causados por espíritos. Quando Buda Shakyamuni estava meditando sob a Árvore Bodhi, ele foi atacado por todos os apavorantes demônios deste mundo, mas o seu amor transformou as armas dos demônios em uma chuva de flores. Em última instância, nosso amor irá se converter no amor universal de um Buda, um amor que efetivamente tem o poder de conceder felicidade a todos os seres vivos.

A maioria dos relacionamentos entre as pessoas está fundamentado numa mistura de amor e apego. Isso não é amor puro, pois está embasado num desejo de felicidade para nós próprios – valorizamos as outras pessoas porque elas nos fazem sentir bem. O amor puro não está misturado com apego e se origina inteiramente de um interesse pela felicidade dos outros. Ele nunca dá origem a problemas, mas faz surgir, unicamente, paz e felicidade, tanto para nós como para os outros. Precisamos remover o apego de nossas mentes, mas isso não significa que tenhamos de abandonar nossos relacionamentos. O que devemos fazer é aprender a distinguir entre apego e amor e, gradualmente, tentar remover todos os vestígios de apego dos nossos relacionamentos e aperfeiçoar nosso amor até que ele se torne puro.

Tomar e Dar

ATRAVÉS DA PRÁTICA de tomar e dar, podemos aprimorar ainda mais nosso amor e compaixão. Na dependência desta prática, podemos desenvolver bodhichitta superior, que é a porta de entrada pela qual podemos ingressar no caminho à iluminação. Como foi mencionado acima, a iluminação é a luz interior de sabedoria que é completamente livre de toda aparência equivocada, e cuja função é conceder paz mental a todos e a cada um dos seres vivos, todos os dias. Ela é a fonte de toda felicidade.

No início, quando começamos a meditar em tomar e dar, não podemos tomar efetivamente o sofrimento dos outros e nem lhes dar nossa felicidade; porém, imaginando que estamos fazendo isso agora, estamos treinando nossa mente para sermos capazes de fazê-lo no futuro. No momento presente, somos incapazes de beneficiar todos os seres vivos, mas temos o potencial para essa habilidade, pois ela é parte da nossa natureza búdica. Por praticar as meditações em tomar e dar com forte compaixão por todos os seres vivos, o nosso potencial de beneficiarmos todos os seres vivos amadurecerá e, quando isso acontecer, iremos nos tornar um ser iluminado, um Buda.

"Tomar", neste contexto, significa tomar os sofrimentos dos outros sobre nós mesmos por meio de meditação. Ao dar início à nossa prática de tomar e dar, não precisamos pensar muito sobre como é possível aliviar o sofrimento dos outros apenas com o poder da nossa imaginação. Em vez disso, devemos simplesmente praticar o tomar e dar com uma boa motivação, compreendendo que este é o método supremo para aumentar nosso mérito, ou boa fortuna, e o poder da nossa concentração. Essa prática também faz com que a nossa mente e as nossas ações se tornem puras, de modo que alcancemos tudo facilmente. Por meio de treino sincero, nossa meditação em tomar e dar irá se tornar tão poderosa que desenvolveremos a habilidade de tomar diretamente o sofrimento dos outros e dar-lhes felicidade.

Há muitos exemplos de praticantes realizados que usam o poder da sua concentração para tomar o sofrimento de outros seres com os quais têm uma conexão cármica. Há uma história sobre um grande erudito e meditador chamado Maitriyogi, que tomou a dor de um cachorro que estava sendo espancado, e as feridas apareceram no seu corpo em vez de aparecerem no corpo do cachorro. O grande iogue tibetano Milarepa tinha domínio completo da meditação de tomar e dar. Certa vez, ele tomou o sofrimento de um homem, mas o homem recusou-se a acreditar que era graças a Milarepa que ele estava livre da dor. Para provar isso, Milarepa devolveu-lhe a dor e, quando a dor se tornou insuportável, Milarepa transferiu a dor para uma porta, que começou a tremer! Praticantes budistas sinceros acreditam que, quando seu Guia Espiritual fica doente, na verdade ele (ou ela) está tomando o sofrimento dos outros. Muitos cristãos também acreditam que, ao se deixar ser crucificado, Jesus estava tomando sobre si os sofrimentos da humanidade. É bem possível que Jesus estivesse praticando o tomar enquanto estava na cruz.

Se os Budas e elevados Bodhisattvas têm o poder de tomar diretamente o sofrimento dos outros e conceder-lhes felicidade, podemos nos perguntar por que os seres vivos ainda continuam sofrendo. Porque os Budas têm esse poder, eles estão continuamente concedendo bênçãos a todos os seres vivos. Como resultado direto de receberem essas bênçãos, todos e cada um dos seres vivos, incluindo os animais e os seres-do-inferno, experienciam paz mental ocasionalmente e, nesses momentos, eles estão felizes e livres de sofrimento manifesto. No entanto, o único modo de os seres vivos poderem conquistar a libertação permanente do sofrimento é por meio de colocarem efetivamente os ensinamentos de Buda em prática. Assim como um médico não pode curar uma doença a não ser que o doente tome, de fato, o remédio que foi prescrito, os Budas não podem curar nossa doença interior das delusões a não ser que tomemos, de fato, o remédio do Dharma.

Mesmo quando o sol está brilhando, se nossa casa estiver com as janelas fechadas, apenas um pouco de luz poderá entrar, e nossa casa permanecerá fria e escura; mas, se abrirmos as janelas, os cálidos raios do sol irão inundar todo o ambiente. Do mesmo modo, embora o sol das bênçãos de Buda esteja sempre brilhando, se nossa mente estiver fechada pela nossa falta de fé, poucas bênçãos conseguirão entrar, e nossa mente permanecerá fria e escura; no entanto, desenvolvendo forte fé, nossa mente irá se abrir e o sol pleno das bênçãos de Buda irá preenchê-la. Fé é a força vital da prática espiritual. Precisamos ter fé inabalável nos ensinamentos de Buda; caso contrário, nunca aplicaremos esforço para colocar esses ensinamentos em prática.

TOMAR POR MEIO DE COMPAIXÃO

Para os seres não humanos, como os animais ou mesmo os deuses, o sofrimento causa unicamente aflição e infelicidade, e eles não podem aprender nada com sua dor. Em contrapartida, os seres humanos que encontraram o Budadharma podem aprender muito com seus sofrimentos. Para nós, o sofrimento pode ser um grande incentivo para desenvolvermos renúncia, compaixão e bodhichitta, e pode nos encorajar a nos empenharmos em uma prática sincera de purificação.

Quando o mestre budista Je Gampopa era um jovem leigo, estava casado com uma linda jovem com quem vivia feliz, mas, pouco depois, ela ficou doente e morreu. Devido ao seu profundo apego pela esposa, Gampopa foi tomado pela tristeza, mas a sua perda o fez compreender que a morte e o sofrimento são a verdadeira natureza do samsara, e isso o encorajou a buscar a libertação permanente do samsara, o ciclo de vida impura, por meio de praticar o Dharma puramente. Primeiro, confiou em diversos geshes kadampas e praticou o Lamrim Kadam e, depois, conheceu Milarepa e recebeu as instruções do Mahamudra. Por fim, praticando sinceramente todos os ensinamentos que ouvira, ele se tornou um grande mestre que conduziu muitos seres ao longo dos caminhos espirituais. Assim, podemos ver que, para um praticante de Dharma qualificado, o sofrimento tem muitas boas qualidades. Para esses praticantes, os sofrimentos do samsara são como um Guia Espiritual que os conduz ao longo do caminho à iluminação. Como Shantideva diz:

> Ademais, o sofrimento tem muitas boas qualidades.
> Experienciando-o, podemos dissipar o orgulho,
> Desenvolver compaixão por aqueles que estão presos no samsara,
> Abandonar não virtude e nos deleitar com virtude.

Atisha, o fundador da Tradição Kadampa, também diz:

> Se, por ser encorajada por seu próprio sofrimento,
> Uma pessoa desejar sinceramente libertar os outros
>   dos seus sofrimentos,
> Tal praticante é uma pessoa de grande escopo.

Compreendendo as boas qualidades do nosso próprio sofrimento, que é sabedoria, devemos desenvolver grande alegria pela nossa oportunidade de praticar o tomar por meio de compaixão.

TOMAR NOSSO PRÓPRIO SOFRIMENTO FUTURO

Para nos prepararmos para a meditação propriamente dita de tomar o sofrimento dos outros, podemos começar tomando nosso próprio sofrimento futuro. Essa meditação é um método poderoso para purificar o carma negativo, ou ações negativas, que é a causa principal do nosso sofrimento futuro. Se removermos a causa do nosso sofrimento futuro, não haverá base para experienciarmos o efeito. Libertar-se do sofrimento futuro é mais importante do que libertar-se do sofrimento presente, porque nosso sofrimento futuro é sem fim, ao passo que o nosso sofrimento presente é apenas o sofrimento de uma breve vida. Portanto, devemos treinar em tomar o nosso próprio sofrimento futuro enquanto ainda temos a oportunidade para purificar as causas. Essa prática serve também para reduzir nosso autoapreço, que é a razão principal pela qual achamos tão difícil suportar nosso sofrimento, e ela também fortalece nossa paciência. Quando, pela prática de aceitar pacientemente nosso próprio sofrimento, pudermos suportar alegremente nossas adversidades, não será difícil tomar o sofrimento dos outros. Desse modo, obteremos a capacidade de impedir nosso próprio sofrimento e de beneficiar os outros. Compreendendo isso, geramos a determinação de purificar nossas não virtudes por meio de tomar seus efeitos agora.

Imaginamos que todos os sofrimentos que experienciaremos no futuro como um ser humano, deus, semideus, animal, fantasma faminto ou ser-do-inferno, se reúnem no aspecto de uma fumaça preta e se dissolvem na nossa ignorância do agarramento ao em-si e do autoapreço, em nosso coração. Acreditamos intensamente que nossa ignorância do agarramento ao em-si e do autoapreço foi completamente destruída e que purificamos os potenciais negativos na nossa mente, a causa de todo o nosso sofrimento futuro. Meditamos, então, nessa crença pelo maior tempo possível. Devemos repetir esta meditação de tomar nosso sofrimento futuro muitas vezes, até recebermos sinais de que nosso carma negativo foi purificado. Por nos empenharmos nesta meditação, experienciaremos uma alegria que nos encorajará a desenvolver o desejo sincero de tomar o sofrimento dos outros por meio de compaixão.

Também podemos nos preparar para a meditação propriamente dita de tomar o sofrimento dos outros fazendo preces. É muito fácil dizer uma prece e, se as dissermos com um bom coração e forte concentração, elas serão muito poderosas. Enquanto nos concentramos no seu significado, e acreditando que Buda Shakyamuni vivo está presente diante de nós, rezamos:

Portanto, ó Compassivo, Venerável Guru, busco tuas bênçãos
Para que todo sofrimento, negatividades e obstruções
    dos seres sencientes-mães
Amadureçam em mim neste instante.

Sentimos alegria com a ideia de tomar o sofrimento de todos os seres vivos e retemos esse sentimento especial pelo maior tempo possível. Por repetir essa prece dia e noite, fortalecemos continuamente nosso desejo sincero de tomar o sofrimento dos outros. Empenhamo-nos, então, na meditação propriamente dita de tomar o sofrimento dos outros.

OS BENEFÍCIOS DE TOMAR O SOFRIMENTO DOS OUTROS

As meditações em tomar e dar possuem quatro benefícios principais: elas são métodos poderosos para (1) purificar os potenciais das ações não virtuosas, que nos fazem experienciar doenças graves, como o câncer; (2) acumular uma grande coleção de mérito; (3) amadurecer nosso potencial de sermos capazes de beneficiar todos os seres vivos; e (4) purificar nossa mente.

Quando purificarmos a nossa mente por meio das práticas de tomar e dar, todas as realizações espirituais crescerão com facilidade em nossa mente. Contemplando os quatro benefícios principais de meditar em tomar e dar, devemos nos encorajar a praticar essas meditações sinceramente.

Por meditar em tomar os sofrimentos de todos os seres vivos, desenvolveremos uma mente muito forte, capaz de suportar adversidades com coragem. No momento presente, nossa mente é como uma ferida aberta – ao menor sinal de adversidades, recuamos desanimados. Com essa mente fraca, até mesmo pequenas dificuldades interferem com nossa prática de Dharma. Contudo, treinando a prática de *tomar*, podemos fortalecer nossa mente até que ela se torne inabalável. Os geshes kadampas costumavam rezar para desenvolver uma mente que fosse tão forte e estável como uma bigorna, que não quebra por mais que seja malhada.

Precisamos de uma mente forte e estável, que seja imperturbável frente a qualquer adversidade que a vida nos imponha. Com uma mente assim, somos como um Herói ou uma Heroína, e nada poderá interferir com o nosso progresso rumo à iluminação.

Aqueles que possuem uma profunda experiência da prática de tomar podem satisfazer facilmente seus próprios desejos e os desejos dos outros. Por quê? O motivo é que eles possuem muito mérito e seus desejos são sempre puros e motivados por compaixão. Eles podem, inclusive, satisfazer seus desejos por meio de preces ou, simplesmente, por meio de declarar a verdade.

Há muitos relatos de Bodhisattvas que realizaram feitos miraculosos através do seu poder de declarar a verdade. Essas declarações são muito poderosas porque são motivadas pela bodhichitta, e a bodhichitta extrai seu poder da grande compaixão. Quando eu era um jovem monge no Monastério Jampaling, no Tibete Ocidental, fiquei seriamente doente durante alguns meses. Quando a dor se tornou tão intensa que eu mal podia suportá-la, meu professor, Geshe Palden, veio visitar-me. Ele tinha um *mala*, ou rosário, abençoado e frequentemente falava-nos quão especial era o seu mala, mas costumávamos pensar que estava apenas brincando. Contudo, naquela ocasião, ele ficou em pé ao lado do meu leito e disse-me "Se for verdade que meu mala é abençoado pelo Buda da Sabedoria Manjushri, que tu sejas prontamente curado", e, então, ele me abençoou, tocando a coroa da minha cabeça com o mala. Depois disso, recuperei-me por completo.

A MEDITAÇÃO PROPRIAMENTE DITA EM TOMAR O SOFRIMENTO

Existem duas maneiras de treinar em tomar por meio de compaixão. A primeira é focar todos os seres vivos em geral e imaginar que estamos tomando seus sofrimentos; a segunda é focar seres vivos específicos e imaginar que estamos tomando seus sofrimentos.

Para praticar o primeiro método, visualizamo-nos rodeados pela assembleia de todos os seres vivos-mães, sem exceção. Por auspiciosidade e para nos ajudar a nos identificarmos mais facilmente com eles, podemos visualizá-los todos sob a forma humana, mas devemos lembrar que cada um deles experiencia o sofrimento do seu próprio reino específico. Não é necessário percebê-los claramente – uma imagem mental aproximada será suficiente.

Então, do fundo do nosso coração, devemos pensar:

> *Em suas incontáveis vidas futuras, todos esses seres vivos-*
> *-mães terão de experienciar os incomensuráveis sofrimentos*
> *dos animais, fantasmas famintos e seres-do-inferno e os in-*
> *comensuráveis sofrimentos dos seres humanos, semideuses*
> *e deuses, vida após vida, interminavelmente. Eu não posso*
> *suportar isso! Que maravilhoso seria se eles alcançassem a*
> *libertação permanente de todos esses sofrimentos! Que eles*
> *alcancem essa libertação. Eu próprio vou trabalhar para essa*
> *libertação agora.*

Pensando desse modo, imaginamos que os sofrimentos de todos os seres vivos se reúnem sob o aspecto de uma fumaça preta. Ela se dissolve na nossa ignorância do agarramento ao em-si e do autoapreço, em nosso coração. Acreditamos então, fortemente, que todos os seres vivos ficaram permanentemente livres de todo sofrimento, e que a nossa ignorância do agarramento ao em-si e do autoapreço foi completamente destruída. Meditamos estritamente focados nessa crença pelo maior tempo possível.

Com compaixão por todos os seres vivos, devemos praticar continuamente essa meditação até experienciarmos sinais que indiquem que a nossa mente foi purificada. Esses sinais podem incluir: a cura de qualquer doença que possamos ter; a redução das nossas delusões; a obtenção de uma mente mais pacífica e feliz; o aumento da nossa fé, intenção correta e visão correta; e, em especial, o fortalecimento da nossa experiência de compaixão universal.

Podemos pensar que a nossa crença de que os seres vivos alcançaram a libertação permanente do sofrimento através da nossa meditação seja incorreta, porque os seres vivos não a obtiveram efetivamente. Embora seja verdade que os seres vivos não tenham alcançado de fato a libertação permanente, a nossa crença, ainda assim, é correta, porque ela surge da nossa compaixão e sabedoria e, especialmente, do poder da nossa concentração. Meditar nessa crença fará com que o nosso potencial de sermos capazes de libertar permanentemente todos os seres vivos do sofrimento amadureça rapidamente, de modo a alcançarmos com rapidez a iluminação. Portanto, nunca devemos abandonar essa crença benéfica, que é da natureza da sabedoria.

É verdade que, logo no início, não temos o poder de tomar diretamente o sofrimento dos outros, mas, meditando repetidamente na convicção de que tomamos seus sofrimentos, desenvolveremos gradualmente o poder efetivo de fazê-lo. Meditar em tomar é o caminho rápido à iluminação e é similar à prática tântrica de *trazer o resultado para o caminho*, pela qual, por imaginar intensamente que já somos um Buda, gradualmente nos tornamos um Buda. A questão é que, se não conseguirmos sequer nos imaginarmos alcançando a iluminação, nunca seremos capazes de alcançá-la! De acordo com os ensinamentos do treino da mente, a prática de tomar e dar é similar à prática do Mantra Secreto, ou Tantra. É dito que as realizações tântricas podem ser alcançadas simplesmente através de confiar em crença e imaginação corretas. Essa prática é muito simples: tudo o que precisamos fazer é nos tornarmos profundamente familiarizados com a meditação em crença correta e imaginação correta, como apresentada no Tantra, por meio de aplicarmos esforço contínuo.

Como é possível que algo que só existe na nossa imaginação se converta em realidade? Essa é uma qualidade notável da mente, que primeiro cria objetos com a nossa imaginação e, então, os traz para a nossa realidade do dia a dia. Na verdade, tudo começa na imaginação. Por exemplo, a casa em que vivemos atualmente foi criada, primeiro, na imaginação do arquiteto. Depois, ele fez um projeto no papel, que serviu de base para a planta da construção efetiva. Se, inicialmente, ninguém houvesse imaginado nossa casa, ela nunca teria sido construída. Na verdade, nossa mente é a criadora de tudo o que experienciamos. Todas as criações exteriores, como dinheiro, carros e computadores, foram desenvolvidas na dependência da imaginação de alguém; se ninguém as tivesse imaginado, elas nunca teriam sido inventadas. Do mesmo modo, todas as criações interiores e todas as realizações de Dharma, inclusive a libertação e a iluminação, são desenvolvidas na dependência de imaginação correta. Por essa razão, tanto para as aquisições mundanas como para as espirituais, a imaginação é de fundamental importância.

Se imaginarmos algo que, em teoria, possa existir e, então, a partir daí, familiarizarmos nossa mente com isso pelo tempo suficiente, por fim esse objeto aparecerá diretamente à nossa mente: primeiro, à nossa percepção mental e, depois, às nossas percepções sensoriais. Enquanto o objeto for apenas um objeto imaginado, a mente que o apreende será simplesmente uma crença. Se o objeto for um objeto benéfico, será uma crença correta; e se o objeto estimular delusões, ele será uma crença incorreta. Uma crença é uma mente conceitual que apreende seu objeto por meio de uma imagem genérica, ou mental, do objeto. Se meditarmos numa crença correta pelo tempo suficiente, a imagem genérica irá se tornar progressivamente mais transparente até, por fim, desaparecer por completo e percebermos o objeto diretamente. O objeto imaginado terá se tornado, então, um objeto real. Meditando na crença benéfica de que libertamos todos os seres sencientes e destruímos nossa mente de autoapreço, finalmente realizaremos isso de modo efetivo. Nossa crença correta terá se transformado em um conhecedor válido, uma mente plenamente confiável.

No segundo modo de treinar em tomar por meio de compaixão, tomamos os sofrimentos de indivíduos ou grupos específicos de seres vivos em todos os infinitos mundos. Por exemplo, focamos a assembleia dos seres vivos que experienciam o sofrimento da doença e desenvolvemos compaixão. Então, pensamos:

Esses seres vivos experienciam, interminavelmente, o sofrimento da doença nesta vida e nas suas incontáveis vidas futuras. Que maravilhoso seria se esses seres vivos fossem libertados permanentemente da doença! Que eles conquistem isso. Eu próprio trabalharei para que eles conquistem isso. Eu preciso fazer isso.

Pensando desse modo, imaginamos que o sofrimento da doença de todos os seres vivos se reúne sob o aspecto de uma fumaça preta. Ela se dissolve na nossa ignorância do agarramento ao em-si e do autoapreço, em nosso coração. Acreditamos então, fortemente, que todos esses seres vivos foram permanentemente libertados da doença, e que a nossa ignorância do agarramento ao em-si e do autoapreço foi completamente destruída. Meditamos com concentração estritamente focada nessa crença pelo maior tempo possível.

Do mesmo modo, podemos praticar a meditação de tomar enquanto focamos um indivíduo ou um grupo específico de seres vivos que estão experienciando outros sofrimentos, tais como pobreza, guerra ou fome.

Sempre que estivermos experienciando um problema específico, como doença, falta de recursos ou nossas delusões, podemos pensar nos incontáveis seres sencientes que estão experienciando problemas semelhantes e, então, com uma motivação compassiva, imaginamos que estamos tomando seus sofrimentos. Isso irá nos ajudar a lidar com o nosso próprio problema e, ao purificar o carma negativo que o prolonga, podemos, inclusive, nos livrar dele. Se estivermos sofrendo de forte apego, por exemplo, podemos pensar em todos aqueles que também estão sofrendo de apego, desenvolver compaixão por eles e imaginar que tomamos todo o seu apego, juntamente com o sofrimento que ele causa. Esse é um método poderoso para destruir o nosso próprio apego.

A prática de tomar motivada por compaixão é uma mente extremamente pura, incontaminada pelo autoapreço. Quando nossa mente é pura, isso torna, por sua vez, todas as nossas ações puras, de modo que nos tornamos um ser puro. Se morrermos com forte compaixão por todos os seres vivos, nasceremos definitivamente na Terra Pura de um Buda. A razão é que a compaixão que manifestarmos quando estivermos morrendo atuará diretamente no amadurecimento do nosso potencial para renascer na Terra Pura de um Buda. Esse é o bom resultado de um bom coração. O resultado de manter o bom coração de desejar sinceramente a libertação permanente de todos os seres vivos do sofrimento é que nós mesmos experienciaremos libertação permanente do sofrimento renascendo na Terra Pura de um Buda.

Para concluir nossas sessões da meditação em tomar, dedicamos nosso mérito para libertar todos os seres sencientes dos seus sofrimentos e problemas e para que haja paz duradoura neste mundo.

DAR POR MEIO DE AMOR

"Dar", neste contexto, significa: com uma mente pura de amor desiderativo, dar a nossa própria felicidade aos outros por meio de meditação. Em geral, no ciclo de vida impura, o samsara, não existe felicidade verdadeira de modo algum. Como foi mencionado anteriormente, a felicidade que normalmente experienciamos através de comer, beber, sexo e assim por diante, não é felicidade verdadeira, mas meramente uma redução de um problema ou insatisfação anteriores.

Como meditar no dar? No *Guia do Estilo de Vida do Bodhisattva*, Shantideva diz:

> (...) para realizar o bem-estar de todos os seres vivos,
> Transformarei meu corpo numa joia-iluminada-que-satisfaz-
> -os-desejos.

Devemos compreender e acreditar que o nosso corpo residente-contínuo, ou nosso corpo muito sutil, é a verdadeira joia interior que-satisfaz-os-desejos; é a nossa natureza búdica, por meio da qual os nossos desejos e os desejos de todos os outros seres vivos serão satisfeitos. Então, pensamos:

Todos os seres vivos desejam ser felizes o tempo todo, mas eles não sabem como fazer isso. Eles nunca experienciam felicidade verdadeira, porque, devido à ignorância, destroem sua própria felicidade ao desenvolverem delusões, como a raiva, e executarem ações não virtuosas. Que maravilhoso seria se todos esses seres vivos experienciassem a felicidade pura e duradoura da iluminação! Que eles experienciem essa felicidade. Eu darei, agora, a minha própria felicidade futura da iluminação para todos e cada um dos seres vivos.

Pensando dessa maneira, imaginamos que, do nosso corpo residente-contínuo no nosso coração, emanamos infinitos raios de luz, que são da natureza da nossa felicidade futura da iluminação. Eles tocam todos os seres vivos dos seis reinos e acreditamos, fortemente, que todos e cada um dos seres vivos experienciam a felicidade pura e duradoura da iluminação. Meditamos nessa crença, com concentração estritamente focada, pelo maior tempo possível. Devemos praticar continuamente essa meditação até acreditarmos, espontaneamente, que todos os seres vivos receberam, agora e efetivamente, a nossa felicidade futura da iluminação.

Se quisermos meditar mais extensivamente no dar, podemos imaginar que os raios de luz que emitimos satisfazem todos os desejos e necessidades individuais de todos os seres vivos. Os seres humanos recebem ambientes puros, prazeres puros e um corpo e mente puros, bem como uma vida significativa. Os animais recebem comida, lares seguros e aquecidos e se libertam de serem utilizados como recreação ou para fins de trabalho pelos seres humanos; os fantasmas famintos recebem alimentos e bebidas e se libertam da pobreza; os seres que estão nos infernos quentes recebem brisas refrescantes, e os seres que estão nos infernos frios recebem cálidos raios de sol. Os semideuses recebem paz e satisfação e se libertam dos seus problemas de inveja, e os deuses recebem felicidade incontaminada e uma vida significativa. Ao desfrutarem esses objetos de desejo, todos os seres vivos se sentem plenamente satisfeitos e experienciam o êxtase incontaminado da iluminação.

Embora estejamos treinando principalmente o pensamento, ou a ideia, de dar, podemos também praticar o tomar e dar em termos práticos sempre que tivermos a oportunidade. No nosso nível, não podemos tomar o sofrimento dos outros através do poder da nossa concentração, mas podemos, muitas vezes, beneficiá-los de maneiras práticas. Podemos aliviar a dor de pessoas doentes cuidando bem delas e ajudar aqueles que não são capazes de cuidar de si mesmos. Aceitar dificuldades enquanto estamos envolvidos em ajudar os outros é também uma forma de praticar o dar. Podemos também dar ajuda material, nossa capacidade de trabalho, nossas habilidades, ensinamentos de Dharma ou bons conselhos. Quando encontramos pessoas que estão deprimidas e precisando de ânimo, podemos dar a elas nosso tempo e amor.

Podemos dar, também, aos animais. Salvar insetos de se afogarem ou tirar, gentilmente, vermes do caminho são exemplos da prática de dar destemor, ou proteção. Permitir, inclusive, que um camundongo revolva nosso cesto de lixo sem ficarmos irritados pode ser considerado uma forma de dar. Os animais desejam ser felizes tanto quanto nós próprios também desejamos ser felizes, e eles precisam da nossa ajuda até mais do que os seres humanos. A maioria dos seres humanos tem alguma capacidade de se ajudarem a si próprios, mas os animais estão tão profundamente envoltos pela ignorância que não têm liberdade nem mesmo para melhorar sua situação. Assim como a nossa vida é importante, devemos compreender que a vida dos animais, incluindo os insetos, também é importante. Portanto, precisamos parar de matar insetos, esmagando-os sem nenhuma consciência do seu sofrimento ou da perda de sua vida. Os animais renasceram num estado de existência que é inferior ao dos seres humanos, mas jamais devemos considerá-los como menos importantes. Os Budas e os Bodhisattvas possuem total equanimidade e apreciam os animais e os seres humanos igualmente.

Ao final da nossa meditação de dar, dedicamos nosso mérito para que todos os seres vivos encontrem felicidade verdadeira. Podemos também fazer dedicatórias específicas, rezando para que os doentes recuperem a saúde, os pobres obtenham riqueza, os desempregados encontrem bons empregos, os fracassados tenham sucesso, os ansiosos obtenham paz mental, e assim por diante. Pela força da nossa motivação pura e pelo poder e bênçãos do Budadharma, nossas dedicatórias podem, com toda certeza, ajudá-los, especialmente se tivermos uma forte ligação cármica com as pessoas para as quais estamos rezando. Dedicar nosso mérito para os outros é, por si só, uma forma de dar. Podemos também praticar mentalmente o dar em nossa vida diária. Sempre que virmos ou lermos a respeito de pessoas que são pobres, doentes, que estão com medo, que são malsucedidas, sofrem rejeição ou que estão infelizes, podemos aumentar nosso amor desiderativo, ou amor que deseja a felicidade dos outros, e dedicar nosso mérito para sua felicidade e libertação do sofrimento.

MONTAR O TOMAR E DAR NA RESPIRAÇÃO

Uma vez que tenhamos nos familiarizado com as meditações de tomar e dar, podemos unir as duas práticas e praticá-las associadas à nossa respiração. Começamos meditando em compaixão e amor por todos os seres vivos e desenvolvemos uma forte determinação de tomar seus sofrimentos e dar felicidade pura a todos eles. Com essa determinação, imaginamos que inspiramos, pelas nossas narinas, o sofrimento, as delusões e as não virtudes de todos os seres vivos no aspecto de uma fumaça preta, que se dissolve em nosso coração e destrói completamente nosso autoapreço. À medida que exalamos, imaginamos que nossa respiração sai no aspecto de luz-sabedoria, cuja natureza é felicidade pura e incontaminada, e que permeia todo o universo. Todos e cada um dos seres vivos recebem tudo o que eles necessitam e desejam e, em particular, a felicidade suprema da paz interior permanente. Praticamos este ciclo de respiração dia e noite, no qual cada respiração toma o sofrimento de todos os seres vivos e lhes dá felicidade pura, até obtermos uma experiência profunda desta prática.

Uma vez que tenhamos adquirido habilidade com a meditação de montar o tomar e dar na respiração, essa prática será muito poderosa, porque existe uma relação muito próxima entre a respiração e a mente. A respiração está relacionada com os ventos-energia interiores que fluem pelos canais do nosso corpo, e esses ventos atuam como veículos, ou montarias, para os diferentes tipos de percepção ou consciência. Se atrelarmos nossa respiração a objetivos virtuosos, purificamos nossos ventos interiores e, quando ventos puros fluem pelos nossos canais, mentes puras surgem naturalmente.

Muitas pessoas praticam meditação respiratória, mas o tipo mais amplamente praticado consiste em simplesmente concentrar-se na sensação do ar entrando e saindo pelas narinas. Isso serve para acalmar a mente e reduzir pensamentos distrativos temporariamente, mas não tem o poder para produzir uma transformação profunda e duradoura da nossa mente. Contudo, a combinação entre a meditação respiratória e a prática de tomar e dar tem o poder de transformar nossa mente, do seu estado presente de infelicidade e autocentrado, na mente altruísta e extasiante de um Bodhisattva. Essa prática aprimora nossa concentração, torna nosso amor e compaixão muito fortes, e acumula vasto mérito. Desse modo, o simples ato de respirar é transformado numa poderosa prática espiritual. No início, fazemos essa prática apenas em meditação, mas, com familiaridade, podemos praticá-la a qualquer momento. Familiarizando-nos profundamente com esta prática, nossa mente irá se transformar, por fim, na compaixão de um Buda.

Meditar em tomar e dar também pode ser muito efetivo para curar doenças. Tomando a doença e o sofrimento dos outros com uma mente de compaixão, podemos purificar o carma negativo que causa a continuidade da nossa doença. Embora devamos sempre buscar ajuda médica quando estamos doentes, pode haver ocasiões em que os médicos serão incapazes de nos ajudar. Existem muitos relatos no Tibete de pessoas que se curaram a si próprias de doenças consideradas incuráveis meditando sinceramente no tomar e dar. Havia um meditador chamado Kharak Gomchen que contraiu uma doença que os médicos eram incapazes de curar.

Pensando que estava morrendo, ele deu todas as suas posses como uma oferenda a Avalokiteshvara, o Buda da Compaixão, e retirou-se para um cemitério, onde pretendia, por meio de meditar no tomar e dar, tornar significativas as últimas poucas semanas de vida. Entretanto, através da sua prática de tomar e dar, ele purificou o carma que estava perpetuando sua doença e, para surpresa de todos, retornou para casa completamente curado. Isso nos mostra o quão poderosa a prática de tomar e dar pode ser.

Se purificarmos nosso carma negativo, será fácil curar até a mais grave doença. Minha mãe contou-me sobre um monge que ela conheceu e que havia contraído lepra. Com a esperança de purificar sua doença, ele fez uma peregrinação ao Monte Kailash, no Tibete Ocidental, que os budistas acreditam ser a Terra Pura de Buda Heruka. Ele era extremamente pobre e, por isso, minha mãe ajudou-o na sua jornada, dando-lhe comida e abrigo, o que foi muito bondoso de sua parte, pois a maioria das pessoas evita os leprosos por medo de contrair lepra. Ele permaneceu nas cercanias do Monte Kailash por aproximadamente seis meses, fazendo prostrações e circunvolvendo a montanha sagrada como sua prática de purificação. Posteriormente, enquanto dormia perto de um lago, sonhou que muitos vermes saíam rastejando do seu corpo e entravam na água. Quando acordou, sentiu-se extremamente bem-disposto e descobriu que estava completamente curado. Na viagem de regresso ao seu lar, ele parou para visitar minha mãe e contou a ela o que havia acontecido.

Devemos refletir que, desde tempos sem início, tivemos incontáveis vidas e incontáveis corpos, mas desperdiçamos tudo isso em atividades sem significado. Agora, temos a oportunidade de extrair o significado máximo do nosso corpo atual, usando-o para praticar o caminho de compaixão e sabedoria. Que maravilhoso seria para o nosso mundo se muitos praticantes contemporâneos pudessem emular os praticantes do treino da mente de tempos antigos e se tornassem verdadeiros Bodhisattvas!

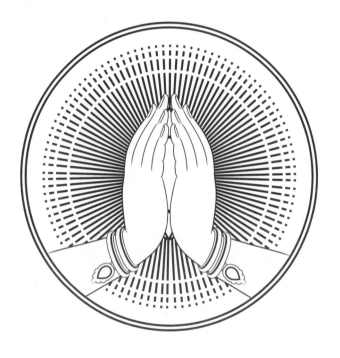

As mãos em prece, segurando uma joia-que-satisfaz-os-desejos, simbolizam que, por seguirmos o caminho espiritual, por fim experienciaremos a mente completamente pura da iluminação.

O Supremo Bom Coração

Neste contexto, o supremo bom coração é a bodhichitta. "Bodhi" significa *iluminação*, e "chitta", *mente*; portanto, "bodhichitta" significa literalmente "mente de iluminação". Ela é definida como uma mente, motivada por compaixão por todos os seres vivos, que busca espontaneamente a iluminação para beneficiar todos e cada um dos seres vivos. A bodhichitta nasce da compaixão, que, por sua vez, depende do amor apreciativo. O amor apreciativo pode ser comparado a um campo; a compaixão, às sementes; a prática de tomar e dar, com os métodos supremos que fazem com que as sementes se desenvolvam; e a bodhichitta, à colheita. O amor apreciativo que é desenvolvido por meio da prática de trocar eu por outros é mais profundo que o desenvolvido por outros métodos, e, por essa razão, a compaixão e a bodhichitta resultantes são, também, muito mais profundas. Se tivermos compaixão por todos os seres vivos gerada pela prática de trocar eu por outros, a bodhichitta surgirá naturalmente. A força da nossa bodhichitta depende inteiramente da força da nossa compaixão.

De todas as realizações de Dharma, a bodhichitta é a suprema. Essa mente profundamente compassiva é a verdadeira essência do treino do Bodhisattva. Desenvolver e manter o bom coração da bodhichitta nos permite transformar todas as nossas virtudes no caminho à iluminação, solucionar todos os nossos problemas, satisfazer todos os nossos desejos e desenvolver o poder de ajudar os outros das maneiras mais adequadas e benéficas. A bodhichitta é o melhor amigo que podemos ter e a qualidade mais elevada que podemos desenvolver. No momento que desenvolvemos a bodhichitta, tornamo-nos um Bodhisattva, um Filho ou Filha de Buda Conquistador.

Atisha teve muitos professores, mas o professor que ele reverenciava acima de todos era Guru Serlingpa. Sempre que ouvia o nome de Serlingpa, Atisha se prostrava. Quando os discípulos de Atisha lhe perguntavam por que respeitava Serlingpa mais que aos outros professores, Atisha respondia: "Foi graças à bondade de Guru Serlingpa que eu tenho agora o bom coração da bodhichitta". Pelo poder da sua bodhichitta, Atisha era capaz de provocar grande alegria e felicidade em qualquer um que encontrasse, e tudo o que fazia era para beneficiar os outros.

De que modo a bodhichitta soluciona todos os nossos problemas e satisfaz todos os nossos desejos? Como já foi explicado, problemas não existem fora da mente; eles são nossas sensações desagradáveis que surgem, necessariamente, do nosso autoapreço. Se tivéssemos a mente compassiva da bodhichitta, nosso autoapreço não teria poder de nos fazer experienciar problemas. Com esse supremo bom coração, seremos felizes o tempo todo. Ademais, com a mente supremamente altruísta da bodhichitta, criaremos uma vasta quantidade de mérito, ou boa fortuna, porque estaremos empenhados, em todas as nossas ações, para beneficiar os outros. Com tamanha acumulação de mérito, nossos desejos serão facilmente satisfeitos, desenvolveremos uma imensa capacidade de beneficiar os outros e todas as nossas atividades de Dharma serão bem-sucedidas.

Precisamos contemplar os benefícios da bodhichitta até ficarmos profundamente inspirados a desenvolver essa mente rara e preciosa. Uma apresentação extensa desses benefícios pode ser encontrada nos livros *Contemplações Significativas* e *Caminho Alegre da Boa Fortuna*.

Atualmente, temos uma oportunidade muito especial para desenvolver a bodhichitta. Contudo, não sabemos quanto tempo nossa boa fortuna irá durar, e, se desperdiçarmos esta oportunidade, ela não surgirá outra vez. Se desperdiçássemos uma oportunidade de ganhar muito dinheiro, de obter um bom emprego ou de conquistar um parceiro atraente, provavelmente sentiríamos um forte arrependimento, mas, na verdade, não teríamos perdido muito. Essas coisas não são muito difíceis de serem encontradas e, mesmo quando as encontramos, não nos trazem felicidade verdadeira. Por outro lado, não tirar vantagem desta oportunidade única para desenvolver esse supremo bom coração é uma perda irreparável. Os seres humanos têm a melhor oportunidade para o desenvolvimento espiritual e, dentre todos os tipos de renascimento possíveis que poderíamos ter tido, renascemos como um ser humano. Hoje em dia, a maioria dos seres humanos não tem interesse pelo desenvolvimento espiritual e, entre aqueles que se interessam, apenas alguns poucos encontraram o Budadharma. Se contemplarmos isso cuidadosamente, compreenderemos como somos extremamente afortunados por ter esta preciosa oportunidade de alcançar a felicidade suprema da Budeidade.

DESENVOLVER A BODHICHITTA

Devemos compreender que, apesar do nosso forte desejo de proteger todos os seres vivos, não temos o poder para fazê-lo no momento presente. Assim como uma pessoa que está se afogando não pode salvar outra por mais intenso que seja o seu desejo de fazê-lo, somente seremos capazes de libertar os outros quando nós próprios tivermos nos libertado do sofrimento e das limitações mentais. Se nos perguntarmos quem tem o poder efetivo para proteger todos os seres vivos, compreenderemos que somente um Buda tem esse poder. Somente um Buda é livre de todas as falhas e limitações e possui a sabedoria onisciente e a habilidade para ajudar todos e cada um dos seres vivos de acordo com as necessidades e disposições individuais deles. Somente um Buda alcançou a terra firme da iluminação e está na condição de libertar todos os seres-mães do cruel oceano de sofrimento.

Quando alcançarmos a iluminação de um Buda, seremos capazes de beneficiar todos e cada um dos seres vivos todos os dias, concedendo-lhes bênçãos e ajudando-os através das nossas incontáveis emanações. Se pensarmos profundamente sobre isso, a bodhichitta surgirá naturalmente em nossa mente. Contemplamos:

> *Quero proteger todos os seres vivos do sofrimento, mas, no estado limitado em que me encontro agora, não tenho poder para isso. Visto que somente um Buda tem esse poder, preciso me tornar um Buda, um ser iluminado, o mais rapidamente possível.*

Meditamos estritamente focados nessa determinação, que é a bodhichitta, muitas e muitas vezes, até desenvolvermos o desejo espontâneo de alcançar a iluminação para beneficiar todos e cada um dos seres vivos todos os dias.

Precisamos ter essa preciosa mente de bodhichitta em nosso coração. Ela é o nosso Guia Espiritual interior, que nos conduz diretamente ao estado da suprema felicidade da iluminação, e é também a verdadeira joia-que-satisfaz-os-desejos, por meio da qual podemos satisfazer nossos próprios desejos e os dos outros. Não existe intenção mais benéfica do que essa.

Quando queremos tomar uma xícara de chá, nosso desejo principal é tomar chá, mas, para satisfazer esse desejo, geramos naturalmente o desejo secundário de obter uma xícara. Do mesmo modo, o desejo principal daqueles que têm grande compaixão é proteger todos os seres vivos dos seus sofrimentos; mas, para satisfazer esse desejo, eles sabem que primeiro precisam, eles próprios, alcançar a Budeidade e, por isso, geram naturalmente o desejo secundário de alcançar a iluminação. Assim como obter uma xícara é o meio para cumprir nossa meta de tomar chá, alcançar a iluminação é o meio para conquistarmos nossa meta última de beneficiar todos os seres vivos.

Inicialmente, nossa bodhichitta será uma bodhichitta artificial, ou fabricada, surgindo apenas quando fazemos um esforço específico para gerá-la. A melhor maneira de transformá-la na bodhichitta espontânea consiste em obter uma profunda familiaridade com essa mente por meio de prática contínua. Como passamos a maior parte do nosso tempo fora da sessão de meditação, é vital que façamos uso de todas as oportunidades para aprimorar nosso treino na bodhichitta durante nossa vida diária. Precisamos fazer com que nossas sessões de meditação e nossa prática nos intervalos entre as meditações apoiem-se mutuamente. Durante nossa sessão de meditação, podemos experienciar um estado mental pacífico e desenvolver muitas intenções virtuosas, mas, se nos esquecermos delas assim que sairmos da meditação, não seremos capazes de solucionar nossos problemas diários de raiva, apego e ignorância, tampouco faremos progressos em nossa prática espiritual. Devemos aprender a integrar nossa prática espiritual com nossas atividades diárias, de modo que possamos manter, dia e noite, os estados mentais pacíficos, intenções puras e visão pura que desenvolvemos durante a meditação.

No momento, podemos achar que nossas meditações e nossa vida diária estão nos puxando em direções opostas. Em meditação, tentamos gerar mentes virtuosas, mas, porque não conseguimos parar de pensar em nossas outras atividades, nossa concentração é muito pobre. Os sentimentos virtuosos que conseguimos desenvolver são, então, rapidamente dissipados na agitação da vida diária e, quando voltamos para nossa almofada de meditação, estamos cansados, tensos e repletos de pensamentos distrativos. Podemos superar esse problema transformando todas as nossas atividades e experiências diárias em caminho espiritual através de desenvolver maneiras especiais de pensar. Atividades como cozinhar, trabalhar, conversar e descansar não são intrinsecamente mundanas; elas serão mundanas somente se forem feitas com uma mente mundana. Se executarmos exatamente as mesmas ações com uma motivação espiritual, elas irão se tornar práticas espirituais puras. Por exemplo, quando conversamos com nossos amigos, nossa motivação normalmente está misturada com autoapreço e falamos tudo aquilo que nos vem à mente, sem nos importar se o que falamos é benéfico ou não. No entanto, podemos conversar com os outros com o único propósito de beneficiá-los, incentivando-os a desenvolverem estados mentais positivos e tomando o cuidado para não dizer nada que possa perturbá-los. Em vez de pensar sobre como podemos causar boa impressão nos outros, devemos pensar em como podemos ajudá-los, lembrando que estão presos no samsara e que carecem de felicidade pura. Desse modo, conversar com nossos amigos pode se tornar um meio para aprimorarmos nosso amor, compaixão e demais realizações. Se conseguirmos transformar habilidosamente todas as nossas atividades diárias desse modo, em vez de nos sentirmos esgotados e cansados quando nos sentarmos para meditar, iremos nos sentir alegres e inspirados e será fácil desenvolvermos concentração pura.

Desenvolver grande compaixão, compaixão por todos os seres vivos, é a causa principal, ou substancial, para gerar a bodhichitta – ela é como a semente da bodhichitta. Para possibilitar que essa semente cresça, precisamos também das condições cooperativas de acumular mérito, purificar negatividade e receber as bênçãos dos Budas e Bodhisattvas. Se reunirmos todas essas causas e condições, não será difícil desenvolver a bodhichitta. Para realizar os desejos da nossa compassiva mente de bodhichitta, precisamos nos empenhar sinceramente nas práticas de dar, disciplina moral, paciência, esforço, concentração e sabedoria. Quando essas práticas são motivadas por bodhichitta, elas são denominadas "as seis perfeições". Precisamos, especialmente, aplicar grande esforço para treinar a sabedoria que realiza a verdade última – a vacuidade. Devemos saber que uma realização direta da vacuidade motivada por bodhichitta é bodhichitta última, que é da natureza da sabedoria. A bodhichitta que foi explicada acima é a bodhichitta convencional, que é da natureza da compaixão. Essas duas bodhichittas são como as duas asas de um pássaro, com as quais podemos voar diretamente para a Terra Pura iluminada.

Bodhichitta Última

QUANDO MEDITAMOS NA verdade última, ou vacuidade, motivados por bodhichitta, estamos treinando a bodhichitta última. A bodhichitta última propriamente dita é uma sabedoria que, motivada por bodhichitta, realiza a vacuidade diretamente. Ela é denominada "bodhichitta última" porque seu objeto é a verdade última, a vacuidade, e é um dos principais caminhos à iluminação.

Se não soubermos o significado da vacuidade, não haverá base para treinarmos a bodhichitta última, porque a vacuidade é o objeto da bodhichitta última. Qual é a diferença entre *vazio* e *vacuidade*? No Budismo, a vacuidade possui grande significado. A vacuidade é a verdadeira natureza das coisas e é um objeto muito profundo e significativo. Se realizarmos diretamente a vacuidade, alcançaremos libertação permanente de todos os sofrimentos desta vida e das incontáveis vidas futuras; não existe significado maior do que esse. Portanto, a vacuidade é um objeto muito significativo, mas um vazio é apenas vazio – ele não possui significado especial. Há um vazio de existência inerente, mas não há vacuidade de existência inerente, porque a existência inerente, ela própria, não existe.

Je Tsongkhapa disse:

> O conhecimento da vacuidade é superior a qualquer outro conhecimento,
> O professor que ensina inequivocamente a vacuidade é superior a qualquer outro professor,
> E a realização da vacuidade é a verdadeira essência do Budadharma.

Se realmente não quisermos experienciar problemas e sofrimento, precisamos realizar a vacuidade, a ausência do em-si de pessoas e de fenômenos. Marpa Lotsawa, o guru de Milarepa, disse:

> Na Índia Oriental, próximo ao Rio Ganges,
> Conheci o Venerável Maitripa e, através da sua grande bondade,
> Realizei que as coisas que eu normalmente vejo não existem.
> Assim, todas as minhas experiências de problemas
>   e sofrimentos cessaram.

Devemos saber que, desde tempos sem início, nossa maneira de identificar nosso *self*, ou *eu*, tem sido equivocada. Acreditamos que o nosso *self* que normalmente percebemos é o nosso *self*. Essa crença é ignorância, pois o nosso *self* que normalmente percebemos não existe. Todas as coisas que normalmente vemos não existem. Isso será explicado em detalhes a seguir. Devido a essa ignorância, desenvolvemos e experienciamos vários tipos de aparência equivocada e, por causa disso, experienciamos diversos tipos de sofrimentos e problemas, semelhantes a alucinações, ao longo de toda esta vida e vida após vida, interminavelmente. Por outro lado, se identificarmos nosso *self* como uma mera aparência que não é nada além que a vacuidade de todos os fenômenos – a mera ausência de todos os fenômenos que normalmente vemos ou percebemos – nossa aparência equivocada irá reduzir e, por fim, cessará por completo. Experienciaremos, então, a felicidade suprema do nirvana, ou iluminação.

O QUE É A VACUIDADE?

Vacuidade é o modo como as coisas realmente são. É o modo como as coisas existem, que é oposto ao modo como elas aparecem. Acreditamos naturalmente que as coisas que vemos ao nosso redor – como mesas, cadeiras e casas – são verdadeiramente existentes porque acreditamos que elas existem exatamente do modo como aparecem. No entanto, o modo como as coisas aparecem aos nossos sentidos é enganoso e completamente contraditório ao modo como elas realmente existem. As coisas aparecem como existindo do seu próprio lado, sem dependerem da nossa mente. Este livro que aparece à nossa mente, por exemplo, parece ter sua própria existência objetiva, independente. Ele parece estar "fora", ao passo que nossa mente parece estar "dentro". Sentimos que o livro pode existir sem a nossa mente; não sentimos que nossa mente esteja, de alguma maneira, envolvida em trazer o livro à existência. Esse modo de existência, independente da nossa mente, recebe várias denominações: "existência verdadeira", "existência inerente", "existência do seu próprio lado" e "existência do lado do objeto".

Embora as coisas apareçam diretamente aos nossos sentidos como sendo verdadeiramente existentes, ou inerentemente existentes, na verdade todos os fenômenos carecem, ou são vazios, de existência verdadeira. Este livro, nosso corpo, nossos amigos, nós próprios e o universo inteiro são, em realidade, apenas aparências à mente, como coisas vistas em um sonho. Se sonharmos com um elefante, o elefante aparecerá vividamente com todos os seus detalhes – poderemos vê-lo, ouvi-lo, cheirá-lo e tocá-lo; mas, quando acordarmos, realizaremos que ele era apenas uma aparência à mente. Não iremos perguntar "Onde está o elefante, agora?" porque entenderemos que ele era simplesmente uma projeção da nossa mente e não tinha existência fora da nossa mente. Quando a percepção onírica que apreendia o elefante cessou, o elefante não foi para lugar algum – ele simplesmente desapareceu, pois era apenas uma aparência à mente e não existia separado da mente. Buda disse que isso também é verdadeiro para todos os fenômenos; eles são meras aparências à mente, em total dependência das mentes que os percebem.

O mundo que experienciamos quando estamos acordados e o mundo que experienciamos quando sonhamos são, ambos, meras aparências à mente e que surgem das nossas concepções equivocadas. Se quisermos afirmar que o mundo do sonho é falso, teremos também que dizer que o mundo da vigília é falso; e se quisermos afirmar que o mundo da vigília é verdadeiro, também teremos que dizer que o mundo onírico, ou mundo do sonho, é verdadeiro. A única diferença entre eles é que o mundo onírico é uma aparência para a nossa mente sutil do sonho, ao passo que o mundo da vigília é uma aparência para a nossa mente densa da vigília. O mundo onírico existe apenas enquanto existir a percepção onírica para a qual ele aparece, e o mundo da vigília existe apenas enquanto existir a percepção da vigília para a qual ele aparece. Buda disse: "Deves saber que todos os fenômenos são como sonhos". Quando morremos, nossas mentes densas da vigília se dissolvem em nossa mente muito sutil, e o mundo que experienciávamos quando estávamos vivos simplesmente desaparece. O mundo tal como os outros o percebem continuará, mas o nosso mundo pessoal desaparecerá tão completa e irrevogavelmente como o mundo do sonho da noite passada desapareceu.

Buda também declarou que todos os fenômenos são como ilusões. Há muitos tipos diferentes de ilusão, como miragens, arco-íris e alucinações provocadas por drogas. Em tempos antigos, era costume haver mágicos que podiam lançar um encantamento sobre uma plateia, fazendo com que as pessoas vissem um objeto qualquer – um pedaço de madeira, por exemplo – como se fosse um tigre ou qualquer outra coisa. Os que estavam iludidos pelo encantamento viam o que aparecia como um tigre de verdade e desenvolviam medo, mas as pessoas que chegassem após o encantamento ter sido lançado viam, simplesmente, um pedaço de madeira. O que todas as ilusões têm em comum é que o modo como elas aparecem não coincide com o modo como elas existem. Buda comparou todos os fenômenos a ilusões porque, devido à força das marcas da ignorância do agarramento ao em-si acumuladas desde tempos sem início, o que quer que apareça à nossa mente aparece, naturalmente, como verdadeiramente existente e, instintivamente, concordamos com essa aparência; mas, em realidade, tudo é totalmente vazio de existência verdadeira. Assim como uma miragem, que aparece como sendo água quando, de fato, não é água, as coisas aparecem de um modo enganoso. Por não compreendermos sua real natureza, somos enganados pelas aparências e nos aferramos a livros e mesas, corpos e mundos como verdadeiramente existentes. O resultado de nos aferrarmos aos fenômenos desse modo é que desenvolvemos autoapreço, apego, ódio, inveja e demais delusões, nossa mente torna-se agitada e desequilibrada e a nossa paz mental é destruída. Somos como viajantes em um deserto, que se esgotam correndo atrás de miragens, ou como alguém andando à noite por uma rua ou estrada, confundindo as sombras das árvores com criminosos ou animais selvagens à espreita para atacar.

A VACUIDADE DO NOSSO CORPO

Para compreender como os fenômenos são vazios de existência verdadeira, ou inerente, devemos considerar nosso próprio corpo. Uma vez que tenhamos compreendido como o nosso corpo carece de existência verdadeira, facilmente poderemos aplicar o mesmo raciocínio para outros objetos.

No *Guia do Estilo de Vida do Bodhisattva*, Shantideva diz:

Portanto, não há corpo,
Mas, devido à ignorância, vemos um corpo presente nas
  mãos e assim por diante,
Assim como uma mente que, de maneira equivocada,
  apreende uma pessoa
Quando observa o formato de uma pilha de pedras ao
  anoitecer.

Em certo nível, conhecemos muito bem o nosso corpo – sabemos se ele está saudável ou doente, se é bonito ou feio, e assim por diante. No entanto, nunca o examinamos mais profundamente, questionando-nos: "O que é o meu corpo, precisamente? Onde está o meu corpo? Qual é a sua verdadeira natureza?". Se examinássemos nosso corpo desse modo, não seríamos capazes de encontrá-lo – em vez de encontrar o nosso corpo, o resultado desse exame seria o desaparecimento do nosso corpo. O significado do primeiro verso da estrofe de Shantideva, "Portanto, não há corpo", é que, se procurarmos por nosso corpo "real", não há corpo; o nosso corpo existe apenas se não procurarmos por um corpo real por detrás de sua mera aparência.

Há duas maneiras de procurar um objeto. Um exemplo da primeira maneira, que podemos chamar de "busca convencional", é procurar por nosso carro em um estacionamento. A conclusão desse tipo de busca é que encontraremos o carro, no sentido de que veremos a coisa que todos concordam ser nosso carro. No entanto, tendo localizado nosso carro no estacionamento, vamos supor que ainda não estejamos satisfeitos com a mera aparência do carro e que desejemos determinar exatamente o que o carro é. Empenhamo-nos, então, naquilo que podemos denominar de "busca última" pelo carro, pela qual olhamos em profundidade para o objeto ele próprio, a fim de encontrar algo que seja o objeto. Para fazer isso, perguntamo-nos: "Alguma das partes individuais do carro é o carro? As rodas são o carro? O motor é o carro? O chassi é o carro?", e assim por diante. Quando, ao conduzir uma busca última pelo nosso carro, não ficarmos satisfeitos apenas em apontar para o capô, as rodas e assim por diante e, então, dizermos "carro", vamos querer saber o que o carro de fato é. Em vez de apenas usarmos a palavra "carro", como as pessoas comuns fazem, vamos querer saber a que a palavra "carro", em realidade, se refere. Vamos querer separar mentalmente o carro de tudo aquilo que *não é carro*, para que possamos dizer: "Isto é o que o carro realmente é". Queremos encontrar um carro, mas, na verdade, não há carro: não podemos encontrar coisa alguma. No *Sutra Perfeição de Sabedoria Condensado*, Buda diz: "Se procurares por teu corpo com sabedoria, não conseguirás encontrá-lo". Isso também se aplica ao nosso carro, à nossa casa e a todos os demais fenômenos.

No *Guia do Estilo de Vida do Bodhisattva*, Shantideva diz:

Quando examinado dessa maneira,
Quem está vivendo e quem é este que morrerá?

O que é o futuro e o que é o passado?
Quem são os nossos amigos e quem são os nossos parentes?

Rogo a ti, que és exatamente como eu,
Por favor, reconhece que todas as coisas são vazias, como o espaço.

O sentido essencial dessas palavras é que, quando procuramos pelas coisas com sabedoria, não existe pessoa que esteja vivendo ou morrendo, não há passado ou futuro e não existe presente, assim como os nossos amigos e parentes. Devemos compreender que todos os fenômenos são vazios como o espaço, o que significa que devemos compreender que todos os fenômenos não são algo além que vacuidade.

Para compreender a afirmação de Shantideva de que, em realidade, não há corpo, precisamos conduzir uma busca última pelo nosso corpo. Se formos seres comuns, todos os objetos, incluindo nosso corpo, aparecem como existindo inerentemente. Como já foi mencionado, os objetos parecem ser independentes da nossa mente e independentes dos demais fenômenos. O universo aparece como constituído de objetos separados, independentes, que têm existência do seu próprio lado. Esses objetos aparecem existindo em si mesmos, como estrelas, planetas, montanhas, pessoas e assim por diante, "esperando" para serem experienciados por seres conscientes. Normalmente, não nos ocorre que estejamos, de algum modo, envolvidos na existência desses fenômenos. Por exemplo, sentimos que nosso corpo existe do seu próprio lado e que ele não depende da nossa mente ou da mente de qualquer outra pessoa para trazê-lo à existência. No entanto, se nosso corpo existisse desse modo ao qual instintivamente nos agarramos – mais propriamente, como um objeto exterior, em vez de existir apenas como uma projeção da mente – deveríamos ser capazes de apontar para o nosso corpo sem que apontássemos para qualquer outro fenômeno que não seja o nosso corpo. Deveríamos ser capazes de encontrá-lo entre suas partes ou fora de suas partes. Já que não há uma terceira possibilidade, se nosso corpo não puder ser encontrado entre suas partes nem fora de suas partes, devemos concluir que o nosso corpo que normalmente vemos não existe.

Não é difícil compreender que as partes individuais do nosso corpo não são o nosso corpo – é absurdo dizer que nossas costas, pernas ou nossa cabeça são o nosso corpo. Se uma das partes – digamos, as costas – for o nosso corpo, então as outras partes são igualmente o nosso corpo, e seguir-se-á que temos muitos corpos. Além disso, nossas costas, pernas e assim por diante não podem ser o nosso corpo porque elas são partes do nosso corpo. O corpo é o possuidor das partes, e as costas, pernas e assim por diante são as partes possuídas; e o possuidor e a posse não podem ser o mesmo.

Algumas pessoas acreditam que, embora nenhuma das partes individuais do corpo seja o corpo, a coleção de todas as partes reunidas é o corpo. De acordo com elas, é possível encontrar nosso corpo quando procuramos analiticamente por ele, porque a coleção de todas as partes do nosso corpo é o nosso corpo. Entretanto, essa afirmação pode ser refutada com muitas razões válidas. A força desses raciocínios talvez não seja imediatamente óbvia para nós, mas, se os contemplarmos de maneira bastante cuidadosa, com uma mente calma e positiva, iremos apreciar sua validade.

Já que nenhuma das partes individuais do nosso corpo é o nosso corpo, de que maneira a coleção, ou o conjunto, de todas as partes pode ser o nosso corpo? Por exemplo, um conjunto de cachorros não pode ser um ser humano, já que nenhum dos cachorros, individualmente, é humano. Como cada membro individual é "não humano", de que maneira essa coleção de *não humanos* pode se transformar magicamente em um ser humano? Do mesmo modo, uma vez que a coleção das partes do nosso corpo é uma coleção de coisas que não são o nosso corpo, ela não pode ser o nosso corpo. Assim como o conjunto de cachorros permanece simplesmente como *cachorros*, a coleção de todas as partes do nosso corpo permanece simplesmente como *partes do nosso corpo* – a coleção não se transforma, magicamente, no possuidor das partes: o nosso corpo.

Podemos achar esse ponto difícil de compreender, mas, se pensarmos sobre isso por um longo tempo, com uma mente calma e positiva, e debatermos com praticantes mais experientes, ele irá se tornar mais claro gradualmente. Podemos também consultar livros autênticos sobre o assunto, como *Novo Coração de Sabedoria* e *Oceano de Néctar*.

Existe outra maneira pela qual podemos compreender que a coleção das partes do nosso corpo não é o nosso corpo. Se pudermos apontar para a coleção das partes do nosso corpo e dizer que a coleção é, em si mesma, nosso corpo, então a coleção das partes do nosso corpo precisa existir independentemente de todos os fenômenos que não são nosso corpo. Desse modo, segue-se que a coleção das partes do nosso corpo existiria independentemente de suas próprias partes. Isso é, claramente, um absurdo – se isso fosse verdade, poderíamos remover todas as partes do nosso corpo e a coleção das partes permaneceria. Podemos concluir, portanto, que a coleção das partes do nosso corpo não é o nosso corpo.

Já que o corpo não pode ser encontrado dentro de suas partes, nem como uma parte individual nem como a coleção das partes, a única possibilidade que resta é que o corpo exista separado de suas partes. Se esse for o caso, seria possível remover, física ou mentalmente, todas as partes do nosso corpo e, ainda assim, ficar com o corpo. No entanto, se removermos nossos braços, pernas, cabeça, tronco e todas as demais partes do nosso corpo, não restará nenhum corpo. Isso prova que não existe um corpo separado de suas partes. Devido à ignorância, sempre que apontamos para o nosso corpo, apontamos apenas para uma parte do corpo – parte essa que não é nosso corpo.

Acabamos de procurar em todos os lugares possíveis e fomos incapazes de encontrar nosso corpo, seja entre suas partes ou em qualquer outro lugar. Não conseguimos encontrar nada que corresponda ao corpo que aparece de modo tão vívido e ao qual normalmente nos aferramos. Somos forçados a concordar com Shantideva que, quando procuramos por nosso corpo, não há um corpo a ser encontrado. Isso prova, de modo bastante claro, que o nosso corpo que normalmente vemos não existe. É quase como se o nosso corpo não existisse de modo algum. De fato, o único meio pelo qual podemos dizer que nosso corpo existe é se ficarmos satisfeitos com o mero nome "corpo" e não esperarmos encontrar um corpo real por detrás do nome. Se tentarmos encontrar, ou apontar, um corpo real ao qual o nome "corpo" se refira, não iremos encontrar absolutamente nada. Ao invés de encontrarmos um corpo verdadeiramente existente, perceberemos a mera ausência do nosso corpo que normalmente vemos. Essa mera ausência do nosso corpo que normalmente vemos é o modo como o nosso corpo existe de fato. Compreenderemos e realizaremos que o corpo que normalmente percebemos, ao qual nos aferramos e apreciamos, não existe de modo algum. Essa não existência do corpo ao qual normalmente nos agarramos é a vacuidade do nosso corpo, a verdadeira natureza do nosso corpo.

O termo "verdadeira natureza" é muito significativo. Não satisfeitos com a mera aparência e nome "corpo", examinamos nosso corpo para descobrir sua verdadeira natureza. O resultado desse exame foi que o nosso corpo é, definitivamente, impossível de ser encontrado. Onde esperávamos encontrar um corpo verdadeiramente existente, descobrimos a absoluta não existência desse corpo verdadeiramente existente. Essa não existência, ou vacuidade, é a verdadeira natureza do nosso corpo. Exceto a mera ausência de um corpo verdadeiramente existente, não existe nenhuma outra verdadeira natureza do nosso corpo – qualquer outro atributo do corpo é, apenas, parte de sua natureza enganosa. Já que esse é o caso, porque gastamos tanto tempo nos concentrando na natureza enganosa do nosso corpo? No momento presente, ignoramos a verdadeira natureza do nosso corpo e a dos outros fenômenos, e nos concentramos apenas em sua natureza enganosa; o resultado de nos concentrarmos todo o tempo em objetos enganosos é que a nossa mente fica perturbada e permanecemos na vida infeliz do samsara. Se quisermos experienciar felicidade pura, precisamos familiarizar nossa mente com a verdade. Em vez de desperdiçar nossa energia nos concentrando apenas em objetos enganosos e sem significado, devemos nos concentrar na verdadeira natureza das coisas.

Embora seja impossível encontrar nosso corpo quando procuramos por ele analiticamente, ele aparece de modo muito claro quando não estamos envolvidos em analisá-lo. Por que isso acontece? Shantideva diz que, devido à ignorância, vemos nosso corpo dentro das mãos e das outras partes do nosso corpo. Em realidade, o nosso corpo não existe dentro das suas partes. Assim como podemos, ao anoitecer, ver uma pilha de pedras como se fosse um homem, mesmo que não exista homem algum entre as pedras, do mesmo modo, nossa mente ignorante vê um corpo dentro da coleção de braços, pernas e assim por diante, ainda que não exista corpo algum ali. O corpo que vemos dentro da coleção de braços e pernas é, simplesmente, uma alucinação da nossa mente ignorante. No entanto, porque não o reconhecemos como uma alucinação, nos aferramos muito fortemente a ele, apreciando-o e extenuando-nos na tentativa de protegê-lo de qualquer desconforto.

A maneira de familiarizar nossa mente com a verdadeira natureza do corpo é usar o raciocínio acima para procurar pelo nosso corpo e, depois, quando o tivermos procurado em todos os lugares possíveis e não o tivermos encontrado, nos concentrarmos na vacuidade semelhante-ao-espaço, que é a mera ausência do corpo que normalmente vemos. Essa vacuidade semelhante-ao-espaço é a verdadeira natureza do nosso corpo. Embora se assemelhe a um espaço vazio, é um vazio muito significativo. Seu significado é a absoluta não existência do corpo que normalmente vemos, o corpo ao qual nos agarramos tão fortemente e que temos apreciado e cuidado durante toda a nossa vida.

Ao nos familiarizarmos com a experiência da natureza última semelhante-ao-espaço do nosso corpo, nosso agarramento ao nosso corpo será reduzido. Como resultado, experienciaremos muito menos sofrimento, ansiedade e frustração com relação ao nosso corpo. A nossa tensão física diminuirá e nossa saúde irá melhorar e, mesmo que fiquemos doentes, nosso desconforto físico não pertubará nossa mente. Aqueles que têm uma experiência direta da vacuidade não sentem dor alguma, mesmo que sejam espancados ou baleados. Compreendendo que a verdadeira natureza de seu corpo é semelhante ao espaço, ser espancado é, para eles, como bater no espaço, e ser baleado é como atirar no espaço. Além disso, boas e más condições exteriores não têm mais o poder de perturbar suas mentes, porque eles realizaram que as condições exteriores são como a ilusão de um mágico – elas não têm existência separada da mente. Em vez de serem controlados pela mudança das condições, como uma marionete é controlada pelos fios, suas mentes permanecem livres e tranquilas na sabedoria da natureza última, idêntica e imutável, de todas as coisas. Desse modo, uma pessoa que realize diretamente a vacuidade, a verdadeira natureza dos fenômenos, experiencia paz e felicidade dia e noite, vida após vida.

Precisamos fazer a distinção entre o corpo convencionalmente existente, que existe, e o corpo inerentemente existente, que não existe; mas precisamos tomar cuidado para não sermos enganados pelas palavras, pensando que o corpo convencionalmente existente é algo mais do que uma mera aparência à mente. Talvez seja menos confuso apenas dizer que, para uma mente que vê diretamente a verdade, ou vacuidade, não existe corpo. Um corpo só existe para uma mente comum, para a qual um corpo aparece.

Shantideva nos aconselha que, a menos que desejemos entender a vacuidade, não devemos examinar as verdades convencionais – como o nosso corpo, posses, lugares e amigos –, mas, em vez disso, ficarmos satisfeitos com os seus meros nomes, da mesma maneira que as pessoas comuns. Quando uma pessoa comum, ou mundana, conhece o nome e o propósito de um objeto, ela fica satisfeita por conhecer o objeto e não prossegue com a investigação. Devemos fazer o mesmo, a menos que queiramos meditar na vacuidade. No entanto, devemos lembrar que, se examinássemos os objetos com mais rigor, não os encontraríamos, porque eles simplesmente desapareceriam, do mesmo modo que uma miragem desaparece se tentarmos procurá-la.

O mesmo raciocínio que usamos para provar a carência de existência verdadeira do nosso corpo pode ser aplicado para todos os demais fenômenos. Este livro, por exemplo, parece existir do seu próprio lado, em algum lugar dentro de suas partes; mas, quando examinamos o livro com mais precisão, descobrimos que nenhuma das páginas individualmente nem o conjunto das páginas é o livro, e que, ainda assim, sem as páginas o livro não existe. Ao invés de encontrar um livro verdadeiramente existente, somos levados a contemplar a vacuidade, que é a não existência do livro que anteriormente sustentávamos existir. Devido à nossa ignorância, o livro aparece como se existisse separado da nossa mente, como se a nossa mente estivesse *dentro* e o livro, *fora*. Mas, ao analisar o livro, descobrimos que sua aparência é completamente falsa. Não há livro fora da nossa mente. Não há um livro "lá fora", dentro das páginas. O único modo pelo qual o livro existe é como uma mera aparência à mente, uma mera projeção da mente.

Todos os fenômenos existem por meio de convenção; nada é inerentemente existente. Isso se aplica à mente, a Buda e, até mesmo, à vacuidade. Tudo é meramente designado, ou imputado, pela mente. Todos os fenômenos têm partes – os fenômenos físicos têm partes físicas, e os fenômenos não físicos têm várias partes, ou atributos, que podem ser distinguidos pelo pensamento. Utilizando o mesmo tipo de raciocínio acima, podemos compreender que nenhum fenômeno é uma de suas partes, nem a coleção de suas partes e nem é separado de suas partes. Desse modo, podemos compreender e realizar a vacuidade de todos os fenômenos, a mera ausência de todos os fenômenos que normalmente vemos ou percebemos.

É particularmente útil meditar na vacuidade dos objetos que fazem surgir fortes delusões em nós, como apego e raiva. Ao analisar corretamente, compreenderemos que o objeto que desejamos ou pelo qual temos aversão não existe do seu próprio lado. Sua beleza ou feiura e, até mesmo, sua própria existência, são designadas pela mente. Pensando desse modo, descobriremos que não existe base para o apego ou a raiva.

A VACUIDADE DA NOSSA MENTE

Em *Treinar a Mente em Sete Pontos*, após esquematizar como devemos nos empenhar na meditação analítica da vacuidade de existência inerente dos fenômenos exteriores, como o nosso corpo, Geshe Chekhawa continua dizendo que precisamos, então, analisar nossa própria mente para compreender de que maneira ela carece de existência inerente.

A nossa mente não é uma entidade independente, mas um *continuum* em constante mudança, que depende de muitos fatores; por exemplo: os seus momentos anteriores, os seus objetos e os ventos-energia interiores sobre os quais nossas mentes estão montadas. Assim como qualquer coisa, nossa mente é designada a uma coleção de muitos fatores e, por essa razão, carece de existência inerente. Uma mente primária, ou consciência, por exemplo, tem cinco partes, ou "fatores mentais": sensação, discriminação, intenção, contato e atenção. Nem os fatores mentais, individualmente, nem a coleção desses fatores mentais é a mente primária ela própria, porque eles são fatores mentais e, portanto, partes da mente primária. No entanto, não existe mente primária separada desses fatores mentais. Uma mente primária é meramente designada aos fatores mentais, que são a sua base de designação, e, portanto, ela não existe do seu próprio lado.

Tendo identificado a natureza da nossa mente primária, que é um vazio semelhante-ao-espaço que percebe ou compreende objetos, procuramos então por ela dentro de suas partes (sensação, discriminação, intenção, contato e atenção) até finalmente realizarmos que ela não pode ser encontrada – ela é inencontrável. Essa impossibilidade de encontrar nossa mente é a sua natureza última, ou vacuidade. Então, pensamos:

Todos os fenômenos que aparecem à minha mente são da natureza da minha mente. A minha mente é da natureza da vacuidade.

Desse modo, sentimos que tudo se dissolve na vacuidade. Percebemos apenas a vacuidade de todos os fenômenos e meditamos nessa vacuidade. Essa maneira de meditar na vacuidade é mais profunda que a meditação na vacuidade do nosso corpo. Nossa experiência da vacuidade irá se tornar, de modo gradual, mais e mais clara até, por fim, adquirirmos uma sabedoria imaculada que realiza diretamente a vacuidade de todos os fenômenos.

A VACUIDADE DO NOSSO EU

O objeto ao qual nos aferramos mais fortemente é o nosso *self*, ou *eu*. Devido às marcas da ignorância do agarramento ao em-si acumuladas desde tempos sem início, o nosso *eu* aparece para nós como inerentemente existente, e a nossa mente de agarramento ao em-si agarra-se automaticamente a ele desse modo. Embora nos agarremos a um *eu* inerentemente existente o tempo todo – mesmo durante o sono –, não é fácil identificar de que maneira ele aparece à nossa mente. Para identificá-lo de modo claro, devemos começar permitindo que ele se manifeste fortemente, por meio de contemplar as situações nas quais temos uma sensação exagerada do *eu*, como quando ficamos constrangidos, envergonhados, amedrontados ou indignados. Recordamos ou imaginamos uma situação assim e, então, sem nenhum comentário ou análise, tentamos obter uma imagem mental clara da maneira como o *eu* naturalmente aparece nesses momentos. Temos de ser pacientes nesta etapa, pois podemos levar muitas sessões antes de obtermos uma imagem clara. Por fim, veremos que o *eu* aparece como se fosse totalmente sólido e real, existindo do seu próprio lado, sem depender do corpo ou da mente. Esse *eu* que aparece vividamente é o *eu* inerentemente existente, que tão fortemente apreciamos e cuidamos. Ele é o *eu* que defendemos quando somos criticados e do qual ficamos tão orgulhosos quando somos elogiados.

Uma vez que tenhamos uma imagem de como o *eu* aparece nessas circunstâncias extremas, devemos tentar identificar de que maneira ele aparece normalmente, em situações menos extremas. Por exemplo, podemos observar o *eu* que está, agora, lendo este livro e tentar descobrir como ele aparece à nossa mente. Veremos que, embora neste caso, não exista uma sensação exagerada do *eu*, todavia o *eu* continua a aparecer como sendo inerentemente existente, existindo do seu próprio lado, sem depender do corpo ou da mente. Uma vez que tenhamos uma imagem do *eu* inerentemente existente, concentramo-nos estritamente focados nela por algum tempo. Então, durante a meditação, avançamos para a próxima etapa, que é contemplar raciocínios válidos para provar que o *eu* inerentemente existente, ao qual nos agarramos, não existe de fato. O *eu* inerentemente existente e o nosso *self* que normalmente percebemos são o mesmo; devemos saber que nenhum deles existe – ambos são objetos negados pela vacuidade.

Se o *eu* existe do modo como aparece, ele precisa existir num destes quatro modos: como o corpo; como a mente; como a coleção, ou conjunto, de corpo e mente; ou como algo separado do corpo e da mente – não há outra possibilidade. Contemplamos esse argumento com bastante cuidado, até ficarmos convencidos de que esse é exatamente o caso e, então, procedemos ao exame de cada uma das quatro possibilidades:

(1) Se o nosso *eu* for o nosso corpo, não faz sentido dizer "meu corpo", porque o possuidor e a posse são idênticos.

Se o nosso *eu* for o nosso corpo, então não existe renascimento futuro, porque o *eu* cessa quando o corpo morre.

Se o nosso *eu* e o nosso corpo forem idênticos, então, já que somos capazes de desenvolver fé, sonhar, resolver problemas matemáticos e assim por diante, segue-se que carne, sangue e ossos podem fazer o mesmo.

Já que nada disso é verdadeiro, segue-se que o nosso *eu* não é o nosso corpo.

(2) Se o nosso *eu* for a nossa mente, não faz sentido dizer "minha mente", porque o possuidor e a posse são idênticos; mas, quando focamos nossa mente, é comum dizermos "minha mente". Isto indica, de modo bastante claro, que nosso *eu* não é a nossa mente.

Se o nosso *eu* for a nossa mente, então, já que temos muitos tipos de mente (como as seis consciências, as

mentes conceituais e as mentes não conceituais) segue-
-se que temos muitos "*eus*". Já que isso é um absurdo,
nosso *eu* não pode ser a nossa mente.

(3) Já que o nosso corpo não é o nosso *eu* e a nossa mente
não é o nosso *eu*, a coleção (ou conjunto) do nosso
corpo e mente não pode ser o nosso *eu*. A coleção do
nosso corpo e mente é uma coleção de coisas que não
são o nosso *eu*; logo, como pode a coleção, ela própria, ser o nosso *eu*? Por exemplo, num rebanho de
vacas, nenhum dos animais é uma ovelha; portanto, o
rebanho, ele próprio, não é *ovelha*. Do mesmo modo,
na coleção do nosso corpo e mente, nem o nosso corpo nem a nossa mente são o nosso *eu*; por essa razão,
a coleção, ela própria, não é o nosso *eu*.

(4) Se o nosso *eu* não é o nosso corpo, nem a nossa mente e nem a coleção (ou conjunto) do nosso corpo e
mente, a única possibilidade que resta é que o *eu* seja
algo separado do nosso corpo e da nossa mente. Se
este for o caso, devemos ser capazes de apreender o
nosso *eu* sem que o nosso corpo ou a nossa mente
apareçam; mas, se imaginarmos que o nosso corpo e
a nossa mente desapareceram por completo, não terá
restado coisa alguma que possa ser chamada de nosso
eu. Portanto, segue-se que o nosso *eu* não é separado
do nosso corpo e mente.

Devemos imaginar que o nosso corpo desaparece
gradualmente, como se dissolvesse no ar; em segui-
da, nossa mente se dissolve, nossos pensamentos se
dispersam com o vento e nossos sentimentos, desejos
e percepções se dissolvem em um vazio. Restou algo
que seja o nosso *eu*? Não restou coisa alguma. Fica
claro que o nosso *eu* não é algo separado do nosso
corpo e da nossa mente.

Examinamos todas as quatro possibilidades e não conseguimos encontrar o nosso *eu*, ou *self*. Uma vez que já havíamos decidido que não existe uma quinta possibilidade, devemos concluir que o nosso *eu*, ao qual normalmente nos aferramos e apreciamos, não existe de modo algum. Onde anteriormente aparecia um *eu* inerentemente existente, aparece agora uma ausência desse *eu*. Essa ausência de um *eu* inerentemente existente é vacuidade, a verdade última.

Fazemos essa contemplação desse modo até que nos apareça uma imagem genérica, ou mental, da ausência do nosso *self* que normalmente percebemos. Essa imagem é o nosso objeto da meditação posicionada. Devemos tentar nos familiarizar totalmente com ela, meditando de modo contínuo e estritamente focados pelo maior tempo possível.

Como temos nos agarrado ao nosso *eu* inerentemente existente desde tempos sem início e apreciado esse *eu* acima de qualquer outra coisa, a experiência de não conseguir encontrar nosso *self* durante a meditação pode, no início, ser um tanto chocante. Algumas pessoas desenvolvem medo, pensando "tornei-me totalmente não existente". Outras sentem grande alegria, como se a fonte de todos os seus problemas tivesse desaparecido. Ambas as reações são bons sinais e indicam uma meditação correta. Pouco depois, essas reações iniciais diminuirão e nossa mente irá se acomodar num estado mais equilibrado. Seremos então capazes de meditar na vacuidade do nosso *self* de uma maneira calma, controlada.

Devemos permitir que nossa mente se absorva na vacuidade semelhante-ao-espaço pelo maior tempo possível. É importante lembrar que o nosso objeto de meditação é a vacuidade, a mera ausência do nosso *self* que normalmente percebemos, e não um mero nada, ou inexistência. De vez em quando, devemos verificar nossa meditação, aplicando vigilância. Se a nossa mente se desviou para outro objeto ou se tivermos perdido o significado da vacuidade e estivermos focados em um mero nada, ou inexistência, devemos retornar às contemplações para trazer a vacuidade do nosso *self*, mais uma vez e de modo claro, à nossa mente.

Podemos questionar: "Se o meu *self* que normalmente percebo não existe, então, quem está meditando? Quem sairá da meditação, falará com os outros e responderá quando o meu nome for chamado?". Embora o nosso *self* que normalmente vemos não exista, isso não significa que o nosso *self* não existe de modo algum. Nós existimos como um mero nome. Desde que fiquemos satisfeitos com o mero nome "*eu*", não há problema. Podemos pensar "eu existo", "eu estou indo para a cidade", e assim por diante. O problema surge apenas quando procuramos por nosso *self* que seja diferente do mero nome "*eu*", ou "*self*". A nossa mente se agarra a um *eu* que existe essencialmente, independentemente de designação conceitual, como se houvesse um *eu* "real" existindo por detrás do rótulo. Se existisse um *eu* assim, seríamos capazes de encontrá-lo, mas vimos que o nosso *eu* não pode ser encontrado por investigação. A conclusão da nossa busca foi uma total e definitiva impossibilidade de encontrar o nosso *self*. Essa impossibilidade de encontrar nosso *self* – a sua inencontrabilidade – é a vacuidade do nosso *self*, a natureza última do nosso *self*. Nosso *self* que existe como mero nome é o nosso *self* existente. Do mesmo modo, os fenômenos que existem como mero nome ou mera designação são fenômenos existentes. Não há *self* nem demais fenômenos que existam para além de meras designações, ou imputações. Na verdade, nosso *self* e demais fenômenos, existindo como mera designação, são a natureza última do nosso *self* e dos demais fenômenos – não são a natureza convencional. No início, essas explicações são difíceis de serem compreendidas, mas, por favor, seja paciente. Devemos aplicar esforço para receber as poderosas bênçãos do Buda da Sabedoria Je Tsongkhapa por meio de nos aplicarmos sinceramente na prática da sadhana *Joia-Coração*.

Quando realizamos a vacuidade pela primeira vez, nós o fazemos conceitualmente, por meio de uma imagem genérica. Por meditarmos continuamente na vacuidade muitas e muitas vezes, a imagem genérica torna-se cada vez mais transparente, até desaparecer por completo e vermos a vacuidade diretamente. Essa realização direta da vacuidade será a nossa primeira percepção completamente não equivocada, ou mente *incontaminada*. Até que realizemos a vacuidade diretamente, todas as nossas mentes são percepções equivocadas porque, devido às marcas do agarramento ao em-si – ou ignorância do agarramento ao verdadeiro – os seus objetos aparecem como inerentemente existentes.

Muitas pessoas voltam-se para o extremo da existência, pensando que, se algo existe, isso precisa existir inerentemente, exagerando assim o modo como as coisas existem, sem ficarem satisfeitas com o fato de que os fenômenos existem como meros nomes. Outras podem voltar-se para o extremo da não existência, pensando que, se os fenômenos não existem inerentemente, eles não existem de modo algum, exagerando assim a ausência de existência inerente dos fenômenos. Precisamos compreender que, embora os fenômenos careçam de qualquer traço de existência do seu próprio lado, eles existem convencionalmente como meras aparências para uma mente válida.

As mentes conceituais que se aferram ao nosso *eu* e aos demais fenômenos como sendo verdadeiramente existentes são percepções errôneas e, portanto, devem ser abandonadas, mas eu não estou dizendo que todos os pensamentos conceituais são percepções errôneas e que, portanto, devem ser abandonados. Existem muitas mentes conceituais corretas que são úteis em nossas vidas diárias, como a mente conceitual que lembra o que fizemos ontem ou a mente conceitual que entende o que faremos amanhã. Existem também muitas mentes conceituais que precisam ser cultivadas no caminho espiritual. Por exemplo, a bodhichitta convencional no *continuum* mental de um Bodhisattva é uma mente conceitual porque ela apreende o seu objeto, a grande iluminação, por meio de uma imagem genérica. Além disso, antes que possamos realizar diretamente a vacuidade com uma mente não conceitual, precisaremos realizá-la por meio de um conhecedor válido subsequente, que é uma mente conceitual. Por contemplar os raciocínios que refutam a existência inerente, aparecerá à nossa mente uma imagem genérica da ausência, ou vazio, de existência inerente. Esse é o único modo pelo qual a vacuidade pode aparecer inicialmente à nossa mente. Meditamos, então, nessa imagem com concentração cada vez mais forte até, por fim, percebermos a vacuidade diretamente.

Há algumas pessoas que dizem que o modo de meditar na vacuidade é, simplesmente, esvaziar nossa mente de todos os pensamentos conceituais, argumentando que, assim como nuvens brancas obscurecem o sol tanto quanto nuvens negras, os pensamentos conceituais positivos obscurecem nossa mente tanto quanto os pensamentos conceituais negativos. Essa visão é totalmente equivocada porque, se não aplicarmos esforço algum para adquirir uma compreensão conceitual da vacuidade, mas, em vez disso, tentarmos suprimir todos os pensamentos conceituais, a vacuidade propriamente dita nunca aparecerá à nossa mente. Podemos alcançar uma experiência vívida de um vazio semelhante-ao-espaço, mas isso é apenas a ausência de pensamento conceitual – não é a vacuidade, a verdadeira natureza dos fenômenos. Meditar nesse vazio pode acalmar temporariamente a nossa mente, mas ele nunca destruirá nossas delusões nem nos libertará do samsara e dos seus sofrimentos.

A VACUIDADE DOS FENÔMENOS

Todos os fenômenos estão incluídos em oito, que são: produção, desintegração, impermanência, permanência, ir, vir, singularidade e pluralidade. Devemos saber que todos esses oito fenômenos que normalmente vemos não existem verdadeiramente, porque, se procurarmos por eles com sabedoria, eles desaparecerão. No entanto, esses fenômenos aparecem claramente para nós devido a outras causas e condições. Por exemplo, se todas as causas e condições atmosféricas necessárias se reunirem, nuvens aparecerão. Se essas causas e condições estiverem ausentes, as nuvens não podem aparecer. O aparecimento de nuvens depende totalmente de causas e condições; sem essas causas e condições, as nuvens não têm poder para aparecer. O mesmo é verdadeiro para o aparecimento de montanhas, planetas, corpos, mentes e todos os demais fenômenos. Porque seu aparecimento depende de fatores exteriores a si mesmos para sua existência, eles são vazios de existência inerente, ou independente, e são meras designações feitas pela mente.

Contemplar os ensinamentos sobre carma – as ações e seus efeitos – pode nos ajudar a compreender isso. De onde vêm todas as nossas experiências boas e más? Elas são, na verdade, o resultado das ações positivas e negativas que criamos no passado. Como resultado das ações positivas, pessoas atraentes e agradáveis aparecem em nossa vida, condições materiais agradáveis surgem e vivemos em belos ambientes; mas, como resultado das ações negativas, pessoas e coisas desagradáveis aparecem. Este mundo é o efeito das ações coletivas criadas pelos seres que o habitam. Como as ações se originam na mente – em nossas ações mentais, especificamente – podemos compreender que todos os mundos surgem da mente. Isso é semelhante ao modo como as aparências surgem em um sonho. Tudo o que percebemos quando estamos sonhando é o resultado do amadurecimento de potenciais cármicos em nossa mente e não tem existência alguma fora da nossa mente. Quando nossa mente está calma e pura, marcas cármicas positivas amadurecem e surgem aparências oníricas agradáveis; mas quando nossa mente fica agitada e impura, marcas cármicas negativas amadurecem e surgem aparências desagradáveis e aterrorizantes. De modo semelhante, todas as aparências do nosso mundo quando estamos acordados são, simplesmente, o amadurecimento de marcas cármicas positivas, negativas ou neutras em nossa mente.

Uma vez que tenhamos compreendido como as coisas surgem de suas causas e condições interiores e exteriores e que não têm existência independente, então, simplesmente ver ou pensar sobre a produção dos fenômenos irá nos recordar sua vacuidade. Em vez de reforçar nossa sensação da solidez e objetividade das coisas, começaremos a ver as coisas como manifestações de sua vacuidade, com uma existência que não é mais concreta que a de um arco-íris surgindo em um céu vazio.

Assim como a produção das coisas depende de causas e condições, o mesmo acontece com a desintegração das coisas. Portanto, nem a produção nem a desintegração podem ser verdadeiramente existentes. Por exemplo, se nosso carro novo for destruído, iremos nos sentir infelizes porque nos aferramos a ambos – o carro e a desintegração do carro – como verdadeiramente existentes; mas, se compreendermos que o nosso carro é meramente uma aparência à nossa mente, como um carro em um sonho, sua destruição não nos perturbará. Isso é verdade para todos os objetos do nosso apego: se realizarmos que ambos – os objetos e suas cessações – carecem de existência verdadeira, não haverá base para ficarmos perturbados se formos separados deles.

Todas as coisas funcionais – os nossos ambientes, prazeres, corpo, mente e o nosso *self* – mudam momento a momento. Elas são impermanentes no sentido de que não duram sequer por um instante – nem mesmo até o instante seguinte. O livro que você está lendo neste instante não é o mesmo livro que você estava lendo um instante atrás, e ele apenas pôde vir à existência porque o livro do instante anterior cessou de existir. Quando compreendermos a impermanência sutil – que o nosso corpo, a nossa mente, o nosso *self* e assim por diante não permanecem sequer por um instante – não será difícil compreender que eles são vazios de existência inerente.

Embora possamos concordar que os fenômenos impermanentes são vazios de existência inerente, poderíamos pensar que os fenômenos permanentes, sendo imutáveis e não surgindo de causas e condições, precisariam existir inerentemente. No entanto, mesmo os fenômenos permanentes, como a vacuidade e o espaço não produzido (a mera ausência de obstrução física), são fenômenos dependente-relacionados porque dependem de suas partes, de suas bases e das mentes que os designam; portanto, eles não são inerentemente existentes. Embora a vacuidade seja a realidade última, ela não é independente ou inerentemente existente porque ela também depende de suas partes, de suas bases e das mentes que a designam. Assim como uma moeda de ouro não existe separada do seu ouro, a vacuidade do nosso corpo não existe separada do nosso corpo porque ela é, simplesmente, a carência de existência inerente do nosso corpo.

Sempre que vamos a algum lugar, desenvolvemos o pensamento "eu estou indo", e agarramo-nos a um ato de ir inerentemente existente. De modo semelhante, quando alguém vem nos visitar, pensamos "eles estão vindo", e agarramo-nos a um ato de vir inerentemente existente. Ambas essas concepções são agarramento ao em-si e percepções errôneas. Quando alguém vai embora, sentimos que uma pessoa verdadeiramente existente saiu de verdade, e quando alguém volta, sentimos que uma pessoa verdadeiramente existente retornou de verdade. No entanto, o ir e vir das pessoas são como o aparecimento e o desaparecimento de um arco-íris no céu. Quando as causas e as condições para um arco-íris aparecer estão reunidas, um arco-íris aparece, e quando as causas e as condições para o arco-íris continuar aparecendo se dispersam, o arco-íris desaparece; mas o arco-íris não veio de lugar algum, nem foi para lugar algum.

Quando observamos um objeto, como o nosso *eu*, sentimos fortemente que ele é uma entidade única e indivisível e que a sua singularidade é inerentemente existente. Entretanto, na verdade, nosso *eu* tem muitas partes, como as partes que olham, ouvem, andam e pensam, ou, por exemplo, as partes que são uma professora, uma mãe, uma filha e uma esposa. O nosso *eu* é designado à coleção de todas essas partes. Assim como cada fenômeno individual é uma singularidade, embora sua singularidade seja meramente designada, um exército é meramente designado à coleção de soldados, ou uma floresta é designada à coleção de árvores.

Quando vemos mais que um objeto, consideramos a multiplicidade desses objetos como inerentemente existente. No entanto, assim como uma singularidade é meramente designada, a pluralidade é, do mesmo modo, apenas uma designação feita pela mente e não existe do lado do objeto. Por exemplo, em vez de olhar para uma coleção de soldados ou de árvores do ponto de vista dos soldados ou das árvores individuais, poderíamos vê-los como um exército ou uma floresta, isto é, como uma coleção singular – ou totalidade – e, neste caso, estaríamos olhando para uma singularidade ao invés de uma pluralidade.

Em resumo, uma singularidade não existe do seu próprio lado porque é apenas designada a uma pluralidade – as suas partes. Do mesmo modo, uma pluralidade não existe do seu próprio lado porque ela é apenas designada a uma singularidade – a coleção de suas partes. Portanto, singularidade e pluralidade são meras designações feitas pela mente conceitual e carecem de existência verdadeira. Se realizarmos isso de modo claro, não haverá base para desenvolver apego e raiva em relação a objetos, sejam singulares ou plurais. Por exemplo, tendemos a projetar as falhas ou qualidades de uns poucos sobre muitos e, então, desenvolvemos ódio ou apego com base na raça (ou etnia), religião ou país. Contemplar a vacuidade da singularidade e da pluralidade pode ser útil na redução desse tipo de ódio e apego.

Embora a produção, desintegração e assim por diante existam, elas não existem inerentemente. São as nossas mentes conceituais da ignorância do agarramento ao em-si que se agarram a elas como inerentemente existentes. Essas concepções agarram-se aos oito extremos: produção inerentemente existente, desintegração inerentemente existente, impermanência inerentemente existente, permanência inerentemente existente, ir inerentemente existente, vir inerentemente existente, singularidade inerentemente existente e pluralidade inerentemente existente. Esses extremos são não existentes porque eles são extremos, algo que foi criado e exagerado pela visão equivocada. Nossa mente que acredita e se agarra à produção inerentemente existente e assim por diante é uma visão extrema. Desde tempos sem início, vida após vida, temos experienciado, interminavelmente, problemas e sofrimentos imensos por seguirmos essa visão extrema. Agora é a hora de pararmos permanentemente com todos esses problemas e sofrimentos por meio de realizar diretamente que a produção, desintegração, impermanência, permanência, ir, vir, singularidade e pluralidade que normalmente percebemos não existem. Embora esses extremos não existam, estamos sempre nos agarrando a eles devido à nossa ignorância. As concepções desses extremos encontram-se na raiz de todas as demais delusões e, porque as delusões dão origem às nossas ações contaminadas, que nos mantêm confinados na prisão do samsara, essas concepções são a raiz do samsara, o ciclo de vida impura.

A produção inerentemente existente é o mesmo que a produção que normalmente vemos, e devemos compreender que, na verdade, nenhuma das duas existe. O mesmo vale para os demais sete extremos. Por exemplo, a desintegração e destruição inerentemente existentes e a desintegração e destruição que normalmente vemos são o mesmo, e devemos compreender que nenhuma delas existe. As nossas mentes que se agarram a esses oito extremos são o nosso agarramento ao em-si dos fenômenos. Visto que a nossa ignorância do agarramento ao em-si é o que nos faz vivenciar sofrimento e problemas sem fim, quando essa ignorância cessar permanentemente por meio da meditação na vacuidade de todos os fenômenos, todo o nosso sofrimento desta vida e das incontáveis vidas futuras cessará permanentemente e realizaremos o verdadeiro significado da vida humana.

O tópico dos oito extremos é profundo e requer explicação detalhada e estudo prolongado. Buda explicou-os em detalhes nos *Sutras Perfeição de Sabedoria*. Em *Sabedoria Fundamental*, um comentário aos *Sutras Perfeição de Sabedoria*, Nagarjuna também utilizou raciocínios muito profundos e poderosos para provar que os oito extremos não existem, mostrando de que modo todos os fenômenos são vazios de existência inerente. Por analisar as verdades convencionais, Nagarjuna estabeleceu a natureza última delas e mostrou porque é necessário compreender ambas as naturezas, convencional e última, de um objeto a fim de compreendê-lo plenamente.

VERDADE CONVENCIONAL E VERDADE ÚLTIMA

Em geral, qualquer coisa que existe é ou uma verdade convencional ou uma verdade última; e, já que a verdade última refere-se apenas à vacuidade, tudo mais, exceto a vacuidade, é uma verdade convencional. Por exemplo, coisas como casas, carros e mesas são, todas elas, verdades convencionais.

Todas as verdades convencionais são objetos falsos porque o modo como elas aparecem não corresponde ao modo como existem. Se alguém se mostra amigável e bondoso, mas sua verdadeira intenção é ganhar nossa confiança para nos roubar, podemos dizer que ele é falso ou enganoso porque há uma discrepância entre o modo como ele aparece e sua verdadeira natureza. De modo semelhante, objetos, como formas e sons, são falsos ou enganosos porque eles aparecem como existindo inerentemente, mas, em realidade, são totalmente destituídos de existência inerente. Porque o modo como aparecem não coincide com o modo como existem, as verdades convencionais são conhecidas como "fenômenos enganosos". Uma xícara, por exemplo, aparece como existindo independentemente de suas partes, de suas causas e da mente que a apreende, mas, em realidade, a xícara depende totalmente dessas coisas. Porque o modo como a xícara aparece à nossa mente não corresponde ao modo como ela existe, a xícara é um objeto falso.

Embora as verdades convencionais sejam objetos falsos, no entanto, elas existem porque uma mente que percebe diretamente uma verdade convencional é uma mente válida, uma mente completamente confiável. Por exemplo, uma consciência visual que percebe diretamente uma xícara sobre a mesa é uma mente válida porque ela não nos enganará – se alcançarmos a xícara para pegá-la, nós a encontraremos onde a nossa consciência visual a vê. A esse respeito, uma consciência visual que percebe uma xícara sobre a mesa é diferente da consciência visual que, equivocadamente, considera o reflexo de uma xícara em um espelho como sendo uma xícara de verdade, ou uma consciência visual que vê uma miragem como se fosse água. Ainda que a xícara seja um objeto falso, a consciência visual que a percebe diretamente é, para fins práticos, uma mente válida e confiável. No entanto, embora seja uma mente válida, ainda assim é uma percepção equivocada na medida em que a xícara aparece para a mente como sendo verdadeiramente existente. Ela é válida e não enganosa com respeito às características convencionais da xícara – sua posição, tamanho, cor e assim por diante – mas equivocada com respeito ao modo como aparece.

Em resumo, os objetos convencionais são falsos porque, embora apareçam como se existissem do seu próprio lado, na verdade eles são meras aparências à mente, como coisas vistas em um sonho. Dentro do contexto de um sonho, no entanto, os objetos sonhados têm uma validade relativa, e isso os distingue dos objetos que não existem de modo algum. Suponha que, em um sonho, roubemos um diamante e que alguém nos pergunte se fomos nós que o roubamos. Apesar de o sonho ser meramente uma criação da nossa mente, se respondermos "sim" estaremos dizendo a verdade, ao passo que, se respondermos "não", estaremos dizendo uma mentira. Do mesmo modo, apesar de, em realidade, o universo inteiro ser apenas uma aparência à mente, podemos fazer, dentro do contexto da experiência dos seres comuns, uma distinção entre verdades relativas e falsidades relativas.

As verdades convencionais podem ser classificadas em verdades convencionais densas e verdades convencionais sutis. Podemos compreender de que modo todos os fenômenos têm esses dois níveis de verdade convencional considerando o exemplo de um carro. O carro ele próprio, o carro que depende de suas causas e o carro que depende de suas partes são, todos, verdades convencionais densas do carro. Elas são denominadas "densas" porque são relativamente fáceis de compreender. O carro que depende de sua base de designação é mais sutil e não é fácil de compreender, mas, ainda assim, é uma verdade convencional densa. A base de designação do carro são as partes do carro. Para apreender *carro*, as partes do carro precisam aparecer à nossa mente; sem que as partes apareçam, não há como desenvolver o pensamento "carro". Por essa razão, as partes são a base de designação do carro. Dizemos "eu vejo um carro", mas, rigorosamente falando, tudo o que de fato vemos são partes do carro. No entanto, quando desenvolvemos o pensamento "carro" ao ver suas partes, vemos o carro. Não existe carro que não as suas partes, não existe corpo que não as suas partes, e assim por diante. O carro que existe meramente como uma designação do pensamento é a verdade convencional sutil do carro. Compreenderemos isso quando realizarmos que o carro é nada mais do que uma mera designação feita por uma mente válida. Não podemos compreender as verdades convencionais sutis a menos que tenhamos compreendido a vacuidade. Quando realizarmos por completo a verdade convencional sutil, teremos realizado ambas as verdades – a convencional e a última.

Rigorosamente falando, *verdade*, *verdade última* e *vacuidade* são sinônimos porque as verdades convencionais não são verdades reais, mas objetos falsos. Elas são verdades apenas para as mentes daqueles que não realizaram a vacuidade. Somente a vacuidade é verdadeira, pois apenas a vacuidade existe do modo como aparece. Quando a mente de qualquer ser senciente percebe diretamente verdades convencionais, tais como formas etc., elas aparecem como que existindo do seu próprio lado. No entanto, quando a mente de um ser superior (um ser que realizou diretamente a vacuidade) percebe diretamente a vacuidade, nada aparece além da vacuidade; essa mente está totalmente misturada com a mera ausência de fenômenos inerentemente existentes. O modo pelo qual a vacuidade aparece para a mente de um percebedor direto não conceitual corresponde exatamente ao modo pelo qual a vacuidade existe.

Deve-se observar que, embora a vacuidade seja uma verdade última, ela não é inerentemente existente. A vacuidade não é uma realidade separada, existindo por detrás das aparências convencionais, mas a verdadeira natureza dessas aparências. Não podemos falar sobre a vacuidade isoladamente, porque a vacuidade é sempre a mera ausência de existência inerente de algo. Por exemplo, a vacuidade do nosso corpo é a ausência de existência inerente do nosso corpo e, sem o nosso corpo como sua base, essa vacuidade não pode existir. Como a vacuidade depende necessariamente de uma base, ela carece de existência inerente.

No *Guia do Estilo de Vida do Bodhisattva*, Shantideva define a verdade última como um fenômeno que é verdadeiro para a mente incontaminada de um ser superior. Uma mente incontaminada é uma mente que realiza a vacuidade diretamente. Essa mente é a única percepção inequívoca, e os seres superiores são os únicos que as têm. Como as mentes incontaminadas são totalmente inequívocas, qualquer coisa percebida diretamente por elas como verdadeira é, necessariamente, uma verdade última. Em contrapartida, qualquer coisa diretamente percebida como verdadeira pela mente de um ser comum, um ser que não realizou diretamente a vacuidade, necessariamente não é uma verdade última, porque todas as mentes dos seres comuns são equivocadas, e mentes equivocadas nunca podem perceber a verdade diretamente.

Devido às marcas dos pensamentos conceituais que se agarram aos oito extremos, tudo o que aparece às mentes dos seres comuns aparece como sendo inerentemente existente. Apenas a sabedoria do equilíbrio meditativo que realiza diretamente a vacuidade não é maculada pelas marcas, ou manchas, dos pensamentos conceituais. Essa é a única sabedoria que não tem aparência equivocada.

Quando um Bodhisattva superior, um Bodhisattva que realizou diretamente a vacuidade, medita na vacuidade, ele (ou ela) mistura por completo sua mente com a vacuidade, sem nenhuma aparência de existência inerente. Ele desenvolve uma sabedoria incontaminada, completamente pura, que é a bodhichitta última. No entanto, quando ele sai do equilíbrio meditativo, os fenômenos convencionais aparecem novamente como inerentemente existentes à sua mente devido às marcas do agarramento-ao-verdadeiro, e a sua sabedoria incontaminada torna-se temporariamente não manifesta. Apenas um Buda pode manifestar sabedoria incontaminada ao mesmo tempo que percebe diretamente verdades convencionais. Uma qualidade incomum de um Buda é que um único instante de sua mente realiza, direta e simultaneamente, tanto a verdade convencional quanto a verdade última. Existem muitos níveis de bodhichitta última. Por exemplo, a bodhichitta última obtida através da prática tântrica é mais profunda que a desenvolvida apenas pela prática de Sutra, e a bodhichitta última suprema é a de um Buda.

Se, por meio de raciocínios válidos, realizarmos a vacuidade que é vazia do primeiro extremo, o extremo da produção, seremos capazes de realizar facilmente a vacuidade que é vazia dos sete extremos restantes. Uma vez que tenhamos realizado a vacuidade que é vazia dos oito extremos, teremos realizado a vacuidade de todos os fenômenos. Tendo obtido essa realização, continuamos a contemplar e a meditar na vacuidade dos fenômenos produzidos e assim por diante, e, à medida que nossas meditações se tornarem mais profundas, sentiremos todos os fenômenos se dissolvendo na vacuidade. Seremos então capazes de manter uma concentração estritamente focada na vacuidade de todos os fenômenos.

Para meditar na vacuidade dos fenômenos produzidos, pensamos:

O meu self, que, devido a causas e condições, nasceu como um ser humano, é impossível de ser encontrado dentro do meu corpo e da minha mente ou separado do meu corpo e mente quando eu procuro por ele com sabedoria. Isso prova que o meu self que normalmente vejo não existe de modo algum.

Tendo contemplado desse modo, sentimos que o nosso *self* que normalmente vemos desaparece e percebemos uma vacuidade semelhante-ao-espaço, que é a mera ausência do nosso *self* que normalmente vemos. Sentimos que a nossa mente entra nessa vacuidade semelhante-ao-espaço e nela permanece, de modo estritamente focado. Essa meditação é denominada "equilíbrio meditativo na vacuidade semelhante-ao-espaço".

Assim como as águias planam através da vasta extensão do céu sem encontrarem nenhum obstáculo, precisando apenas de um esforço mínimo para manterem seu voo, meditadores avançados concentrados na vacuidade podem meditar na vacuidade por um longo tempo, com pequeno esforço. A mente desses meditadores paira pela vacuidade semelhante-ao-espaço, sem se deixarem distrair por nenhum outro fenômeno. Quando meditamos na vacuidade, devemos tentar emular esses meditadores. Uma vez que tenhamos encontrado nosso objeto de meditação – a mera ausência do nosso *self* que normalmente vemos – devemos restringir qualquer análise e, simplesmente, repousar nossa mente na experiência dessa vacuidade. De tempos em tempos, devemos verificar para nos certificarmos de que não perdemos nem a clara aparência da vacuidade nem o reconhecimento do seu significado, mas não devemos verificar muito intensamente, pois isso pertubará nossa concentração. Nossa meditação não deve ser como o voo de um passarinho, que nunca para de bater suas asas e está sempre mudando de direção, mas como o voo de uma águia, que plana gentilmente com apenas alguns ajustes ocasionais em suas asas. Meditando desse modo, sentiremos nossa mente se dissolvendo e se unificando com a vacuidade.

Se formos bem-sucedidos ao fazer isso, então, durante a sessão de meditação, estaremos livres do agarramento ao em-si manifesto. Se, por outro lado, levarmos todo o nosso tempo verificando e analisando, nunca permitindo que a nossa mente relaxe no espaço da vacuidade, nunca obteremos essa experiência e a nossa meditação não irá servir para reduzir o nosso agarramento ao em-si.

Em geral, precisamos melhorar nossa compreensão da vacuidade por meio de extenso estudo, abordando-a a partir de vários ângulos e usando muitas linhas diferentes de raciocínio. É importante, também, nos familiarizarmos totalmente com uma única meditação completa sobre a vacuidade por meio de contínua contemplação, entendendo exatamente como usar os raciocínios que conduzem a uma experiência da vacuidade. Poderemos, então, nos concentrar de modo estritamente focado na vacuidade e tentar misturar nossa mente com ela, como água misturando-se com água.

A UNIÃO DAS DUAS VERDADES

Rigorosamente falando, quando falamos sobre a união da verdade convencional e da verdade última, a verdade convencional refere-se, neste contexto, somente à verdade convencional sutil, que significa "as coisas existindo como meras aparências". Essa verdade convencional sutil e a verdade última estão em união, o que significa que elas são não duais, ou um único objeto. Assim, a verdade convencional sutil não é a verdade convencional propriamente dita, mas uma verdade última, um objeto não enganoso. Do ponto de vista da verdade, verdades convencionais não existem; elas são objetos falsos, criados pela mente ignorante do agarramento ao em-si. No entanto, as verdades convencionais existem para os seres comuns, que não compreendem a vacuidade, mas elas não existem para os seres superiores, que realizaram diretamente a vacuidade. A instrução sobre a união das duas verdades, a união de aparência e vacuidade, é a visão última e a intenção última de Buda. Quando recebemos a quarta iniciação do Tantra Ioga Supremo, recebemos as instruções orais dessa união. Quando, por meio de treinar continuamente essa união, realizarmos diretamente a união das duas verdades – a união de aparência e vacuidade – iremos nos tornar um Buda iluminado, que é completamente livre da aparência equivocada sutil, e teremos a capacidade de beneficiar todos e cada um dos seres vivos todos os dias através das nossas incontáveis emanações.

Quando algo, como o nosso corpo, aparece para nós, tanto o corpo quanto o corpo inerentemente existente aparecem simultaneamente. Isso é aparência dual, que é uma aparência equivocada sutil. Apenas os Budas estão livres dessas aparências equivocadas. O principal propósito de compreender e meditar na união das duas verdades é impedir as aparências duais (aparências de existência inerente à mente que está meditando na vacuidade) e, por meio disso, permitir que a nossa mente se dissolva na vacuidade. Uma vez que consigamos fazer isso, nossa meditação na vacuidade irá se tornar muito poderosa para eliminar as nossas delusões. Se identificarmos e negarmos corretamente o corpo inerentemente existente, o corpo que normalmente vemos, e meditarmos com forte concentração na mera ausência desse corpo, sentiremos o nosso corpo normal se dissolvendo na vacuidade. Compreenderemos que a verdadeira natureza do nosso corpo é vacuidade, e que o nosso corpo é meramente uma manifestação da vacuidade.

A vacuidade é como o céu, e o nosso corpo é como o azul do céu. Assim como o azul é uma manifestação do próprio céu e não pode ser separado dele, o nosso corpo "semelhante" ao azul do céu é, simplesmente, uma manifestação do "céu" de sua vacuidade e não pode ser separado dele. Se compreendermos e realizarmos isso, quando nos focarmos na vacuidade do nosso corpo sentiremos que nosso corpo se dissolve em sua natureza última. Desse modo, poderemos facilmente superar a aparência convencional do corpo em nossas meditações e nossa mente irá se misturar, de modo natural, com a vacuidade.

No *Sutra Coração*, o Bodhisattva Avalokiteshvara diz: "Forma não é algo que não vacuidade". Isso significa que os fenômenos convencionais, como o nosso corpo, não existem separados de sua vacuidade. Quando meditamos na vacuidade do nosso corpo com esse entendimento, compreendemos que a vacuidade que aparece à nossa mente é a verdadeira natureza do nosso corpo, e que não existe corpo separado dessa vacuidade. Meditar desse modo enfraquecerá em muito a nossa mente de agarramento ao em-si. Se realmente acreditarmos que o nosso corpo e sua vacuidade são a mesma natureza, nosso agarramento ao em-si irá se enfraquecer, definitivamente.

Embora possamos classificar as vacuidades a partir do ponto de vista de suas bases e falar sobre a vacuidade do corpo, a vacuidade do *eu* e assim por diante, na verdade todas as vacuidades são a mesma natureza. Se olharmos para dez garrafas, poderemos distinguir dez espaços diferentes – o espaço que está dentro de cada garrafa; mas, na verdade, esses espaços são a mesma natureza e, se quebrarmos as garrafas, os espaços irão se tornar indistinguíveis. Do mesmo modo, embora possamos falar da vacuidade do corpo, da vacuidade da mente, da vacuidade do *eu* e assim por diante, na verdade essas vacuidades são a mesma natureza e são indistinguíveis. O único modo pelo qual elas podem ser distinguidas é por suas bases convencionais.

Há dois benefícios principais em compreender que todas as vacuidades são a mesma natureza: na sessão de meditação, nossa mente irá se misturar mais facilmente com a vacuidade e, no intervalo entre as meditações, seremos capazes de perceber todas as aparências como equivalentes – ou seja, como manifestações de suas vacuidades.

Enquanto sentirmos que há uma distância entre a nossa mente e a vacuidade – que a nossa mente está *aqui* e a vacuidade está *ali* – nossa mente não se misturará com a vacuidade. Compreender que todas as vacuidades são a mesma natureza ajuda a reduzir essa distância. Na vida comum, experienciamos muitos objetos diferentes – bons e maus, atraentes e não atraentes – e nossos sentimentos diferem em relação a eles. Como sentimos que as diferenças existem do lado dos objetos, nossa mente fica desequilibrada e desenvolvemos apego por objetos atraentes, aversão por objetos não atraentes e indiferença por objetos neutros. É muito difícil misturar uma mente desequilibrada como essa com a vacuidade. Para misturar nossa mente com a vacuidade precisamos saber que, embora os fenômenos apareçam sob muitos aspectos diferentes, em essência eles são vazios. As diferenças que vemos são apenas aparências para mentes equivocadas; do ponto de vista da verdade última, todos os fenômenos são iguais na vacuidade. Para um meditador qualificado, absorto de modo estritamente focado na vacuidade, não há diferença entre produção e desintegração, impermanência e permanência, ir e vir, singularidade e pluralidade – tudo é igual na vacuidade, e todos os problemas de apego, raiva e ignorância do agarramento ao em-si encontram-se solucionados. Nessa experiência, tudo se torna muito pacífico e confortável, equilibrado e harmonioso, alegre e maravilhoso. Não há calor nem frio, nem baixo nem alto, não há aqui nem ali, não há *self* nem outro, não há samsara – tudo é igual na paz da vacuidade. Essa realização é denominada "o ioga de equalizar o samsara e o nirvana" e é explicada em detalhe tanto nos Sutras quanto nos Tantras.

Já que todas as vacuidades são a mesma natureza, a natureza última de uma mente que está meditando na vacuidade é a mesma natureza que a natureza última de seu objeto. Quando meditamos pela primeira vez na vacuidade, nossa mente e a vacuidade aparecem como sendo dois fenômenos separados, mas, quando compreendermos que todas as vacuidades são a mesma natureza, compreenderemos que esse sentimento de separação é apenas a experiência de uma mente equivocada. Na verdade, a nossa mente e a vacuidade são, basicamente, um mesmo sabor. Se aplicarmos essa compreensão em nossas meditações, ela ajudará a impedir a aparência da natureza convencional da nossa mente e permitirá que nossa mente se dissolva na vacuidade.

Tendo misturado nossa mente com a vacuidade, quando sairmos da meditação experienciaremos uniformemente todos os fenômenos como manifestações de suas vacuidades. Em vez de sentir que os objetos atraentes, não atraentes e neutros que vemos são inerentemente diferentes, iremos compreender que, em essência, eles são a mesma natureza. Do mesmo modo que, no oceano, a mais suave e a mais violenta das ondas são igualmente água, tanto as formas atraentes quanto as não atraentes ou repulsivas são, igualmente, manifestações da vacuidade. Compreendendo e realizando isso, nossa mente irá se tornar equilibrada e pacífica. Reconheceremos todas as aparências convencionais como sendo o teatro mágico da mente e não iremos nos aferrar fortemente às suas diferenças aparentes.

Quando, certa vez, Milarepa ensinou a vacuidade a uma mulher, ele comparou a vacuidade com o céu e as verdades convencionais com as nuvens, e disse a ela para meditar sobre o céu. Ela seguiu suas instruções com grande sucesso, mas tinha um problema: quando meditava a respeito do "céu" da vacuidade, tudo desaparecia, e ela não conseguia entender como os fenômenos podiam existir convencionalmente. A mulher disse a Milarepa: "Acho fácil meditar sobre o céu, mas difícil explicar a existência das nuvens. Por favor, ensina-me como meditar a respeito das nuvens". Milarepa respondeu: "Se tua meditação no céu estiver indo bem, as nuvens não serão um problema. As nuvens simplesmente aparecem no céu – elas surgem do céu e se dissolvem novamente no céu. À medida que tua experiência do céu se aperfeiçoar, naturalmente virás a compreender as nuvens".

Em tibetano, a palavra utilizada para designar tanto o céu quanto o espaço é "*namkha*", embora *espaço* seja diferente de *céu*.

Existem dois tipos de espaço: o espaço produzido e o espaço não produzido. O espaço produzido é o espaço visível que podemos ver dentro de um quarto ou no céu. Esse espaço pode se tornar escuro à noite e claro durante o dia e, como esse espaço passa por mudanças, ele é, por esse motivo, um fenômeno impermanente. A propriedade característica do espaço produzido é que ele não obstrui objetos: se há espaço em um quarto, podemos colocar objetos nesse quarto sem nenhuma obstrução. De modo semelhante, pássaros podem voar pelo espaço do céu porque o céu carece de obstrução, ao passo que eles não podem voar através de uma montanha! Por essa razão, fica claro que o espaço produzido carece, ou é vazio, de contato obstrutivo. Essa mera carência, ou vazio, de contato obstrutivo é o espaço não produzido.

Como o espaço não produzido é a mera ausência de contato obstrutivo, ele não pode passar por mudanças momentâneas – ou seja, instante a instante; por essa razão, o espaço não produzido é um fenômeno permanente. Ao passo que o espaço produzido é visível e mais fácil de ser compreendido, o espaço não produzido é a mera ausência de contato obstrutivo e, por isso, muito mais sutil. No entanto, uma vez que compreendamos o espaço não produzido, acharemos mais fácil compreender a vacuidade.

A única diferença entre a vacuidade e o espaço não produzido são os seus objetos negados. O objeto negado do espaço não produzido é o contato obstrutivo, ao passo que o objeto negado pela vacuidade é a existência inerente. Como o espaço não produzido é a melhor analogia para compreender a vacuidade, ele é utilizado nos Sutras e em muitas escrituras. O espaço não produzido é um fenômeno negativo não afirmativo – um fenômeno que é realizado por uma mente que meramente elimina seu objeto negado sem que estabeleça ou realize outro fenômeno positivo. O espaço produzido é um fenômeno afirmativo, ou positivo – um fenômeno que é realizado sem que a mente elimine explicitamente um objeto negado. Mais detalhes sobre esses dois tipos de fenômenos podem ser encontrados nos livros *Novo Coração de Sabedoria* e *Oceano de Néctar*.

A PRÁTICA DA VACUIDADE EM NOSSAS ATIVIDADES DIÁRIAS

Nos Sutras, Buda disse que todos os fenômenos são como ilusões. Neste contexto, "todos os fenômenos" significa todos os fenômenos que normalmente vemos ou percebemos. Assim, o verdadeiro significado do Sutra é que devemos compreender que todos os fenômenos que normalmente vemos ou percebemos são como ilusões. Embora as ilusões criadas por um mágico apareçam claramente, elas não existem de fato. Do mesmo modo, embora os fenômenos que normalmente vemos ou percebemos apareçam claramente, eles não existem de fato. Embora as coisas apareçam para nós como inerentemente existentes, devemos lembrar que essas aparências são enganosas e que, na verdade, as coisas que normalmente vemos não existem. No *Sutra Rei da Concentração*, Buda diz:

> Um mágico cria várias coisas
> Como cavalos, elefantes e assim por diante.
> Suas criações não existem verdadeiramente;
> Deves conhecer todas as coisas do mesmo modo.

As duas últimas linhas dessa estrofe significam que, assim como sabemos que cavalos e elefantes criados por um mágico não existem, devemos compreender que, do mesmo modo, todas as coisas que normalmente vemos não existem de fato. Este capítulo, *Bodhichitta Última*, explicou extensivamente como todas as coisas que normalmente vemos não existem.

Quando um mágico cria um cavalo ilusório, um cavalo aparece de modo muito claro à sua mente, mas ele sabe que o cavalo é apenas uma ilusão. De fato, a própria aparição do cavalo faz com que o mágico se dê conta de que não há cavalo algum à sua frente. Do mesmo modo, quando estivermos muito familiarizados com a vacuidade, o simples fato de que as coisas aparecem como sendo inerentemente existentes irá nos recordar que elas não são inerentemente existentes. Portanto, devemos reconhecer que tudo o que aparece para nós em nossa vida diária é como uma ilusão e carece de existência inerente. Desse modo, nossa sabedoria crescerá dia após dia, e nossa ignorância do agarramento ao em-si e demais delusões diminuirão naturalmente.

Entre as sessões de meditação, devemos ser como um ator. Quando um ator interpreta o papel de um rei, ele se veste, fala e age como um rei, mas ele sabe o tempo todo que não é um rei de verdade. Do mesmo modo, devemos viver e agir no mundo convencional lembrando sempre que nós mesmos, nosso ambiente e as pessoas ao nosso redor que normalmente vemos não existem de modo algum.

Se pensarmos assim, seremos capazes de viver no mundo convencional sem nos agarrarmos a ele. Vamos tratá-lo com leveza e teremos flexibilidade mental para reagir a qualquer situação de modo construtivo. Compreendendo que tudo o que aparece à nossa mente é mera aparência, quando objetos atraentes aparecerem, não iremos nos aferrar a eles e não desenvolveremos apego, e quando objetos não atraentes aparecerem, não iremos nos aferrar a eles e não desenvolveremos aversão ou raiva.

Em *Treinar a Mente em Sete Pontos*, Geshe Chekhawa diz: "Pense que todos os fenômenos são como sonhos". Algumas das coisas que vemos em nossos sonhos são bonitas e algumas são feias, mas todas elas são meras aparências à nossa mente de sonho. Elas não existem do seu próprio lado e são vazias de existência inerente. O mesmo vale para os objetos que percebemos quando estamos acordados – eles também são meras aparências à mente e carecem de existência inerente.

Todos os fenômenos carecem de existência inerente. Quando olhamos para um arco-íris, ele aparece como se ocupasse um determinado lugar no espaço, parecendo que, se fôssemos em busca dele, seríamos capazes de encontrar o lugar onde o arco-íris toca o chão. No entanto, sabemos que, por mais que procuremos, nunca seremos capazes de encontrar o fim do arco-íris, pois, tão logo cheguemos ao lugar onde vimos o arco-íris tocar o chão, o arco-íris terá desaparecido. Se não procurarmos pelo arco-íris, o arco-íris aparece claramente; mas, quando procuramos pelo arco-íris, o arco-íris não se encontra lá. Todos os fenômenos são assim. Se não os analisarmos, eles aparecerão claramente; mas quando fazemos uma busca analítica por eles, tentando isolá-los de tudo mais, eles não são encontrados.

Se alguma coisa existisse inerentemente e a investigássemos, separando-a de todos os demais fenômenos, seríamos capazes de encontrá-la. No entanto, todos os fenômenos são como arco-íris: se procurarmos por eles, nunca iremos encontrá-los. A princípio, é possível que achemos essa ideia, ou visão, muito desconfortável e difícil de aceitar, mas isso é muito natural. Com mais familiaridade, acharemos esses raciocínios mais aceitáveis e, por fim, compreenderemos e realizaremos que isso é verdadeiro.

É importante compreender que a vacuidade não significa um nada, uma inexistência. Embora as coisas não existam do seu próprio lado, independentes da mente, elas existem no sentido de serem conhecidas por uma mente válida. O mundo que experienciamos quando estamos acordados é semelhante ao mundo que experienciamos quando estamos sonhando. Não podemos dizer que as coisas sonhadas não existem, mas se acreditarmos que elas existem para além de meras aparências à mente, existindo "lá fora", então estaremos equivocados e descobriremos isso quando acordarmos.

Como foi mencionado anteriormente, não há melhor método para experienciar paz mental e felicidade do que compreender e meditar na vacuidade. Já que o nosso agarramento ao em-si é o que nos mantém confinados à prisão do samsara e é a fonte de todo o nosso sofrimento, a meditação na vacuidade é a solução universal para todos os nossos problemas. É o remédio que cura todas as doenças físicas e mentais e é o néctar que concede a felicidade duradoura do nirvana e da iluminação.

UM TREINO SIMPLES EM BODHICHITTA ÚLTIMA

Começamos pensando:

Eu preciso alcançar a iluminação para beneficiar todos e cada um dos seres vivos, todos os dias. Com este propósito, vou obter uma realização direta do modo como as coisas realmente são.

Com essa motivação de bodhichitta, contemplamos:

Normalmente, vejo o meu corpo dentro de suas partes – as mãos, as costas, e assim por diante – mas nem as partes individuais nem a coleção das partes são o meu corpo, porque elas são as partes do meu corpo e não o corpo em si. No entanto, não existe "meu corpo" para além de suas partes. Deste modo, ao procurar o meu corpo com sabedoria, realizo que o meu corpo é impossível de ser encontrado. Essa é uma razão válida para provar que o meu corpo que normalmente vejo não existe de modo algum.

Contemplando este ponto, tentamos perceber a mera ausência do corpo que normalmente vemos. Essa mera ausência do corpo que normalmente vemos é a vacuidade do nosso corpo, e meditamos estritamente focados nessa vacuidade pelo maior tempo possível.

Devemos praticar continuamente essa contemplação e meditação e, então, passar para a próxima etapa, a meditação na vacuidade do nosso *self*. Devemos contemplar e pensar:

Normalmente, vejo meu self dentro do meu corpo e mente, mas nem o meu corpo, nem a minha mente, nem a coleção, ou conjunto, do meu corpo e mente são o meu self, porque eles são minhas posses e o meu self é o possuidor; e possuidor e posses não podem ser o mesmo. No entanto, não existe "meu self" para além do meu corpo e mente. Procurando com sabedoria pelo meu self desse modo, realizo que meu self é impossível de ser encontrado. Essa é uma razão válida para provar que meu self que normalmente vejo não existe de modo algum.

Contemplando este ponto, tentamos perceber a mera ausência do nosso *self* que normalmente vemos. Essa mera ausência do nosso *self* que normalmente vemos é a vacuidade do nosso *self*, e meditamos estritamente focados nessa vacuidade pelo maior tempo possível.

Devemos praticar continuamente essa contemplação e meditação e, então, passar para a próxima etapa, a meditação na vacuidade de todos os fenômenos. Devemos contemplar e pensar:

> *Assim como meu corpo e o meu self, todos os demais fenômenos são impossíveis de serem encontrados quando os procuro com sabedoria. Essa é uma razão válida para provar que todos os fenômenos que normalmente vejo ou percebo não existem de modo algum.*

Contemplando este ponto, tentamos perceber a mera ausência de todos os fenômenos que normalmente vemos ou percebemos. Essa mera ausência de todos os fenômenos que normalmente vemos ou percebemos é a vacuidade de todos os fenômenos. Com a motivação de bodhichitta, meditamos continuamente nessa vacuidade de todos os fenômenos até sermos capazes de manter claramente nossa concentração por um minuto toda vez que meditarmos nisso. A nossa concentração que possui essa habilidade é denominada "concentração do posicionamento da mente".

No segundo estágio, com a concentração do posicionamento da mente, meditamos continuamente na vacuidade de todos os fenômenos até sermos capazes de manter claramente nossa concentração por cinco minutos toda vez que meditarmos nisso. A nossa concentração que possui essa habilidade é denominada "concentração do contínuo-posicionamento". No terceiro estágio, com a concentração do contínuo-posicionamento, meditamos continuamente na vacuidade de todos os fenômenos até sermos capazes de relembrar, imediatamente, o nosso objeto de meditação – a mera ausência de todos os fenômenos que normalmente vemos ou percebemos – sempre que o perdermos durante a meditação. A nossa concentração que possui essa habilidade é denominada "concentração do reposicionamento". No quarto estágio, com a concentração do reposicionamento, meditamos continuamente na vacuidade de todos os fenômenos até sermos capazes de manter claramente a nossa concentração durante toda a sessão de meditação, sem esquecer o objeto de meditação. A nossa concentração que possui essa habilidade é denominada "concentração do estreito-posicionamento". Nesse estágio, temos uma concentração muito clara e estável, focada na vacuidade de todos os fenômenos.

Então, com a concentração do estreito-posicionamento, meditamos continuamente na vacuidade de todos os fenômenos até obtermos, por fim, a concentração do tranquilo-permanecer focada na vacuidade, que nos faz experienciar maleabilidade física e mental e êxtase especiais. Com essa concentração do tranquilo-permanecer, desenvolveremos uma sabedoria especial que realiza muito claramente a vacuidade de todos os fenômenos. Essa sabedoria é denominada "visão superior". Meditando continuamente na concentração do tranquilo-permanecer associada com a visão superior, a nossa sabedoria da visão superior irá se transformar na sabedoria que realiza diretamente a vacuidade de todos os fenômenos. Essa realização direta da vacuidade é a bodhichitta última propriamente dita, efetiva. No momento que alcançarmos a sabedoria da bodhichitta última, tornamo-nos um Bodhisattva superior. Como já foi mencionado anteriormente, a bodhichitta convencional tem a natureza da compaixão, e a bodhichitta última tem a natureza da sabedoria. Essas duas bodhichittas são como as duas asas de um pássaro, com as quais podemos voar e alcançar, muito rapidamente, o mundo iluminado.

Em *Conselhos do Coração de Atisha*, Atisha diz:

> Amigos, até que alcancem a iluminação, o professor espiritual é indispensável; portanto, confiem no sagrado Guia Espiritual.

Precisamos confiar em nosso Guia Espiritual até obtermos a iluminação. A razão para isso é muito simples. A meta suprema e última da vida humana é alcançar a iluminação e isso depende de recebermos continuamente as bênçãos especiais de Buda através do nosso Guia Espiritual. Buda alcançou a iluminação com a única intenção de conduzir todos os seres vivos pelas etapas do caminho à iluminação por meio de suas emanações. Quem é a sua emanação que está nos conduzindo pelas etapas do caminho à iluminação? Está claro que é o nosso professor espiritual atual que, sincera e corretamente, nos conduz pelos caminhos da renúncia, bodhichitta e visão correta da vacuidade, dá esses ensinamentos e mostra um exemplo prático de alguém que os está praticando sinceramente. Com essa compreensão, devemos acreditar fortemente que nosso Guia Espiritual é uma emanação de Buda e desenvolver e manter profunda fé nele ou nela.

Atisha também disse:

Até que realizem a verdade última, ouvir é indispensável; portanto, ouçam as instruções do Guia Espiritual.

Mesmo se estivéssemos enxergando equivocadamente duas luas no céu, essa aparência equivocada iria nos lembrar que, na verdade, não há duas luas, mas apenas uma. De modo semelhante, quando as coisas que normalmente vemos aparecem para nós, simplesmente sua aparência nos faz lembrar de que elas não existem. Ao compreendermos isso, iremos parar de nos aferrarmos a elas. Se formos capazes de fazer isso, essa será uma indicação clara de que a nossa compreensão sobre a vacuidade é qualificada. Até que a nossa compreensão da vacuidade seja qualificada e impeça o agarramento ao em-si de se desenvolver, devemos ouvir, ler e praticar as instruções do nosso Guia Espiritual.

Se praticarmos sinceramente, com forte contínua-lembrança (*mindfulness*) e vigilância, as instruções acima sobre como interromper o aferramento às coisas que normalmente vemos, nosso agarramento ao em-si reduzirá definitivamente. Como resultado, nossos problemas diários reduzirão definitivamente e, por fim, nosso agarramento ao em-si cessará permanentemente. Todos os nossos problemas e sofrimento desta vida e das nossas incontáveis vidas futuras cessarão permanentemente. Enquanto temos esta preciosa vida humana, temos a oportunidade de realizar esse objetivo. Não devemos nunca nos permitir desperdiçar esta preciosa oportunidade.

Todas as contemplações e meditações apresentadas neste livro devem ser praticadas juntamente com as práticas preliminares para meditação, que podem ser encontradas no Apêndice I: *Prece Libertadora* e *Preces para Meditação*. Essas práticas preliminares irão nos capacitar a purificar nossa mente, acumular mérito e receber as bênçãos dos seres iluminados, assegurando, assim, que nossa prática de meditação seja bem-sucedida. Uma explicação mais detalhada sobre confiar em nosso Guia Espiritual pode ser encontrada no livro *Caminho Alegre da Boa Fortuna*.

Dedicatória

Pelas virtudes que acumulei por escrever este livro, que todos sejam felizes e se libertem do sofrimento. Que todos os seres vivos encontrem a oportunidade de praticar as instruções dadas em *Como Transformar a sua Vida* e alcancem a suprema paz interior da iluminação.

Apêndice I

Prece Libertadora
LOUVOR A BUDA SHAKYAMUNI

&

Preces para Meditação
PRECES PREPARATÓRIAS CURTAS PARA MEDITAÇÃO

Prece Libertadora

LOUVOR A BUDA SHAKYAMUNI

Ó Abençoado, Shakyamuni Buda,
Precioso tesouro de compaixão,
Concessor de suprema paz interior,

Tu, que amas todos os seres sem exceção,
És a fonte de bondade e felicidade,
E nos guias ao caminho libertador.

Teu corpo é uma joia-que-satisfaz-os-desejos,
Tua fala é um néctar purificador e supremo
E tua mente, refúgio para todos os seres vivos.

Com as mãos postas, me volto para ti,
Amigo supremo e imutável,
E peço do fundo do meu coração:

Por favor, concede-me a luz de tua sabedoria
Para dissipar a escuridão da minha mente
E curar o meu *continuum* mental.

Por favor, me nutre com tua bondade,
Para que eu possa, por minha vez, nutrir todos os seres
Com um incessante banquete de deleite.

Por meio de tua compassiva intenção,
De tuas bênçãos e feitos virtuosos
E por meu forte desejo de confiar em ti,

Que todo o sofrimento rapidamente cesse,
Que toda a felicidade e alegria aconteçam
E que o sagrado Dharma floresça para sempre.

Cólofon: Esta prece foi escrita por Venerável Geshe Kelsang Gyatso Rinpoche e é recitada regularmente no início de ensinamentos, meditações e preces nos Centros Budistas Kadampa em todo o mundo.

Preces para Meditação

PRECES PREPARATÓRIAS CURTAS PARA MEDITAÇÃO

Buscar refúgio

Eu e todos os seres sencientes, até alcançarmos a iluminação,
Nos refugiamos em Buda, Dharma e Sangha.
                                              (3x, 7x, 100x etc.)

Gerar bodhichitta

Pelas virtudes que coleto, praticando o dar e as outras perfeições,
Que eu me torne um Buda para o benefício de todos.   (3x)

Gerar os quatro incomensuráveis

Que cada um seja feliz,
Que cada um se liberte da dor,
Que ninguém jamais seja separado de sua felicidade,
Que todos tenham equanimidade, livres do ódio e do apego.

Visualizar o Campo de Acumular Mérito

No espaço à minha frente está Buda Shakyamuni vivo, rodeado por todos os Budas e Bodhisattvas, como a lua cheia rodeada pelas estrelas.

Prece dos sete membros

Com meu corpo, fala e mente, humildemente me prostro
E faço oferendas, efetivas e imaginadas.
Confesso meus erros em todos os tempos
E regozijo-me nas virtudes de todos.
Peço, permanece até o cessar do samsara
E gira a Roda do Dharma para nós.
Dedico todas as virtudes à grande iluminação.

Oferecimento do mandala

O chão espargido com perfume e salpicado de flores,
A Grande Montanha, quatro continentes, sol e lua,
Percebidos como Terra de Buda e assim oferecidos.
Que todos os seres desfrutem dessas Terras Puras.

Ofereço, sem nenhum sentimento de perda,
Os objetos que fazem surgir meu apego, ódio e confusão,
Meus amigos, inimigos e estranhos, nossos corpos e prazeres.
Peço, aceita-os e abençoa-me, livrando-me diretamente
   dos três venenos.

IDAM GURU RATNA MANDALAKAM NIRYATAYAMI

Prece das etapas do caminho

O caminho começa com firme confiança
No meu bondoso mestre, fonte de todo bem;
Ó, abençoa-me com essa compreensão
Para segui-lo com grande devoção.

Esta vida humana, com todas as suas liberdades,
Extremamente rara, com tanta significação;
Ó, abençoa-me com essa compreensão,
Dia e noite, para captar a sua essência.

Meu corpo, qual bolha-d'água,
Decai e morre tão rapidamente;
Após a morte, vêm os resultados do carma,
Qual sombra de um corpo.

Com esse firme conhecimento e lembrança,
Abençoa-me, para ser extremamente cauteloso,
Evitando sempre ações nocivas
E reunindo abundante virtude.

Os prazeres do samsara são enganosos,
Não trazem contentamento, apenas tormentos;
Abençoa-me, para ter o esforço sincero
Para obter o êxtase da liberdade perfeita.

Ó, abençoa-me, para que desse pensamento puro
Resulte contínua-lembrança e imensa cautela,
A fim de manter como minha prática essencial
A raiz da doutrina, o Pratimoksha.

Assim como eu, todas as minhas bondosas mães
Estão se afogando no oceano do samsara;
Para que logo eu possa libertá-las,
Abençoa-me, para treinar a bodhichitta.

Mas não posso tornar-me um Buda
Apenas com isso, sem as três éticas;
Assim, abençoa-me com a força de praticar
Os votos do Bodhisattva.

Por pacificar minhas distrações
E analisar perfeitos sentidos,
Abençoa-me, para logo alcançar a união
Da visão superior com o tranquilo-permanecer.

Quando me tornar um puro recipiente
Pelos caminhos comuns, abençoa-me, para ingressar
Na essência da prática da boa fortuna,
O supremo veículo, Vajrayana.

As duas conquistas dependem, ambas,
De meus sagrados votos e compromissos;
Abençoa-me, para entender isso claramente
E conservá-los à custa da minha vida.

Por sempre praticar em quatro sessões
A via explicada pelos santos mestres,
Ó, abençoa-me, para obter ambos os estágios
Que são a essência dos Tantras.

Que os que me guiam no bom caminho
E meus companheiros tenham longas vidas;
Abençoa-me, para pacificar inteiramente
Todos os obstáculos internos e externos.

Que eu sempre encontre perfeitos mestres
E deleite-me no sagrado Dharma,
Conquiste todos os solos e caminhos velozmente
E obtenha o estado de Vajradhara.

Receber bênçãos e purificar

Do coração de todos os seres sagrados, fluem correntes de luz e néctar, concedendo bênçãos e purificando.

> *Neste ponto, fazemos a contemplação e a meditação. Após a meditação, dedicamos nosso mérito enquanto recitamos as seguintes preces:*

Preces dedicatórias

Pelas virtudes que coletei
Praticando as etapas do caminho,
Que todos os seres vivos tenham a oportunidade
De praticar da mesma forma.

Que cada um experiencie
A felicidade de humanos e deuses
E rapidamente alcance a iluminação,
Para que o samsara seja finalmente extinto.

Preces pela Tradição Virtuosa

Para que a tradição de Je Tsongkhapa,
O Rei do Dharma, floresça,
Que todos os obstáculos sejam pacificados
E todas as condições favoráveis sejam abundantes.

Pelas duas coleções, minhas e dos outros,
Reunidas ao longo dos três tempos,
Que a doutrina do Conquistador Losang Dragpa
Floresça para sempre.

Prece *Migtsema* de nove versos

Tsongkhapa, ornamento-coroa dos eruditos da Terra das Neves,
Tu és Buda Shakyamuni e Vajradhara, a fonte de todas as conquistas,
Avalokiteshvara, o tesouro de inobservável compaixão,
Manjushri, a suprema sabedoria imaculada,
E Vajrapani, o destruidor das hostes de maras.
Ó Venerável Guru Buda, síntese das Três Joias,
Com meu corpo, fala e mente, respeitosamente faço pedidos:
Peço, concede tuas bênçãos para amadurecer e libertar a mim e
  aos outros,
E confere-nos as aquisições comuns e a suprema.   (3x)

Cólofon: Estas preces foram compiladas por Venerável Geshe Kelsang Gyatso Rinpoche a partir de fontes tradicionais.

Apêndice II

O que é Meditação?

O que é Meditação?

MEDITAÇÃO É UMA MENTE que está estritamente focada em um objeto virtuoso e cuja função é tornar a mente pacífica e calma. Toda vez que meditamos, estamos executando uma ação mental que irá nos fazer experienciar paz interior no futuro. Dia e noite, durante toda a nossa vida, normalmente experienciamos delusões, ou aflições mentais, que são o oposto da paz mental. No entanto, algumas vezes, experienciamos paz interior naturalmente, e a razão disso é que, em nossas vidas anteriores, nos concentramos em objetos virtuosos. Um objeto virtuoso é um objeto que nos faz desenvolver uma mente pacífica quando o analisamos e nos concentramos nele. Se, ao nos concentrarmos num objeto, ele causar o desenvolvimento de uma mente agitada, perturbada (uma mente de raiva ou de apego, por exemplo) isso indicará que, para nós, o objeto é não virtuoso. Existem, também, muitos objetos neutros, que não são nem virtuosos nem não virtuosos.

Existem dois tipos de meditação: meditação analítica e meditação posicionada. A meditação analítica consiste em contemplar o significado de uma instrução espiritual que ouvimos ou lemos. Por contemplar profundamente essa instrução, alcançamos, por fim, uma conclusão clara e precisa a respeito dela ou fazemos com que um estado mental virtuoso específico surja. Essa conclusão ou estado mental virtuoso específico é o objeto da meditação posicionada. Concentramo-nos, então, estritamente focados nessa conclusão ou estado mental virtuoso pelo maior tempo possível, a fim de que nos tornemos profundamente familiarizados com ele.

Essa concentração estritamente focada é a meditação posicionada. A meditação analítica é frequentemente denominada "contemplação", e a meditação posicionada é frequentemente denominada "meditação". A meditação posicionada depende da meditação analítica, e a meditação analítica depende de ouvirmos ou lermos com atenção as instruções espirituais.

OS BENEFÍCIOS DA MEDITAÇÃO

O propósito da meditação é tornar a nossa mente calma e pacífica. Como foi mencionado anteriormente, se nossa mente estiver em paz, estaremos livres de preocupações e desconforto mental e, por essa razão, experienciaremos felicidade verdadeira; mas, se nossa mente não estiver em paz, acharemos muito difícil sermos felizes, mesmo que estejamos vivendo nas melhores condições. Se treinarmos meditação, nossa mente irá se tornar gradualmente mais pacífica e experienciaremos formas cada vez mais puras de felicidade. Por fim, seremos capazes de permanecer felizes o tempo todo, inclusive nas circunstâncias mais difíceis.

Em geral, achamos difícil controlar nossa mente. É como se nossa mente fosse um balão de gás ao sabor do vento – soprada para cá e para lá pelas circunstâncias exteriores. Se as coisas vão bem, nossa mente está feliz, mas, se vão mal, ela se torna imediatamente infeliz. Por exemplo, se conseguimos o que queríamos – uma nova posse, uma nova posição social ou econômica, ou um novo companheiro – ficamos excitados e nos "agarramos" a isso firmemente. No entanto, visto que não podemos ter tudo o que queremos e que, inevitavelmente, seremos separados ou perderemos tudo o que atualmente desfrutamos (amigos, posição social ou econômica, e posses), esse grude mental, ou apego, serve apenas para nos causar dor. Por outro lado, se não conseguimos o que queríamos ou se perdemos algo de que gostamos, ficamos desanimados ou irritados. Por exemplo, se formos forçados a trabalhar com um colega que não gostamos, é provável que fiquemos irritados e nos sintamos ofendidos e, como resultado, não conseguiremos trabalhar de maneira eficiente com ele e nossa jornada de trabalho irá se tornar estressante e pouco gratificante.

Essas flutuações de humor surgem porque estamos profundamente envolvidos com as situações exteriores. Somos como uma criança fazendo um castelo de areia, que fica eufórica quando o castelo está pronto, mas que se aflige quando ele é destruído pela maré. Por treinarmos meditação, criamos um espaço e clareza interiores que nos dão a possibilidade para controlar nossa mente, independentemente das circunstâncias exteriores. Gradualmente, desenvolvemos equilíbrio mental, uma mente equilibrada que é feliz o tempo todo, em vez de uma mente desequilibrada, que oscila entre os extremos da empolgação e do desânimo.

Se treinarmos meditação sistematicamente, por fim seremos capazes de erradicar definitivamente as delusões, ou aflições mentais, da nossa mente, que são as causas de todos os nossos problemas e sofrimentos. Desse modo, viremos a experienciar paz interior permanente. Então, dia e noite, vida após vida, experienciaremos somente paz e felicidade.

No começo, mesmo que nossa meditação pareça não estar indo bem, devemos lembrar que, por simplesmente aplicar esforço para treinar meditação, estamos criando o carma mental para experienciar paz interior no futuro. A felicidade desta vida e das nossas vidas futuras depende da experiência de paz interior, que, por sua vez, depende da ação mental de meditar. Visto que paz interior é a fonte de toda felicidade, podemos ver quão importante é a prática da meditação.

COMO COMEÇAR A MEDITAR

A primeira etapa da meditação é interromper as distrações e fazer com que a nossa mente se torne mais clara e mais lúcida. Isso pode ser alcançado por meio de praticarmos uma meditação respiratória simples. Escolhemos um local quieto para meditar e nos sentamos em uma postura confortável. Podemos nos sentar na postura tradicional de pernas cruzadas ou em qualquer outra postura que seja confortável. Se desejarmos, podemos nos sentar em uma cadeira. O mais importante é manter nossas costas retas, a fim de impedir que nossa mente se torne vagarosa ou sonolenta.

Sentamo-nos com os olhos parcialmente fechados e direcionamos nossa atenção para a nossa respiração. Respiramos naturalmente, de preferência pelas narinas, sem nos preocuparmos em controlar nossa respiração, e tentamos ficar conscientes da sensação da respiração à medida que o ar entra e sai pelas narinas. Essa sensação é o nosso objeto de meditação. Devemos tentar nos concentrar no objeto de meditação por meio da exclusão de qualquer outra coisa.

No início, nossa mente estará muito ocupada, e poderemos até mesmo achar que a meditação está fazendo com que a nossa mente se torne mais agitada; mas, na verdade, estamos apenas ficando mais conscientes de quão ocupada e agitada nossa mente realmente é. Haverá uma grande tentação de seguir os diferentes pensamentos à medida que surgirem, mas devemos resistir a isso e permanecer estritamente focados na sensação da respiração. Se descobrirmos que nossa mente se desviou e está seguindo nossos pensamentos, devemos trazê-la imediatamente de volta para a respiração. Devemos repetir isso quantas vezes forem necessárias, até que a mente se assente e se apazigue na respiração.

Se praticarmos pacientemente desse modo, nossos pensamentos distrativos irão gradualmente diminuir e experienciaremos uma sensação de paz interior e relaxamento. Perceberemos nossa mente lúcida e espaçosa e nos sentiremos renovados. Quando o mar está agitado, os sedimentos são revolvidos e a água se torna turva, escura; mas, quando o vento diminui, o lodo gradualmente assenta e a água se torna clara. De modo semelhante, quando o fluxo incessante dos nossos pensamentos distrativos é acalmado pela concentração na respiração, nossa mente se torna extraordinariamente lúcida e clara. Devemos permanecer com esse estado de serenidade mental por um algum tempo.

Embora a meditação respiratória seja apenas uma etapa preliminar da meditação, ela pode ser muito poderosa. Podemos ver, a partir dessa prática, que é possível experienciar paz interior e contentamento por meio de simplesmente controlar a mente, sem termos de depender, de modo algum, das condições exteriores. Quando a turbulência dos pensamentos distrativos diminui e nossa mente se torna quieta e tranquila, uma felicidade e contentamento profundos surgem dela naturalmente. Essa sensação de contentamento e bem-estar nos ajuda a enfrentar as tarefas e dificuldades da vida diária. Muito do estresse e da tensão que normalmente experienciamos vem da nossa mente, e muitos dos problemas que vivemos – incluindo problemas de saúde – são causados ou agravados por esse estresse. Praticar meditação respiratória por apenas dez ou quinze minutos todos os dias nos permite reduzir esse estresse. Experienciaremos uma sensação de calma e de espaço em nossa mente, e muitos dos nossos problemas habituais desaparecerão. Situações difíceis irão se tornar mais fáceis de se lidar, iremos naturalmente nos sentir calorosos e bem-dispostos para com os outros e nossos relacionamentos irão melhorar gradualmente.

Devemos treinar nessa meditação preliminar até reduzirmos nossas distrações densas e, então, podemos treinar nas meditações propriamente ditas, explicadas neste livro. Quando fizermos essas meditações, devemos começar acalmando a mente com a meditação respiratória e, então, prosseguir para as etapas da meditação analítica e posicionada, de acordo com as instruções específicas para cada meditação.

Apêndice III

O Estilo de Vida Kadampa

A PRÁTICA ESSENCIAL DO LAMRIM KADAM

Introdução

Esta prática essencial do Lamrim Kadam, conhecida como *O Estilo de Vida Kadampa*, contém dois textos: *Conselhos do Coração de Atisha* e *Os Três Aspectos Principais do Caminho para a Iluminação*, este último de Je Tsongkhapa. O primeiro condensa o estilo de vida dos antigos praticantes kadampa, cujo exemplo de pureza e sinceridade devemos todos tentar imitar. O segundo texto é um profundo guia para a meditação nas etapas do caminho, o Lamrim, que Je Tsongkhapa escreveu com base nas instruções recebidas diretamente do Buda da Sabedoria Manjushri.

Se nos esforçarmos, no melhor da nossa capacidade, para colocar os conselhos de Atisha em prática e meditarmos no Lamrim de acordo com as instruções de Je Tsongkhapa, desenvolveremos uma mente pura e feliz e progrediremos gradualmente em direção à paz suprema da plena iluminação. Como o Bodhisattva Shantideva diz:

> Na dependência desta forma humana, semelhante a um barco,
> Podemos cruzar o grande oceano de sofrimento.
> Uma vez que uma embarcação como esta será difícil
>   de encontrar novamente,
> Não é hora de dormir, ó tolos!

Praticar desse modo é a verdadeira essência do estilo de vida kadampa.

Geshe Kelsang Gyatso
1994

Conselhos do Coração de Atisha

Quando Venerável Atisha *chegou ao Tibete, ele foi primeiro para Ngari, onde permaneceu por dois anos dando muitos ensinamentos aos discípulos de Jangchub Ö. Após dois anos, Atisha decidiu retornar à Índia, e Jangchub Ö solicitou-lhe que desse um último ensinamento antes de partir. Atisha respondeu que já havia dado todos os conselhos de que necessitavam, mas Jangchub Ö insistiu em seu pedido; por essa razão, Atisha aceitou o pedido e deu os seguintes conselhos:*

Que maravilhoso!

Amigos, já que vocês já possuem grande conhecimento e clara compreensão, ao passo que não possuo importância alguma e tenho pouca sabedoria, não é adequado para vocês que me peçam conselhos. No entanto, uma vez que vocês, queridos amigos, a quem aprecio de coração, fizeram esse pedido, eu lhes darei estes conselhos essenciais vindos de minha mente inferior e infantil.

Amigos, até que alcancem a iluminação, o professor espiritual é indispensável; portanto, confiem no sagrado Guia Espiritual.

Até que realizem a verdade última, ouvir é indispensável; portanto, ouçam as instruções do Guia Espiritual.

Já que não podem tornar-se um Buda meramente por compreender o Dharma, pratiquem sinceramente com discernimento.

Evitem lugares que perturbem sua mente e sempre permaneçam onde suas virtudes aumentem.

Até que alcancem realizações estáveis, diversões mundanas são prejudiciais; portanto, permaneçam em lugares onde não haja tais distrações.

Evitem amigos que fazem com que suas delusões aumentem, e confiem naqueles que aumentam suas virtudes. Isto vocês devem levar a sério.

Já que nunca há um momento no qual as atividades mundanas cheguem ao fim, limitem suas atividades.

Dediquem suas virtudes ao longo do dia e da noite, e sempre vigiem sua mente.

Por terem recebido conselhos, pratiquem, toda vez que não estiverem meditando, sempre de acordo com o que seu Guia Espiritual disse.

Se praticarem com grande devoção, resultados surgirão imediatamente, sem que tenham que esperar por muito tempo.

Se, do fundo dos seus corações, vocês praticarem de acordo com o Dharma, comida e recursos naturalmente chegarão às suas mãos.

Amigos, as coisas que desejam dão tanta satisfação quanto beber água do mar; portanto, pratiquem contentamento.

Evitem todas as mentes altivas, presunçosas, orgulhosas e arrogantes, e permaneçam pacíficos e mansos.

Evitem as atividades que são consideradas como meritórias, mas que, na verdade, são obstáculos ao Dharma.

Proveito e respeito são armadilhas dos maras; portanto, coloquem-nas de lado, como se fossem pedras no caminho.

Palavras de elogio e fama servem apenas para nos seduzir; assim, soprem-nas como se assoassem o nariz.

Já que a felicidade, os prazeres e os amigos que vocês reúnem nesta vida duram somente um instante, coloquem-nos todos em segundo plano.

Já que as vidas futuras duram por um tempo muito longo, reúnam riquezas para suprir o futuro.

Vocês terão de partir deixando tudo para trás; portanto, não se apeguem a nada.

Gerem compaixão pelos seres inferiores e, especialmente, evitem desprezá-los ou humilhá-los.

Não tenham ódio pelos inimigos, e nem apego pelos amigos.

Não fiquem com inveja das boas qualidades dos outros, mas, por admiração, adotem-nas pessoalmente.

Não procurem falhas nos outros; procurem falhas em vocês mesmos e purguem-nas como sangue ruim.

Não contemplem suas boas qualidades; contemplem as boas qualidades dos outros e respeitem todos como um servo o faria.

Considerem todos os seres vivos como seus pais e mães, e amem-nos como se vocês fossem filhos deles.

Mantenham sempre uma expressão sorridente e uma mente amorosa, e falem de modo sincero e sem maldade.

Se falarem muito, dizendo coisas com pouco significado, vocês irão cometer equívocos; portanto, falem com moderação e somente quando necessário.

Se vocês se envolverem em muitas atividades sem sentido, suas atividades virtuosas irão se degenerar; portanto, interrompam as atividades que não sejam espirituais.

É completamente sem sentido investir esforço em atividades que não têm essência.

Se as coisas que vocês desejam não se realizam é devido ao carma criado há muito tempo; portanto, mantenham uma mente feliz e descontraída.

Cuidado, ofender um ser sagrado é pior que morrer; portanto, sejam honestos e francos.

Já que toda felicidade e sofrimento desta vida surgem de ações passadas, não culpem os outros.

Toda felicidade vem das bênçãos de seu Guia Espiritual; portanto, retribuam sempre sua bondade.

Já que não podem domar as mentes dos outros até que tenham domado a de vocês próprios, comecem domando a própria mente de vocês.

Já que, por fim, terão que partir sem a riqueza que acumularam, não acumulem negatividade em nome de riqueza.

Prazeres distrativos não têm essência; portanto, pratiquem generosidade sinceramente.

Mantenham sempre disciplina moral pura, pois ela leva a ter beleza nesta vida e felicidade desde agora e nas vidas futuras.

Já que o ódio é abundante nestes tempos impuros, vistam a armadura da paciência, livres de raiva.

Vocês permanecem no samsara devido ao poder da preguiça; portanto, acendam a chama do esforço de aplicação.

Já que esta vida humana é desperdiçada por sermos complacentes com as distrações, agora é a hora de praticar concentração – tranquilo-permanecer.

Por estarem sob a influência de visões errôneas, vocês não compreendem a natureza última das coisas; portanto, investiguem os significados corretos.

Amigos, não há felicidade neste pântano do samsara; por isso, mudem-se para o solo firme da libertação.

Meditem de acordo com o conselho de seu Guia Espiritual e drenem o rio do sofrimento samsárico.

Vocês devem refletir muito sobre tudo isto, pois não são apenas palavras vindas da boca, mas conselhos sinceros vindos do coração.

Se praticarem desse modo, vocês irão me deleitar, e vocês irão trazer felicidade para vocês mesmos e para os outros.

Eu, que sou um ignorante, peço a vocês que guardem esses conselhos no coração.

Esses são os conselhos que o ser sagrado Venerável Atisha deu ao Venerável Jangchub Ö.

Cólofon: Este texto foi traduzido sob a compassiva orientação de Venerável Geshe Kelsang Gyatso Rinpoche.

Os Três Aspectos Principais do Caminho para a Iluminação

pelo Buda da Sabedoria Je Tsongkhapa

Homenagem ao Venerável Guia Espiritual.

Explicarei, com o melhor de minha habilidade,
O significado essencial dos ensinamentos de todos os Budas [renúncia],
O caminho principal dos Bodhisattvas, que têm compaixão por todos os seres vivos [bodhichitta],
E o caminho último dos afortunados que buscam a libertação [a visão correta da vacuidade].

Tu não deves estar apegado aos prazeres mundanos,
Mas empenhar-te para encontrar o verdadeiro significado da vida humana
Por ouvir e praticar as instruções dadas aqui,
As quais todos os Budas anteriores praticaram com deleite.

O apego à satisfação dos teus próprios desejos, o desejo descontrolado,
É a causa principal de todos os teus próprios problemas e sofrimentos,
E não há método para abandoná-lo sem, primeiro, desenvolver renúncia.
Portanto, deves aplicar grande esforço para desenvolver e manter renúncia pura.

Quando, por meio do treino diário, gerares os pensamentos
   espontâneos:
"Pode ser que eu morra hoje" e "Uma preciosa vida humana é tão rara",
E meditares na verdade do carma e nos sofrimentos do ciclo
   de vida impura, o samsara,
O teu apego aos prazeres mundanos cessará.

Desse modo, quando o desejo descontrolado por prazeres mundanos
Não surgir sequer por um momento,
Mas uma mente ávida por libertação – nirvana – surgir ao longo
   do dia e da noite,
Nesse momento, renúncia pura terá sido gerada.

No entanto, se essa renúncia não for mantida
Pela compassiva mente de bodhichitta,
Ela não será uma causa da felicidade insuperável, a iluminação;
Portanto, deves aplicar esforço para gerar a preciosa mente
   de bodhichitta.

Arrastadas pelas correntezas dos quatro poderosos rios [nascimento,
   envelhecimento, doença e morte],
Acorrentadas firmemente pelos grilhões do carma, tão difíceis
   de soltar,
Capturadas na rede de ferro do agarramento ao em-si,
Completamente envoltas pela densa escuridão da ignorância,

Renascendo muitas e muitas vezes no ilimitado samsara
E atormentadas ininterruptamente pelos três sofrimentos [sensações
   dolorosas, sofrimento-que-muda e sofrimento-que-permeia] –
Por contemplares o estado das tuas mães, todos os seres vivos,
   em condições como essas,
Gera a suprema mente de bodhichitta.

Porém, embora possas estar familiarizado com renúncia e bodhichitta,
Se não possuíres a sabedoria que realiza o modo como as coisas
   realmente são,
Não serás capaz de cortar a raiz do samsara;
Portanto, empenha-te de modo a realizares a relação-dependente.

Quando vires claramente os fenômenos – como o samsara
   e o nirvana, e causa e efeito – tal como existem
E, ao mesmo tempo, vires que todos os fenômenos que
   normalmente vês ou percebes não existem
Terás ingressado no caminho da visão correta da vacuidade,
Deleitando, assim, todos os Budas.

Se perceberes e acreditares que a aparência – os fenômenos –
E o vazio – a vacuidade dos fenômenos –
São duais,
Não terás, ainda, realizado a intenção de Buda.

Se, por apenas veres que as coisas existem
Na dependência dos seus meros nomes,
O teu agarramento ao em-si reduzir ou cessar,
Nesse momento, concluíste a tua compreensão da vacuidade.

Além disso, se negares o extremo da existência
Através de simplesmente realizares que os fenômenos são apenas
   meras aparências,
E se negares o extremo da não-existência
Através de simplesmente realizares que todos os fenômenos que
   normalmente vês ou percebes não existem,

E se realizares como, por exemplo, a vacuidade de causa e efeito
É percebida como causa e efeito,
Porque não existe causa e efeito que não vacuidade,
Com essas realizações, tu não serás prejudicado pela visão extrema.

Quando, desse modo, tiveres realizado corretamente os pontos
   essenciais
Dos três aspectos principais do caminho,
Caro amigo, recolhe-te em retiro solitário, gera e mantém forte
   esforço
E alcança, rapidamente, a meta final.

Cólofon: Este texto foi retraduzido por Venerável Geshe
Kelsang Gyatso Rinpoche no Dia em que Buda Girou a
Roda do Dharma, 4 de junho de 2017.

Glossário

Agregado Em geral, todas as coisas funcionais são agregados porque são uma agregação de suas partes. Em particular, uma pessoa do reino do desejo ou do reino da forma tem cinco agregados: os agregados forma, sensação, discriminação, fatores de composição e consciência. Um ser do reino da sem-forma carece do agregado forma, mas possui os outros quatro agregados. O agregado forma de uma pessoa é o seu corpo. Os quatro agregados restantes são aspectos de sua mente. Consultar *Novo Coração de Sabedoria*.

Apego Fator mental deludido que observa um objeto contaminado, considera-o como causa de felicidade e deseja-o. Consultar *Como Entender a Mente* e *Caminho Alegre da Boa Fortuna*.

Aryadeva Erudito budista indiano e mestre de meditação que viveu no século III, discípulo de Nagarjuna.

Asanga Um grande iogue budista indiano e erudito que viveu no século V, autor de *Compêndio do Abhidharma*. Consultar *Viver Significativamente, Morrer com Alegria* e *Novo Coração de Sabedoria*.

Atenção Fator mental que atua para focar a mente em um atributo específico de um objeto. Consultar *Como Entender a Mente*.

Atisha (982–1054) Famoso erudito budista indiano e mestre de meditação. Ele foi abade do grande monastério budista de Vikramashila durante o período em que o Budismo Mahayana estava florescendo na Índia. Posteriormente, foi convidado a ir ao Tibete, onde reintroduziu o puro Budismo. Atisha é o autor do primeiro texto sobre as etapas do caminho, *Luz para o Caminho*. Sua tradição ficou conhecida posteriormente como "a Tradição Kadampa". Consultar *Budismo Moderno* e *Caminho Alegre da Boa Fortuna*. Ver também *Budismo Kadampa*, *Kadampa* e *Tradição Kadampa*.

Base de designação, base de imputação Todos os fenômenos são designados, ou imputados, sobre suas partes. Por essa razão, qualquer uma das partes individuais ou a coleção completa das partes de qualquer fenômeno é a sua base de designação, ou base de imputação. Um fenômeno é designado pela mente na dependência da base de designação do fenômeno que aparece à mente. Consultar *Novo Coração de Sabedoria*.

Bênção Transformação da nossa mente (de um estado negativo para um estado positivo, de um estado infeliz para um estado feliz, de um estado de fraqueza para um estado de vigor) através da inspiração de seres sagrados, como nosso Guia Espiritual, Budas e Bodhisattvas.

Budismo Kadampa Escola budista mahayana fundada pelo grande mestre budista indiano Atisha (982–1054).

Canais Corredores interiores sutis do corpo através dos quais fluem gotas sutis movidas pelos ventos interiores. Consultar *Budismo Moderno*, *Mahamudra-Tantra* e *Clara-Luz de Êxtase*.

Clara-luz Uma mente muito sutil manifesta que percebe uma aparência semelhante a um espaço vazio, claro. Consultar *Budismo Moderno*, *Mahamudra-Tantra* e *Clara-Luz de Êxtase*.

Coisa funcional Fenômeno que é produzido e que se desintegra dentro do mesmo instante, ou momento. *Fenômeno impermanente*, *coisa* e *produto* são sinônimos de coisa funcional. Ver também *impermanência*.

Compromissos Promessas e juramentos tomados quando nos empenhamos em determinadas práticas espirituais.

Concentração Fator mental que faz sua mente primária permanecer estritamente focada em seu objeto. Consultar *Caminho Alegre da Boa Fortuna* e *Contemplações Significativas*.

Conhecedor subsequente Conhecedor totalmente confiável cujo objeto é compreendido ou realizado na dependência direta de uma razão conclusiva. Consultar *Como Entender a Mente*.

Conhecedor válido, mente válida Conhecedor que é não enganoso com respeito ao seu objeto conectado. Existem dois tipos de conhecedor válido: conhecedores válidos subsequentes e conhecedores válidos diretos. Consultar *Como Entender a Mente*.

Contato Fator mental que atua, ou funciona, para perceber seu objeto como agradável, desagradável ou neutro. Consultar *Como Entender a Mente*.

Contentamento Sentir-se satisfeito com suas próprias condições interiores e exteriores, motivado por uma intenção virtuosa.

Contínua-lembrança (mindfulness) Fator mental que atua para não esquecer o objeto compreendido pela mente primária. Consultar *Como Entender a Mente* e *Contemplações Significativas*.

Continuum mental O *continuum* da mente, ou fluxo mental, que não tem começo nem fim.

Corpo-Forma O Corpo-de-Deleite e o Corpo-Emanação de um Buda. Ver também *Corpos de Buda*.

Corpo-Verdade "*Dharmakaya*", em sânscrito. O Corpo-Natureza e o Corpo-Verdade-Sabedoria de um Buda. Ver também *Corpos de Buda*.

Corpos de Buda Um Buda possui quatro corpos: o Corpo-Verdade--Sabedoria, o Corpo-Natureza, o Corpo-de-Deleite e o Corpo--Emanação. O Corpo-Verdade-Sabedoria é a mente onisciente de Buda. O Corpo-Natureza é a vacuidade, ou natureza última, de sua mente. O Corpo-de-Deleite é seu Corpo-Forma sutil. O Corpo--Emanação, a partir do qual cada Buda manifesta um número incontável de corpos, é o Corpo-Forma denso, visível aos seres comuns. O Corpo-Verdade-Sabedoria e o Corpo-Natureza estão, ambos, incluídos no Corpo-Verdade, e o Corpo-de-Deleite e o Corpo-Emanação estão, ambos, incluídos no Corpo-Forma. Consultar *Caminho Alegre da Boa Fortuna* e *Oceano de Néctar*.

Deidade "*Yidam*", em tibetano. Um ser iluminado tântrico.

Dharma Os ensinamentos de Buda e as realizações interiores obtidas na dependência da prática desses ensinamentos. "Dharma" significa "proteção". Por praticar os ensinamentos de Buda, protegemo-nos de sofrimentos e problemas.

Discriminação Fator mental que atua apreendendo os sinais particulares de um objeto. Consultar *Como Entender a Mente*.

Elementos, quatro Terra, água, fogo e vento. Esses quatro elementos não são o mesmo que a terra do chão ou de um campo, a água de um rio, e assim por diante. Em vez disso, os elementos terra, água, fogo e vento designam, em termos amplos, as propriedades de solidez, fluidez, calor e movimento, respectivamente.

Emanação Forma animada ou inanimada manifestada pelos Budas ou elevados Bodhisattvas para o benefício dos outros.

Etapas do caminho Ver *Lamrim*.

Fator mental Conhecedor que apreende, principalmente, um atributo específico de um objeto. Existem 51 fatores mentais específicos. Cada momento da mente contém uma mente primária e vários fatores mentais. Consultar *Como Entender a Mente*.

Geshe Título concedido pelos monastérios kadampa para eruditos budistas realizados. "Geshe" é uma abreviação de *"ge wai she nyem"*, que, em tibetano, significa literalmente "amigo virtuoso".

Geshe Chekhawa (1102-1176) Um grande Bodhisattva kadampa que escreveu o texto *Treinar a Mente em Sete Pontos*, um comentário às *Oito Estrofes do Treino da Mente*, de Langri Tangpa. Geshe Chekhawa difundiu o estudo e a prática do treino da mente por todo o Tibete. Consultar *Compaixão Universal*.

Geshe kadampa Ver *Geshe*.

Guia Espiritual *"Guru"*, em sânscrito, e *"Lama"*, em tibetano. O professor que nos guia ao longo do caminho espiritual. Consultar *Caminho Alegre da Boa Fortuna* e *Grande Tesouro de Mérito*.

Guia do Estilo de Vida do Bodhisattva Texto budista mahayana clássico escrito pelo grande iogue e erudito budista indiano Shantideva, que apresenta todas as práticas de um Bodhisattva, desde a etapa inicial de gerar a bodhichitta até a conclusão da prática das seis perfeições. Para ler a tradução dessa obra, consultar *Guia do Estilo de Vida do Bodhisattva*. Para um comentário completo a esse texto, ler *Contemplações Significativas*.

Gungtang Gungtang Konchog Tenpai Dronme (1762-1823), erudito e meditador *gelug*, famoso por seus poemas espirituais e escritos filosóficos.

Guru Palavra sânscrita para "Guia Espiritual". Ver também *Guia Espiritual*.

Heruka Principal Deidade do Tantra-Mãe e a corporificação de êxtase e vacuidade indivisíveis. Consultar *Essência do Vajrayana*.

Hinayana Palavra sânscrita para "Pequeno Veículo", ou "Veículo Menor". A meta hinayana é alcançar, meramente, a libertação do sofrimento para si próprio por meio abandonar completamente as delusões. Consultar *Caminho Alegre da Boa Fortuna*.

Imagem genérica O objeto aparecedor de uma mente conceitual. A imagem genérica, ou imagem mental, de um objeto é como o reflexo desse objeto. A mente conceitual conhece seu objeto por meio da aparência da imagem genérica desse objeto, mas não por ver o objeto diretamente. Consultar *Como Entender a Mente* e *Novo Coração de Sabedoria*.

Impermanência Os fenômenos são permanentes ou impermanentes. "Impermanente" significa "momentâneo"; assim, um fenômeno impermanente é um fenômeno que é produzido e se desintegra dentro do mesmo instante, ou momento. *Coisa funcional*, *coisa* e *produto* são sinônimos de fenômeno impermanente. Existem dois tipos de impermanência: densa e sutil. Impermanência densa é qualquer impermanência que possa ser percebida por uma percepção sensorial comum – por exemplo, o envelhecimento e a morte de um ser senciente. A impermanência sutil é a desintegração instantânea (dentro do mesmo instante) de uma coisa funcional. Consultar *Novo Coração de Sabedoria*.

Impermanência sutil Ver *impermanência*.

Intenção Fator mental que atua para focar sua mente primária em um objeto. Sua atuação principal, ou função, é criar carma. Dentre os três tipos carma, ou ação (físico, verbal e mental), a intenção ela própria é ação mental. No entanto, a intenção é também a causa das ações físicas e verbais, porque toda ação física e toda ação verbal são precedidas pelas ações mentais. Consultar *Como Entender a Mente*.

Interesses mundanos, Os oito Ver *preocupações mundanas*.

Iogue/Ioguine Palavras sânscritas normalmente utilizadas para se referir a um meditador masculino ou feminino que alcançou a união do tranquilo-permanecer com a visão superior.

Je Tsongkhapa (1357-1419) Je Tsongkhapa foi uma emanação do Buda da Sabedoria Manjushri. Sua aparição no século XIV como um monge e detentor da linhagem da visão pura e de feitos puros, no Tibete, foi profetizada por Buda. Je Tsongkhapa difundiu um Budadharma muito puro por todo o Tibete, mostrando como combinar as práticas de Sutra e de Tantra e como praticar o puro Dharma durante tempos degenerados. Sua tradição ficou conhecida posteriormente como "Gelug", ou "Tradição Ganden". Consultar *Joia-Coração* e *Grande Tesouro de Mérito*.

Kadampa Palavra tibetana na qual "Ka" significa "palavra" e refere-se a todos os ensinamentos de Buda; "dam" refere-se às instruções de Lamrim especiais de Atisha, conhecidas como "etapas do caminho à iluminação"; e "pa" refere-se ao seguidor do Budismo Kadampa, que integra em sua prática de Lamrim todos os ensinamentos de Buda que ele conhece.

Lama Ver *Guia Espiritual*.

Lamrim Termo tibetano que significa literalmente "etapas do caminho". O Lamrim é uma organização especial de todos os ensinamentos de Buda, que é fácil de compreender e de ser colocado em prática. Ele revela todas as etapas do caminho à iluminação. Para um comentário completo ao Lamrim, consultar *Caminho Alegre da Boa Fortuna*.

Langri Tangpa (1054-1123) Grande geshe kadampa e Bodhisattva, famoso por sua realização de trocar eu por outros. Langri Tangpa escreveu *Oito Estrofes do Treino da Mente*. Consultar *Novo Oito Passos para a Felicidade*.

Linhagem *Continuum* de instruções transmitido de Guia Espiritual para discípulo, em que cada Guia Espiritual da linhagem obtem uma experiência pessoal da instrução antes de passá-la para os outros.

Lojong Ver *treino da mente*.

Mahamudra Palavra sânscrita que significa literalmente "grande selo". De acordo com os Sutras, refere-se à visão profunda da vacuidade. Como a vacuidade é a natureza de todos os fenômenos, ela é chamada de "selo", e como uma realização direta da vacuidade permite-nos realizar o grande propósito – a libertação completa dos sofrimentos do samsara – ele também é chamado de "grande". De acordo com o Mantra Secreto, "grande selo" é a união de grande êxtase espontâneo e vacuidade. Consultar *Mahamudra-Tantra*, *As Instruções Orais do Mahamudra* e *Clara-Luz de Êxtase*.

Mahayana Palavra sânscrita para "Grande Veículo", o caminho espiritual à grande iluminação. A meta mahayana é alcançar a Budeidade para o benefício de todos os seres sencientes, por meio de abandonar completamente as delusões e as suas marcas. Consultar *Caminho Alegre da Boa Fortuna*.

Maitreya A corporificação da bondade amorosa de todos os Budas. No tempo de Buda Shakyamuni, Maitreya manifestou-se como um discípulo Bodhisattva a fim de mostrar, aos discípulos de Buda, como ser um perfeito discípulo mahayana. No futuro, Maitreya irá se manifestar como o quinto Buda fundador.

Mala Rosário utilizado para contar recitações de preces ou mantras. Normalmente, o mala possui cento e oito contas.

Manjushri A corporificação da sabedoria de todos os Budas. Consultar *Grande Tesouro de Mérito* e *Joia-Coração*.

Mantra Palavra sânscrita que significa literalmente "proteção da mente". O mantra protege a mente contra aparências e concepções comuns. Consultar *Solos e Caminhos Tântricos*.

Mantra Secreto Sinônimo de Tantra. Os ensinamentos do Mantra Secreto diferem dos ensinamentos de Sutra por revelarem métodos de treinar a mente por meio de trazer o resultado futuro – a Budeidade – para o caminho presente. O mantra Secreto é o caminho supremo à plena iluminação. O termo "mantra" indica que se trata de uma instrução especial de Buda para proteger a nossa mente das aparências e concepções comuns. Os praticantes do Mantra Secreto superam as aparências e concepções comuns visualizando o seu corpo, ambiente, prazeres e atividades como sendo os de um Buda. O termo "secreto" indica que as práticas devem ser feitas reservadamente e que podem ser praticadas apenas por aqueles que receberam uma iniciação tântrica. Consultar *Clara-Luz de Êxtase*, *Mahamudra-Tantra*, *Budismo Moderno* e *Solos e Caminhos Tântricos*.

Mara Termo sânscrito para "demônio". Refere-se a qualquer coisa que obstrua a conquista da libertação ou da iluminação. Existem quatro tipos principais de mara: o mara das delusões, o mara dos agregados contaminados, o mara da morte descontrolada e os maras Devaputra. Dentre os quatro tipos de mara, apenas os maras Devaputra são seres vivos. Consultar *Novo Coração de Sabedoria*.

Mente conceitual Ver *pensamento conceitual*.

Mente muito sutil A mente tem diferentes níveis: denso, sutil e muito sutil. As mentes sutis manifestam-se quando os ventos interiores se reúnem e se dissolvem dentro do canal central. Consultar *Mahamudra-Tantra* e *Clara-Luz de Êxtase*.

Mente primária Conhecedor que apreende, principalmente, a mera entidade de um objeto. *Consciência* e *mente primária* são sinônimos. Existem seis mentes primárias: consciência visual, consciência auditiva, consciência olfativa, consciência gustativa, consciência corporal, ou tátil, e consciência mental. Cada momento da mente contém uma mente primária e vários fatores mentais. Uma mente primária e seus fatores mentais acompanhantes são a mesma entidade, mas têm funções diferentes. Consultar *Como Entender a Mente*.

Mente-raiz Mente muito sutil localizada no centro da roda-canal do coração. Ela é conhecida como "mente-raiz" porque todas as outras mentes surgem dela e nela se dissolvem. Consultar *Mahamudra-Tantra*.

Mente válida Ver *conhecedor válido*.

Mera aparência Todos os fenômenos são meras aparências porque são designados, ou imputados, pela mente na dependência de uma base de designação adequada que aparece à mente. A palavra *mera* exclui qualquer possibilidade de existência inerente. Consultar *Oceano de Néctar*.

Mérito Boa fortuna criada pelas ações virtuosas. O mérito é o poder potencial para aumentar nossas boas qualidades e produzir felicidade.

Milarepa (1040-1123) Um grande meditador budista tibetano e discípulo de Marpa. Ele é célebre por suas belas canções de realização.

Nagarjuna Grande erudito budista indiano e mestre de meditação que reviveu o Mahayana no primeiro século por trazer à luz os ensinamentos dos *Sutras Perfeição de Sabedoria*. Consultar *Oceano de Néctar* e *Novo Coração de Sabedoria*.

Objeto negado Objeto explicitamente negado por uma mente que compreende ou realiza um fenômeno negativo. Na meditação sobre a vacuidade – ou ausência de existência inerente – o termo "objeto negado" se refere à existência inerente. O termo "objeto negado" também é conhecido como "objeto de negação".

Objeto observado Qualquer objeto sobre o qual a mente esteja focada. Consultar *Como Entender a Mente*.

Obstruções à libertação Obstruções que impedem a conquista da libertação. Todas as delusões, como ignorância, apego e raiva, juntamente com suas sementes, são obstruções à libertação. As obstruções à libertação são também denominadas "obstruções-delusões".

Obstruções à onisciência As marcas das delusões, que impedem a realização simultânea e direta de todos os fenômenos. Somente os Budas superaram essas obstruções.

Pensamento conceitual, mente conceitual Pensamento que apreende seu objeto por meio de uma imagem genérica, ou mental. Consultar *Como Entender a Mente*.

Percebedor direto Conhecedor que apreende seu objeto de modo correto e diretamente. Consultar *Como Entender a Mente*.

Preocupações mundanas, As Oito Os objetos das oito preocupações mundanas (ou interesses mundanos) são: felicidade e sofrimento, riqueza e pobreza, louvor e crítica, boa reputação e má reputação. São chamadas de "preocupações mundanas" porque as pessoas mundanas estão constantemente preocupadas com elas, desejando algumas e tentando evitar outras. Consultar *Compaixão Universal* e *Caminho Alegre da Boa Fortuna*.

Purificação Em geral, qualquer prática que conduz à obtenção de um corpo, fala, ou mente puros. Mais especificamente, uma prática para purificar carma negativo por meio dos quatro poderes oponentes. Consultar *Caminho Alegre da Boa Fortuna* e *O Voto Bodhisattva*.

Realização Experiência estável e não equivocada de um objeto virtuoso, que nos protege diretamente do sofrimento.

Refúgio Proteção verdadeira, efetiva. Buscar refúgio em Buda, Dharma e Sangha significa ter fé nessas Três Joias e confiar, ou depender, delas para se proteger de todos os medos e sofrimentos. Consultar *Budismo Moderno*, *Caminho Alegre da Boa Fortuna* e *Contemplações Significativas*.

Reino do desejo O ambiente dos seres-do-inferno, fantasmas famintos, animais, seres humanos, semideuses e dos deuses que desfrutam dos cinco objetos de desejo.

Reino da forma O ambiente dos deuses que possuem forma e que são superiores aos deuses do reino do desejo. O reino da forma é assim denominado porque os deuses que habitam esse reino têm formas sutis. Consultar *Oceano de Néctar*.

Reino da sem-forma O ambiente dos deuses que não possuem forma. Consultar *Oceano de Néctar*.

Roda-Canal *"Chakra"*, em sânscrito. O chakra é um centro focal de onde canais secundários ramificam-se a partir do canal central. Meditar nesses pontos pode fazer com que os ventos interiores entrem no canal central. Consultar *Budismo Moderno*, *Mahamudra-Tantra* e *Clara-Luz de Êxtase*.

Sabedoria Mente inteligente virtuosa que faz sua mente primária compreender ou realizar um objeto significativo. A sabedoria é um caminho espiritual que atua, ou funciona, para libertar nossa mente das delusões ou das marcas das delusões. Um exemplo de sabedoria é a visão correta da vacuidade.

Senhor da Morte Embora o mara da morte descontrolada não seja um ser vivo, ele é personificado como o Senhor da Morte, ou "Yama". No diagrama da Roda da Vida, o Senhor da Morte é representado agarrando a roda entre suas garras e dentes. Consultar *Caminho Alegre da Boa Fortuna*.

Sensação Fator mental que atua para experienciar objetos agradáveis, desagradáveis ou neutros. Consultar *Como Entender a Mente*.

Ser comum Qualquer pessoa que não realizou diretamente a vacuidade.

Ser sagrado Ser que é digno de, ou adequado à, devoção.

Ser senciente Ver *ser vivo*.

Ser superior *"Arya"*, em sânscrito. Ser que possui uma realização direta da vacuidade. Existem Hinayanas superiores e Mahayanas superiores.

GLOSSÁRIO

Ser vivo Sinônimo de ser senciente. Qualquer ser que tenha uma mente que esteja contaminada pelas delusões ou pelas marcas das delusões. Tanto o termo "ser vivo" quanto "ser senciente" são utilizados para fazer a distinção entre os seres cujas mentes estão contaminadas por, pelo menos, uma dessas duas obstruções, e os Budas, cujas mentes são completamente livres dessas obstruções.

Shantideva (687-763) Grande erudito budista indiano e mestre de meditação. Escreveu *Guia do Estilo de Vida do Bodhisattva*. Consultar *Contemplações Significativas* e *Guia do Estilo de Vida do Bodhisattva*.

Sutra Os ensinamentos de Buda que são abertos para a prática de todos, sem necessidade de uma iniciação. Os ensinamentos de Sutra incluem os ensinamentos de Buda dos Três Giros da Roda do Dharma.

Sutra Coração Um dos diversos *Sutras Perfeição de Sabedoria* de Buda. Embora seja muito menor do que os demais *Sutras Perfeição de Sabedoria*, o *Sutra Coração* contém explícita ou implicitamente todo o seu significado. Para a leitura de sua tradução e comentário completo, consultar *Novo Coração de Sabedoria*.

Sutras Perfeição de Sabedoria Sutras do segundo giro da Roda do Dharma, na qual Buda revelou sua visão final sobre a natureza última de todos os fenômenos – a vacuidade de existência inerente. Consultar *Novo Coração de Sabedoria* e *Oceano de Néctar*.

Sutras Vinaya Sutras nos quais Buda explica, principalmente, a prática de disciplina moral e, em particular, a disciplina moral pratimoksha.

Tantra Ver *mantra secreto*.

Tempos degenerados Período no qual atividades espirituais se degeneram.

Tempos sem início De acordo com a visão budista sobre o mundo, não há um início para a mente e, portanto, não há um início para o tempo. Por esta razão, todos os seres vivos tiveram incontáveis renascimentos.

Terra Pura Ambiente puro onde não há verdadeiros sofrimentos. Existem muitas Terras Puras. Por exemplo: Tushita é a Terra Pura de Buda Maitreya; Sukhavati é a Terra Pura de Buda Amitabha; e a Terra Dakini, ou Keajra, é a Terra Pura de Buda Vajrayogini e Buda Heruka. Consultar *Viver Significativamente, Morrer com Alegria*.

Tradição Kadampa A tradição pura do Budismo estabelecida por Atisha. Os seguidores dessa tradição, até a época de Je Tsongkhapa, são conhecidos como "Antigos Kadampas", e os seguidores após a época de Je Tsongkhapa são conhecidos como "Novos Kadampas".

Treinar a Mente em Sete Pontos Um comentário, escrito por Geshe Chekhawa, a *Oito Estrofes do Treino da Mente*. Para ler a tradução desse comentário e a sua explicação completa, consultar *Compaixão Universal*.

Treino da mente "*Lojong*", em tibetano. Uma linhagem especial de instruções que veio de Buda Shakyamuni, que a transmitiu a Manjushri e Shantideva e passada para Atisha e geshes kadampas. Essa linhagem especial enfatiza gerar a bodhichitta por meio das práticas de *equalizar eu com outros* e de *trocar eu por outros*, em associação com a prática de tomar e dar. Consultar *Compaixão Universal* e *Novo Oito Passos para a Felicidade*.

Vajrayogini Deidade feminina do Tantra Ioga Supremo e a corporificação de êxtase e vacuidade indivisíveis. Ela é a mesma natureza que Heruka. Consultar *Novo Guia à Terra Dakini*.

Ventos interiores Ventos sutis especiais relacionados com a mente e que fluem pelos canais do nosso corpo. Nosso corpo e nossa mente não podem funcionar sem esses ventos. Consultar *Budismo Moderno*, *Mahamudra-Tantra* e *Clara-Luz de Êxtase*.

Verdadeiro sofrimento Objeto contaminado produzido por delusões e carma. Consultar *Caminho Alegre da Boa Fortuna* e *Como Solucionar Nossos Problemas Humanos*.

Vigilância Fator mental que é um tipo de sabedoria que examina nossas atividades de corpo, fala e mente e que identifica se falhas estão se desenvolvendo ou não. Consultar *Como Entender a Mente*.

Visão superior Sabedoria especial que vê ou percebe seu objeto claramente e que é mantida pelo tranquilo-permanecer e pela maleabilidade especial induzida por investigação. Consultar *Caminho Alegre da Boa Fortuna*.

Voto Determinação virtuosa de abandonar falhas específicas, que é gerada juntamente com um ritual tradicional. Os três conjuntos de votos são: os votos pratimoksha de libertação individual, os votos Bodhisattva e os votos do Mantra Secreto. Consultar *O Voto Bodhisattva* e *Solos e Caminhos Tântricos*.

Bibliografia

VENERÁVEL GESHE KELSANG GYATSO RINPOCHE é um mestre de meditação e erudito altamente respeitado da tradição do Budismo Mahayana fundada por Je Tsongkhapa. Desde sua chegada ao Ocidente, em 1977, Venerável Geshe Kelsang Gyatso Rinpoche tem trabalhado incansavelmente para estabelecer o puro Budadharma no mundo inteiro. Durante esse tempo, deu extensos ensinamentos sobre as principais escrituras mahayana. Esses ensinamentos proporcionam uma apresentação completa das práticas essenciais de Sutra e de Tantra do Budismo Mahayana.

Consulte o *website* da Tharpa para conferir os títulos disponíveis em língua portuguesa.

Livros

Budismo Moderno O caminho da compaixão e sabedoria. (3ª edição, 2015)
Caminho Alegre da Boa Fortuna O completo caminho budista à iluminação. (4ª edição, 2010)
Clara-Luz de Êxtase Um manual de meditação tântrica. (2020)
Como Entender a Mente A natureza e o poder da mente. (edição revista pelo autor, 2014. Edição anterior, com o título *Entender a Mente*, 2002)
Como Solucionar Nossos Problemas Humanos As Quatro Nobres Verdades. (4ª edição, 2012)
Como Transformar a sua Vida Uma jornada de êxtase. (edição revista pelo autor, 2017. Edição anterior, com o título *Transforme sua Vida*, 2014)

Compaixão Universal Soluções inspiradoras para tempos difíceis. (3ª edição, 2007)

Contemplações Significativas Como se tornar um amigo do mundo. (2009)

O Espelho do Dharma, com Adições Como Encontrar o Verdadeiro Significado da Vida Humana. (2019. Edição anterior, com o título *O Espelho do Dharma*, 2018)

Essência do Vajrayana A prática do Tantra Ioga Supremo do mandala de corpo de Heruka. (2017)

Grande Tesouro de Mérito Como confiar num Guia Espiritual. (2013)

Guia do Estilo de Vida do Bodhisattva Como desfrutar uma vida de grande significado e altruísmo. Uma tradução da famosa obra-prima em versos de Shantideva. (2ª edição, 2009)

Introdução ao Budismo Uma explicação do estilo de vida budista. (6ª edição, 2012)

As Instruções Orais do Mahamudra A verdadeira essência dos ensinamentos, de Sutra e de Tantra, de Buda (2016)

Joia-Coração As práticas essenciais do Budismo Kadampa. (2ª edição, 2016)

Mahamudra-Tantra O supremo néctar da Joia-Coração. (2ª edição, 2014)

Novo Coração de Sabedoria Uma explicação do Sutra Coração. (edição revista pelo autor, 2013. Edição anterior, com o título *Coração de Sabedoria*, 2005)

Novo Guia à Terra Dakini A prática do Tantra Ioga Supremo de Buda Vajrayogini. (edição revista pelo autor, 2015. Edição anterior, com o título *Guia à Terra Dakini*, 2001)

Novo Manual de Meditação Meditações para tornar nossa vida feliz e significativa. (3ª edição, 2021)

Novo Oito Passos para a Felicidade O caminho budista da bondade amorosa. (edição revista pelo autor, 2017. Edições anteriores, como *Oito Passos para a Felicidade*: 2013 – também revista pelo autor – e 2007)

Oceano de Néctar A verdadeira natureza de todas as coisas. (2019)

Solos e Caminhos Tântricos Como ingressar, progredir e concluir o Caminho Vajrayana. (2016)

Viver Significativamente, Morrer com Alegria A prática profunda da transferência de consciência. (2007)
O Voto Bodhisattva Um guia prático para ajudar os outros. (3ª edição, 2021)

Sadhanas e outros Livretos

Venerável Geshe Kelsang Gyatso Rinpoche também supervisionou a tradução de uma coleção essencial de sadhanas, ou livretos de oração, para aquisições espirituais. Consulte o *website* da Editora Tharpa para conferir os títulos disponíveis em língua portuguesa.

Caminho de Compaixão para quem Morreu Sadhana de Powa para o benefício dos que morreram.
Caminho de Êxtase A sadhana condensada de autogeração de Vajrayogini.
Caminho para o Paraíso, O A prática de transferência de consciência (Powa) de Arya Tara.
Caminho Rápido ao Grande Êxtase A sadhana extensa de autogeração de Vajrayogini.
Caminho para a Terra Pura Sadhana para o treino em Powa (a transferência de consciência).
As Centenas de Deidades da Terra Alegre de Acordo com o Tantra Ioga Supremo O Guru-Ioga de Je Tsongkhapa como uma Prática Preliminar ao Mahamudra.
Cerimônia de Powa Transferência de consciência de quem morreu.
Cerimônia de Refúgio Mahayana e Cerimônia do Voto Bodhisattva.
Cerimônia do Voto Pratimoksha de uma Pessoa Leiga.
A Confissão Bodhisattva das Quedas Morais A prática de purificação do Sutra Mahayana dos Três Montes Superiores.
Essência da Boa Fortuna Preces das seis práticas preparatórias para a meditação sobre as Etapas do Caminho para a iluminação.
Essência do Vajrayana Sadhana de autogeração do mandala de corpo de Heruka, de acordo com o sistema de Mahasiddha Ghantapa.
O Estilo de Vida Kadampa As práticas essenciais do Lamrim Kadam.

Festa de Grande Êxtase Sadhana de autoiniciação de Vajrayogini.
Gota de Néctar Essencial Uma prática especial de jejum e de purificação em associação com Avalokiteshvara de Onze Faces.
Grande Libertação do Pai Preces preliminares para a meditação no Mahamudra em associação com a prática de Heruka.
Grande Libertação da Mãe Preces preliminares para a meditação no Mahamudra em associação com a prática de Vajrayogini.
A Grande Mãe Um método para superar impedimentos e obstáculos pela recitação do *Sutra Essência da Sabedoria* (o *Sutra Coração*).
O Ioga de Avalokiteshvara de Mil Braços Sadhana de autogeração.
O Ioga de Buda Amitayus Um método especial para aumentar tempo de vida, sabedoria e mérito.
O Ioga de Buda Heruka A sadhana essencial de autogeração do mandala de corpo de Heruka & Ioga Condensado em Seis Sessões.
O Ioga de Buda Maitreya Sadhana de autogeração.
O Ioga de Buda Vajrapani Sadhana de autogeração.
Ioga da Dakini A sadhana mediana de autogeração de Vajrayogini.
O Ioga da Grande Mãe Prajnaparamita Sadhana de autogeração.
O Ioga Incomum da Inconceptibilidade A instrução especial sobre como alcançar a Terra Pura de Keajra com este corpo humano.
O Ioga da Mãe Iluminada Arya Tara Sadhana de autogeração.
O Ioga de Tara Branca, Buda de Longa Vida.
Joia-Coração O Guru-Ioga de Je Tsongkhapa, associado à sadhana condensada de seu Protetor do Dharma.
Joia-que-Satisfaz-os-Desejos O Guru-Ioga de Je Tsongkhapa, associado à sadhana de seu Protetor do Dharma.
Libertação da Dor Louvores e pedidos para as Vinte e Uma Taras.
Manual para a Prática Diária dos Votos Bodhisattva e Tântricos.
Meditação e Recitação de Vajrasattva Solitário.
Melodioso Tambor Vitorioso em Todas as Direções O ritual extenso de cumprimento e de renovação de compromissos com o Protetor do Dharma, o grande rei Dorje Shugden, juntamente com Mahakala, Kalarupa, Kalindewi e outros Protetores do Dharma.

Nova Essência do Vajrayana A prática de autogeração do mandala de corpo de Heruka, uma instrução da Linhagem Oral Ganden.
Oferenda ao Guia Espiritual (Lama Chöpa) Uma maneira especial de confiar no nosso Guia Espiritual.
Oferenda Ardente do Mandala de Corpo de Heruka.
Oferenda Ardente de Vajradaka.
Oferenda Ardente de Vajrayogini.
Paraíso de Keajra O comentário essencial à prática do Ioga Incomum da Inconceptibilidade.
Pedido ao Sagrado Guia Espiritual Venerável Geshe Kelsang Gyatso, de seus Fiéis Discípulos.
Pedidos ao Senhor de Todas as Linhagens.
Prática Condensada de Buda Amitayus para Longa Vida.
Prece do Buda da Medicina Um método para beneficiar os outros.
Prece Libertadora Louvor a Buda Shakyamuni.
Preces para Meditação Preces preparatórias breves para meditação.
Preces pela Paz Mundial.
Preces Sinceras Preces para o rito funeral em cremações ou enterros.
Sadhana de Avalokiteshvara Preces e pedidos ao Buda da Compaixão.
Sadhana do Buda da Medicina Um método para obter as aquisições do Buda da Medicina.
O Tantra-Raiz de Heruka e Vajrayogini Capítulos Um e Cinquenta e Um do Tantra-Raiz Condensado de Heruka.
O Texto-Raiz: As Oito Estrofes do Treino da Mente
Tesouro de Sabedoria A sadhana do Venerável Manjushri.
União do Não-Mais-Aprender Sadhana de autoiniciação do mandala de corpo de Heruka.
Vida Pura A prática de tomar e manter os Oito Preceitos Mahayana.
Os Votos e Compromissos do Budismo Kadampa.

Os livros e sadhanas de Venerável Geshe Kelsang Gyatso Rinpoche podem ser adquiridos nos Centros Budistas Kadampa e Centros de Meditação Kadampa e suas filiais. Você também pode adquiri-los diretamente pelo *site* da Editora Tharpa.

Editora Tharpa (Brasil)
Rua Artur de Azevedo, 1326
Pinheiros
05404-003 São Paulo – SP
Tel: (11) 989595303
Web: www.tharpa.com/br
E-mail: contato.br@tharpa.com

Editora Tharpa (Portugal)
Rua Moinho do Gato, 5
2710-661 – Sintra, Portugal
Tel: 219 231 064
Web: www.tharpa.pt
E-mail: info@tharpa.pt

Escritórios da Editora Tharpa no Mundo

Atualmente, os livros da Tharpa são publicados em inglês (americano e britânico), alemão, chinês, espanhol, francês, italiano, japonês e português (do Brasil e de Portugal). Os livros na maioria desses idiomas estão disponíveis em qualquer um dos escritórios da Editora Tharpa listados a seguir.

Tharpa UK
Conishead Priory
Ulverston
Cumbria, LA12 9QQ, Reino Unido
Tel: +44 (0)1229-588599
Web: www.tharpa.com/uk
E-mail: info.uk@tharpa.com

Tharpa Estados Unidos
47 Sweeney Road
Glen Spey NY 12737, EUA
Tel: +1 845-856-5102
Web: www.tharpa.com/us
E-mail: info.us@tharpa.com

Tharpa África do Sul
26 Menston Road, Westville
Durban, 2629, KZN
Rep. da Àfrica do Sul
Tel: +27 (0) 31 266 0096
Web: www.tharpa.com/za
E-mail: info.za@tharpa.com

Tharpa Alemanha
Chausseestraße 108,
10115 Berlim, Alemanha
Tel: +49 (030) 430 55 666
Web: www.tharpa.com/de
E-mail: info.de@tharpa.com

Tharpa Ásia
1st Floor Causeway Tower,
16-22 Causeway Road,
Causeway Bay,
Hong Kong
Tel: +(852) 2507 2237
Web: tharpa.com/hk-en
E-mail: info.asia@tharpa.com

Tharpa Austrália
25 McCarthy Road
Monbulk, VIC 3793
Austrália
Tel: +61 (3) 9756-7203
Web: www.tharpa.com/au
E-mail: info.au@tharpa.com

Tharpa Brasil
Rua Artur de Azevedo, 1326
Pinheiros, 05404-003
São Paulo – SP
Brasil
Tel: +55 (11) 989595303
Web: www.tharpa.com/br
E-mail: contato.br@tharpa.com

Tharpa Canadá (em ingês)
631 Crawford Street
Toronto ON, M6G 3K1
Canadá
Tel: (+1) 416-762-8710
Web: www.tharpa.com/ca
E-mail: info.ca@tharpa.com

Tharpa Canadá (em francês)
835 Laurier est Montréal,
QC,H2J 1G2, CANADÁ
Tel: (+1) 514-521-1313
Web: tharpa.com/ca-fr/
E-mail: info.ca-fr@tharpa.com

Tharpa Chile
Av. Seminario 589, Providencia,
Santiago, Chile
Tél: +56 (9) 91297091
Web: tharpa.com/cl
Email: info.cl@tharpa.com

Tharpa Espanha
Calle La Fábrica 8, 28221
Majadahonda, Madrid
Espanha
Tel.: +34 911 124 914
Web: www.tharpa.com/es
E-mail: info.es@tharpa.com

Tharpa França
Château de Segrais
72220 Saint-Mars-D'outillé,
França
Tél: +33 (0)2 52 36 03 89
Web: tharpa.com/fr
E-mail: info.fr@tharpa.com

Tharpa Japão
KMC Tokyo, Tokyo,
2F Vogue Daikanyama II,
13-4 Daikanyama-cho,
Shibuya-ku, Tóquio,
150-0034, Japão
Web: kadampa.jp
E-mail: info@kadampa.jp

Tharpa México
Enrique Rébsamen n° 406,
Col. Narvate Poniente
Cidade de México,
CDMX, C.P. 03020, México,
Tel: +52 (55) 56 39 61 80
Web: www.tharpa.com/mx
Email: info.mx@tharpa.com

Tharpa Nova Zelândia
2 Stokes Road, Mount Eden,
Auckland 1024, Nova Zelândia
Tel: +64 09 631 5400
Web: tharpa.com/nz
E-mail: info.nz@tharpa.com

Tharpa Portugal
Rua Moinho do Gato, 5
Várzea de Sintra
Sintra, 2710-661 – Portugal
Tel.: +351 219 231 064
Web: tharpa.pt
E-mail: info@tharpa.pt

Tharpa Suécia
c/o KMC Stockholm,
Upplandsgatan 18, 113 60
Estocolmo, Suécia
Tel: +46 (0) 72 251 4090
Email: info.se@tharpa.com

Tharpa Suiça
Mirabellenstrasse 1 CH-8048
Zurique, Suiça
Tel: +41 44 461 36 88
Web: tharpa.com/ch
E-mail: info.ch@tharpa.com

Índice Remissivo
a letra "g" indica entrada para o glossário

A

Ações arremessadoras 51-52
Ações completadoras 51-52
Ações e efeitos. *Ver também* ações
  não virtuosas; ações virtuosas;
  carma 41-52, 286
  contaminadas/impuras 42, 50-52,
    142, 236
  incontaminadas/puras 42, 45, 197
  tipos 46, 49-52
Ações mentais 90, 232
Ações não virtuosas 49-50, 71, 75-76,
    129
  causa das ações não virtuosas 42,
    98, 101, 111, 143, 147
  dez ações não virtuosas 50
  efeitos 42, 101, 111, 118, 143
  purificação 191, 192
Ações neutras 43, 50
Ações virtuosas 45, 50, 71
  causa das ações virtuosas 112, 151
  efeitos das ações virtuosas 42
Agarramento ao em-si. *Ver também*
  ignorância; ignorância do
  agarramento ao verdadeiro
  80, 85, 86, 88, 194, 197, 229,
  285

e autoapreço 116, 141-142
cessação permanente do 89-90,
  93, 254
do corpo 161, 217, 221
diferentes aspectos do agarramento
  ao em-si 236
dos fenômenos 236
fonte do samsara e de todos os
  sofrimentos 50, 250
é destruído pela meditação na
  vacuidade 49, 50
marcas do agarramento ao em-si
  225, 230, 240
nove tipos 89
que pertence ao Topo do Samsara
  90
do próprio *self* 50, 58, 98, 116
reduzir/abandonar o agarramento
  ao em-si 242, 244, 249, 254
resultados do agarramento ao
  em-si 42
Agregado g
Alucinação 212
  problemas e sofrimentos são
    semelhantes a alucinações
    55, 128

Amigos. *Ver também* apego, aos amigos
  compaixão pelos amigos 167, 168
  dependem da mente 106, 135, 174
  impermanência 64
  não é preciso abandoná-los para seguir o caminho espiritual 100
  não são fonte de verdadeira felicidade 7
Amor afetuoso 80
  e amor apreciativo, distinção 181
  definição 181
  oito benefícios 185
Amor apreciativo. *Ver também* apreciar os outros 80, 115, 169, 205
  e amor afetuoso, distinção 181
  espontâneo 164
Amor desiderativo. *Ver também* amor 80, 181-186
  benefícios 185
Amor incomensurável 185
Amor. *Ver também* amor desiderativo 79-80, 130, 131
  amar a si mesmo 149
  e apego 79, 116, 146, 174, 186
  benefícios 185
  de Buda 128, 186
  causa do amor 119, 124
  uma das causas da iluminação 124
  puro 146, 159, 186
  três tipos 181
Analogias
  água, pico da montanha e orgulho 136
  água salgada e nossos desejos 145, 182
  água turva 11, 120
  águias planando 241
  ambulância e corpo humano 148
  arco-íris e céu 232, 234
  árvore venenosa 88, 93
  asas de um pássaro 253
  ator 249
  balão de gás e a nossa mente 272
  bigorna e mente 192
  campo, semente e colheita e desenvolvimento da bodhichitta 205
  castelo de areia e flutuação de humor 273
  céu e azul do céu 243
  céu e nuvens 127, 246
  corrida de cavalos e tempo de vida 32
  cortar uma árvore 92-93
  cristal mágico 111
  dez garrafas 244
  disciplina moral e solo vasto 91
  doença e delusão 127
  enxergar duas luas 254
  equanimidade é como arar um campo 79
  espaço não produzido 247
  "esta" montanha e "aquela" montanha 161
  hospedaria e hóspede/mente e corpo 16
  ilusão criada por um mágico 214-215, 222, 248
  ir às compras 156
  lareira/calor na casa e nascimento/sofrimentos do samsara 58
  mel em fio de navalha e apego 116
  moeda de ouro 233
  nascimento e morte/atores trocando de figurinos 33
  nuvens obscurecendo o sol 231

oceano e oceano de sofrimento 185
plantar e lei do carma 42
ponta de alfinete e samsara 183
raios do sol e bênçãos 189
seis reinos do samsara e uma casa ampla e velha 47
sonho 147, 177
Animal, animais. *Ver também* renascimento animal 76, 92, 99
bondade dos animais 106, 167
dar por meio de amor o que eles precisam 199
sofrimento dos animais 69, 170, 172
Ansiedade 147
meditar na vacuidade supera ansiedade 221
Antiapego 77–79, 80
Anti-ignorância 80
Antiódio 79–80
Aparência. *Ver também* existência inerente, aparência de existência inerente; mera aparência 232, 254
aparências enganosas 213, 214, 237, 248
aparências à mente 10, 213–214, 223, 238
cármica 232
equivocada. Ver aparência equivocada
equivocada sutil. Ver aparência equivocada, sutil
mera aparência 213, 216, 220, 222, 249
do mundo da vigília 232
onírica. *Ver também* sonho 10, 232
Aparência cármica. *Ver também* ações e efeitos; carma 232

Aparência dual
definição 243
Aparência equivocada. *Ver também* aparência, equivocada 87, 98, 177, 212, 240, 245
apenas os Budas estão livres 98, 240, 243
devido às marcas do agarramento ao em-si 230
sutil 243
ver duas luas relembra-nos sobre 254
Aparência e vacuidade, união de 243
Apego g, 9, 80, 85, 139, 171, 215
abandonar o apego 77, 125, 153, 197
aos amigos 64, 110, 145, 168, 174, 272
e amor 79, 116, 146, 174, 186
causa do apego 143, 245
como o apego atua 9
objeto do apego 9
à opinião religiosa 86
a posses etc. 63, 272
às próprias opiniões 86
à reputação etc. 145
à riqueza 145
à satisfação dos nossos desejos 86
superar o apego meditando na vacuidade 223, 233, 235, 245, 249
Apreciar os outros. *Ver também* amor apreciativo 99–102, 169
benefícios 109–113, 119, 151, 163
obstáculos 128, 148
Aquisições mundanas. *Ver também* mundano; prazeres mundanos 134, 196
são enganosas 97

Arco-íris 214, 232, 234, 249–250
Árvore Bodhi 186
Aryadeva g, 182
Asanga g, 135, 175–176, 178
Assistente de Atisha. *Ver* Atisha, assistente
Atenção g, 224
Atisha g, 72, 159, 278, 279
   citações 190, 253–254
   e Serlingpa 206
Atisha, assistente 124, 125
Ausência de existência inerente. *Ver* vacuidade
Autoapreço 100–101, 129, 191, 215
   abandonar o autoapreço 100–102, 125, 131, 139, 152–160, 206
   e agarramento ao em-si 116, 141–142
   como parar seu desenvolvimento 151–160
   destruir o autoapreço 194, 197
   exagera nossa felicidade 111
   falhas do autoapreço 101, 110, 142–151, 154–155, 163
   e falta de equanimidade 101
   identificar o autoapreço 140–142, 152
   interfere com nossa intenção de beneficiar os oiutros 159
   objeto do autoapreço 116, 134, 141–142, 160
   oponente ao autoapreço 125
   dos praticantes hinayana 142
   é a raiz de todas as falhas 120
Autocentrado. *Ver também* autoapreço 149, 165
   desejo autocentrado 168
   mente autocentrada 101, 146, 147, 202
   visão autocentrada 101
Autoconfiança 120, 149
Autoestima 120
Autogeração. *Ver também* trazer o resultado para o caminho 162–163
Autorrespetio 149
Avalokiteshvara 24, 203
Avalokiteshvara, Bodhisattva 244
Avareza
   consequência cármica da 48

B

Bardo. *Ver* estado intermediário
Base de designação, base de imputação g
   para carro 238
   para o *eu* 127, 162, 164, 234
   para a mente 224
Bênçãos g, 12, 136, 201, 254, 282
   propósito 157, 159, 188–189
Beneficiar os outros 12–13, 150, 158–160
   ajudá-los a abandonar as delusões 12
   autoapreço interfere com nossa intenção de beneficiar os outros 159
Ben Gungyal, Geshe 121–122, 152
Bodhichitta. *Ver também* bodhichitta última 99, 193, 205–209, 254, 284, 285
   artificial 208
   benefícios da 206
   causa da bodhichitta 115, 123, 187, 210
   condições para a bodhichitta 210
   convencional 253
   desenvolver bodhichitta 207–210
   espontânea 209
   natureza 210
   obstáculo à bodhichitta 148

ÍNDICE REMISSIVO

significado 205
superior 187
surge de ver todos os seres vivos como supremos 205
surgida de trocar eu por outros 123, 159, 205
surgida de ver todos os seres vivos como supremos 123-126
Bodhichitta convencional. *Ver* bodhichitta
Bodhichitta última 211, 211-252, 240, 253
 definição 211
 natureza 210
 níveis 240
 treinar a bodhichitta última 211-252
 treino simples em 250-253
Bodhisattva. *Ver também* voto bodhisattva 99, 113, 203, 206, 230, 284
 boas qualidades 200
 Bodhisattva superior 240, 253
 como os Bodhisattvas veem os seres vivos 119, 200
 poderes 188-190, 193
Bom coração 3, 80, 112, 198, 205
 supremo 205-210
Bondade 102-108, 130
 dos animais 106, 167
 de Buda 126
 efeito da meditação em amor 185
 das mães 102-106, 129, 165, 168
 dos seres vivos 124, 126, 178
Bondade amorosa 110, 134, 185
Buda. *Ver também* Buda Shakyamuni 98-99, 134-136, 187, 243, 286
 os Budas são livres de aparências equivocadas 98
 citações 82
  criações de um mágico 248

procurar pelo corpo com sabedoria 216
todos os fenômenos são como sonhos 214, 248
como atua, função de um Buda 150, 188-190
como os Budas veem os seres vivos 127, 128, 141, 200
equanimidade de um Buda 200
existe por convenção/vacuidade 223
qualidade incomum 240
qualidades 126, 163, 207-208, 240
seguir o exemplo de 88
tântrico 162
única maneira de ajudar os seres vivos 124, 148, 158
visão última e intenção última 243
Buda Conquistador, Filho ou Filha de 206
Buda Maitreya. *Ver* Maitreya
Buda Shakyamuni. *Ver também* Buda 159, 191
 citações 119, 130, 183
 histórias da vida de Buda Shakyamuni 44, 186
Budadharma. *Ver também* Dharma 189, 201, 207, 211
Budeidade. *Ver também* iluminação 160
Budismo Kadampa g
Budismo Moderno 162
Bule de chá, história 25-26
Busca convencional 216
Busca última 216, 217

C

Cachorro 76, 135, 167
 história da emanação de Maitreya 135, 175

Cachorro, histórias
  Maitriyogi e tomar o sofrimento de um cachorro 188
Caminho Alegre da Boa Fortuna 206, 255
Caminho espiritual 29, 49, 82, 89, 100, 177, 209
  à iluminação 100, 148, 211
Caminho, exterior e interior 90
Caminho à iluminação 100, 205, 211
Caminho à Iluminação, Três Etapas do 254
Caminho à libertação, principal 91
Caminho do meio
  que evita os extremos do materialismo e da espiritualidade 12
Caminho rápido à iluminação 195
Caminhos, cinco 91
Camundongo 148, 170, 200
Canais g, 202
Câncer 169, 192
Carma. *Ver também* ações e efeitos; aparência cármica; conexão cármica; marcas das ações 34, 41–52, 124, 232, 282, 285
  características gerais 42–45
  carma que amadurece na hora da morte 46, 51
  coletivo 232
  desta vida 31, 37
  ensinamentos sobre carma 123
  resultados do carma 45
Carro
  sua importância vem de ser nosso 101
Carro, vacuidade do carro 216, 238
  busca convencional e busca última pelo carro 216
  carro é mera aparência à mente 233

Carta Amigável 160
Causa e efeito. *Ver* ações e efeitos; carma
Chekhawa, Geshe 149, 153, 154, 176
Ciclo de vida impura. *Ver* samsara
Ciúme. *Ver também* inveja 64, 79
  efeito cármico do ciúme 44
Clara-luz g
  da morte 22
  do sono 22
Clarividência 31
Cobiça
  ação negativa mental 50
Coisa funcional g, 233
Coisas que normalmente vemos 11, 212, 248, 249, 254
Comida 37
  não é fonte de verdadeira felicidade 7
Compaixão. *Ver também* compaixão universal; grande compaixão 127, 144, 159, 167–178
  benefícios 167, 173–177
  de Buda 112, 128, 150, 168
  é causa da bodhichitta 205
  é uma das causas da iluminação 124
  causa da compaixão 99, 115, 119, 124, 169
  definição 168
  desenvolver compaixão 169–173
  raiz das Três Joias 168
  riqueza suprema da compaixão 173–178
Compaixão universal 167, 169, 172, 194
Compromissos g, 76
  do treino da mente 149

ÍNDICE REMISSIVO

Concentração. *Ver também* tranquilo-permanecer que observa a vacuidade g, 81, 91, 124, 195, 209-210
  do contínuo-posicionamento 252
  do estreito-posicionamento 253
  natureza 91
  do posicionamento da mente 252
  do reposicionamento 252
Concepções equivocadas 106
Condições exteriores 12, 68, 273
  dependem da mente 145, 176
  evitar o extremo da espiritualidade 12
  e felicidade 7, 17, 174, 275
Conexão cármica. *Ver também* ações e efeitos; carma 18, 19, 132-133, 188, 201
Conhecedor subsequente g
Conhecedor válido, mente válida g, 106, 196, 239, 250
Conhecedor válido subsequente 230
Consciência 224
Conselhos do Coração de Atisha 119, 253-254, 278, 279-283
Consideração pelos outros. *Ver também* disciplina moral; senso de vergonha 74-77, 111, 165
  essência da disciplina moral 76
Contato g, 224
Contato obstrutivo. *Ver também* espaço não produzido; espaço produzido 247-248
  mera ausência do contato obstrutivo 247
Contemplações Significativas 165, 206
Contentamento g, 275, 280
Contínua-lembrança (*mindfulness*) g, 38, 82, 157, 254

Continuum mental. *Ver também* mente g, 19, 105, 128
  não cessa com a morte 21
Controlar a mente. *Ver também* transformar a mente 4, 10-11, 17, 272-273
Convenção
  fenômenos existem por convenção 223
Conversa não-significativa
  ação negativa verbal 50
Coração, meditação sobre tomar e dar. *Ver também* bom coração 194, 197, 198
Corpo 215
  contaminado/impuro 55, 66
  convencionalmente existente 222
  cuidá-lo com motivação de bodhichitta 148
  divino 162
  e o *eu* 127, 226
  impermanente 38, 64
  impossível de ser encontrado 215-216, 219-221, 251
  incontaminado/puro 42, 70
  inerentemente existente 217-221, 222, 243
  manifestação da vacuidade 243
  e a mente 15-16, 21, 23
  não é nosso, mas pertence aos outros 161
  natureza enganosa do corpo 220
  natureza última, verdadeira natureza 220-221
  parte(s) do corpo 218-219, 221
  residente-contínuo 198-199
  é resultado da bondade dos outros 107
  vacuidade do corpo 215-223, 233
  vacuidade do corpo não é separada do corpo 234, 243

verdadeiro/verdade última do 220–221
Corpo-Forma g
Corpo muito sutil 198–199
Corpo-Verdade g
Corpos-de-Buda g
Crença, acreditar 194–196
　o que é crença 196
Crença correta 71, 195–196
Crítica 125, 140, 146, 147
Culpar, acusar 117
　o autoapreço 154–155
　as delusões 129
　não devemos culpar ou acusar os outros 68, 282
　a si mesmo, não devemos 155
Culpa, sentir culpa 129, 155

D

Dar, generosidade 124, 282
　para os animais 200
　resultados da generosidade 76
Dar, prática de dar (Tomar e Dar)
　dar por meio de amor 198–200
　meditação sobre o dar 198–200
　montar a prática na respiração 201
　significado 198
Declaração da verdade 193
Dedicatória 200, 257
　protege contra as falhas da raiva 45
Deidade g, 162
Delusões. *Ver também* agarramento ao em-si; apego; autoapreço; inveja; ódio; oponentes às delusões; orgulho; preguiça; raiva 4, 9–11, 39, 85, 86, 88, 129–130, 177, 231, 271–275
　abandonar as delusões 13, 71, 87, 139–140, 151, 273
　cessação permanente das 99
　como atuam 9
　concepções dos oito extremos raiz das delusões 235
　falhas 29, 126–130, 171
　identificar as delusões 139, 152
　não são intrínsecas 11, 120, 128
　o que são 9, 16
　principal 88
　raiz das delusões 50, 143, 215
　reduzir as delusões 194, 243, 249
　são os nossos verdadeiros inimigos 106, 127
　superar as delusões meditando na vacuidade 223, 245
　verdadeira causa dos nossos problemas e sofrimentos 9, 16
Depressão 85, 144
　e autoapreço 145
　superar depressão meditando em apreciar os outros 110
Desânimo 144
Desejo(s) 66–68, 75, 140, 145, 171
Desejo descontrolado 4, 39, 77
Designação, imputação. *Ver também* mera designação; mero nome 238
　todos os fenômenos são imputados pela mente 223
Desintegração, extremo 231
Deus, deuses 47, 69, 77
　dar por meio de amor o que eles precisam 199
　de longa vida 81
Dharma. *Ver também* ensinamentos; espelho do Dhama; Joia Dharma g, 35, 86, 121, 123, 168, 189, 200, 206

como praticar o Dharma 155-157
é como um remédio 123, 155, 189
ensinamentos 34, 42, 73-74, 99
ouvir instruções de Dharma 254
Discriminação g, 224
Discriminação incorreta 139
Discurso divisor
   ação negativa verbal 50
Discurso ofensivo
   ação negativa verbal 50
Distrações 47, 91
   afastar distrações 81, 145, 202, 273-274
Doença 32, 194, 196-197
   causa principal da doença 43, 143
   cura por meio da prática de tomar e dar 202-203
   de um Guia Espiritual 188
   outras tomam o lugar das que foram curadas 32
   sofrimento samsárico da doença 58-60, 66, 78
Dormir, sonhar e acordar 18, 21, 22, 46
Dor. *Ver também* sofrimento 10, 86, 140
   manifesta 169-171, 188
Duas verdades, união das duas verdades 242-247
Dúvida, falhas da dúvida 73

E

Elementos, quatro g, 36
Emanações g, 90, 176
   de Buda 135-136, 178, 208, 254
   de Geshe Chekhawa 176
Empatia 164, 172
Ensinamentos. *Ver também* Dharma; Joia Dharma 34, 42, 73-74, 86, 99

são como um remédio 123, 155, 189-190
Envelhecimento 32
   sofrimento samsárico do envelhecimento 60-63, 78
Equalizar eu com outros 101, 132, 153-154
Equanimidade 79, 200
   falta de equanimidade e autoapreço 101
Equilíbrio meditativo 240-241
Equilíbrio meditativo semelhante-ao-espaço 241
Escopos, três 39
Esforço 72, 80-82, 124, 283
   esforço-armadura 158
Espaço produzido. *Ver também* contato obstrutivo 246-248
Espaço não produzido. *Ver também* contato obstrutivo 233, 246-248
Espelho do Dharma. *Ver também* Dharma; Joia Dharma 74, 116-123
   e Geshe Ben Gungyal 122
   história do homem mau e do rei Chandra 121
Espíritos. *Ver também* fantasmas famintos 186
Espíritos famintos. *Ver* fantasmas famintos
Estado além da dor. *Ver também* nirvana 161
Estado intermediário. *Ver também* morte, estado intermediário e renascimento 22, 46
Estilo de vida 33, 100, 101
Estilo de Vida Kadampa, O 277-286
   o que é 278
Estranhos 101, 106, 115

Estresse 275
Etapas do caminho. *Ver também*
  Lamrim g, 156, 264–266, 278
  Prece das Etapas do Caminho
  264–266
"*Eu*" e "*meu*" inerentemente existentes
  aparência de 98
Eu/self. *Ver também* existência inerente, do eu; inerentemente existente, eu; vacuidade do eu 127, 164, 225, 234
  aparece existir como independente do corpo e da mente 225
  base de designação para o eu 234
  identificá-lo como mera aparência 212
  inerentemente existente 50–51, 141, 225–226, 228
    identificar 225
  maneira equivocada de identificá-lo 55, 212
  natureza última 229
  e outros 161, 164–165
  self convencionalmente existente
    que normalmente percebemos 229
  self que normalmente percebemos 151, 212, 226, 228, 229
  vacuidade do eu. Ver vacuidade do eu
Existência inerente de um "*eu*" e "*meu*"
  aparência de existência inerente 98, 141
Existência inerente. *Ver também*
  existência verdadeira; inerentemente existente 217, 223, 249, 249–250
  aparência de existência inerente 98, 141, 174, 237, 240, 243, 248
  do corpo 217–218, 222
    que normalmente vemos 243
  do eu 50–51, 108, 141, 228
    identificar o eu inerentemente existente 225
    que normalmente vemos 134, 225
  dos oito extremos 235
  objeto negado pela vacuidade 226, 247
  se algo existisse inerentemente 250
  sinônimos 213
  vacuidade não é inerentemente existente 233
Existência de seu próprio lado, do lado do objeto 213, 217, 222, 224, 225, 230, 238, 239, 245, 249–250
Existência verdadeira. *Ver também* existência inerente 213, 214, 220, 222, 233
  aparência de existência verdadeira 213, 214, 237
Experiências "fora do corpo" 22
Êxtase 47
  e compaixão 150
Extremo da existência 230, 286
Extremo da não-existência 230, 286
Extremos do materialismo e da espiritualidade 12
Extremo da produção. *Ver* oito extremos, produção e desintegração
Estremos, oito. *Ver* oito extremos

F

Falhas 74, 155
  das delusões 127, 128
  dos outros 118–119, 126–131
  reconhecer nossas próprias falhas 116–123, 117, 129, 149, 281

voto bodhisattva de superá-las 149
Família 115
   compaixão pelos familiares 167
   não é fonte de verdadeira felicidade 8
   não é preciso abandoná-la para seguir o caminho espiritual 100
Familiaridade 202, 209
   com a preciosidade dos outros 153
   com o autoapreço 116, 131, 140
   com o corpo da Deidade (autogeração) 162
Fantasmas famintos 48, 52, 69, 77, 170, 172
   dar por meio de amor o que eles precisam 199
   sofrimento 172
Fatores mentais g, 19
   base para designar a mente 224
Fé 71–75, 159, 189, 194, 254
   história da velha senhora e do mantra equivocado 73
   na iluminação 73
   três tipos 71
Felicidade 177, 272
   busca por 3
   causa de felicidade 4, 7–11, 17–18, 42
   diferença entre felicidade verdadeira e felicidade enganosa 7–8, 17
   a felicidade no samsara não é verdadeira 198–199
   da iluminação 150
   níveis de felicidade pura 184
   o que é 15
   pura e duradoura/verdadeira 42, 69, 97, 99, 174, 183, 199

   não existe no samsara 49, 58, 66, 68, 99
   o que é 181
   que surge de apreciar 142, 150, 157
   das vidas futuras 26, 273
   das vidas futuras é mais importante que a atual 26
Fenômeno afirmativo 247
Fenômeno negativo não afirmativo 247
Fenômeno positivo 247
Fenômenos
   existem por convenção ou convencionalmente 223, 230
   não são algo além que vacuidade 217
   são como o arco-íris 250
   são como ilusões 49, 214–215, 248
   são como sonhos. *Ver também* sonho 10, 23, 214, 249
Fenômenos enganosos 237
Fenômenos impermanentes 247
   vacuidade dos fenômenos impermanentes 233
Fenômenos, oito 231–236
Fenômenos permanentes 247
   vacuidade dos fenômenos permanentes 233–234
Fenômenos produzidos 232
   vacuidade dos fenômenos produzidos 232, 240–241
Fenômenos são como ilusões. *Ver* fenômenos, são como ilusões
Frustração 66, 147
   de onde surge nossas frustrações 9

G

Gampopa 189–190
Ganância
   consequência cármica da 48

Geshe g, 122, 158
Geshe Chekhawa g, 224, 249
Geshe kadampa g, 189, 192
Gonpo Dorje 87
Grande compaixão. *Ver também* compaixão 148, 167-178, 172
  causa da bodhichitta 210
Guerra 143, 146, 169
Guia Espiritual g, 111, 159, 188, 190
  como emanação de Buda 254
  confiar no Guia Espiritual 253-254, 279
  função 122
  interior 208
  livro de Dharma é como um Guia Espiritual 74
Guia do Estilo de Vida do Bodhisattva g, 118, 126, 161, 164, 190, 198, 215, 216, 239, 278
Gungtang g, 35, 61
  poema sobre os sofrimentos do envelhecimento 61-62
Guru. *Ver* Guia Espiritual g

H

Hábito 11
Herói, heroína 193
Heruka g, 203
Hinayana g, 142
Histórias
  bule de chá 25-26
  cachorro emanado por Maitreya 135, 175
  a égua apunhalada 106
  Kharak Gomchen e a cura pela prática de tomar 203
  Maitriyogi e o cachorro 188
  de Upala 44-45
  da velha senhora e do mantra equivocado 73
  da vida de Asanga 175-176
  da vida de Buda Shakyamuni 44, 186
  da vida de Gampopa 189-190
  da vida de Milarepa 188

I

Ignorância. *Ver também* agarramento ao em-si 55, 80, 106, 176, 212, 219, 221, 285
Ignorância do agarramento ao verdadeiro. *Ver também* agarramento ao em-si 230, 240
  do corpo 220, 221
Iluminação 98-100, 199
  alcançar a iluminação 212
  aquisição da iluminação 115, 123, 195
  caminho rápido à iluminação 195
  causa da iluminação 108, 196
  definição 98, 187
  depende de recebermos bênçãos 254
  felicidade da iluminação 150, 208, 212
  obstáculo à iluminação 148, 195
  o que o caminho à iluminação não é 100
  significado e meta da vida humana 253
Ilusão, fenômenos são como ilusões 49, 214-215
Imagem genérica g, 196
  da vacuidade 228, 229, 230
Imaginação correta 195-196
Impermanência g, 183, 233
  sutil g, 233

Impossibilidade de encontrar, inencontrável (*unfindability*) 249-250
  corpo 215-216, 220
  eu 228-229, 241
  mente 224
Imputação. *Ver* designação
Indiferença 143
Inencontrabilidade. *Ver* impossibilidade de encontrar
Inerentemente existente. *Ver* existência inerente
  corpo. *Ver* corpo, inerentemente existente
  eu. *Ver* eu, inerentemente existente
Infelicidade 10, 109, 144-147, 272
  causa de infelicidade 3-4
  e surgimento de delusões 153
Inimigos 106, 115, 135
  interiores 127, 154
Insatisfação 66-68, 100, 198
Insetos, não matá-los 200
Inteligência 150
Intenção. *Ver também* motivação g, 73, 159-160, 224, 232, 237
  intenção correta 194
Intervalo entre meditações. *Ver também* meditação; sessão de meditação 173, 209-210
Inveja. *Ver também* ciúme 139, 199, 215
  superar a inveja 80, 109, 125
Ioga de equalizar o samsara e o nirvana 245
Iogue, ioguine g, 26, 121, 188
Ir e vir, extremos 231
  vacuidade do ir e do vir 234

J

Jampaling, monastério 193

Jesus 188
Je Tsongkhapa g, 159, 229, 278
  citações 211
Joia Buda 72, 168
Joia-Coração (sadhana) 229
Joia Dharma. *Ver também* Dharma; ensinamentos; espelho do Dharma 72, 168
Joia-que-Concede-Desejos 98, 112, 124
Joia Sangha 72, 168
Joia-que-Satisfaz-os-Desejos 198, 208

K

Kadampa. *Ver também* Budismo, Kadampa; Dharma Kadam; Lamrim Kadam g, 278
  Geshe 122, 158, 189, 192
Kharak Gomchen 203

L

Lamrim. *Ver também* etapas do caminho g, 156, 190, 278
Langri Tangpa, Geshe g, 123, 133, 165
Lepra
  cura da lepra por meio de purificação 203
Libertação. *Ver também* nirvana 18, 49, 56, 90-91, 188, 194, 196, 283
  buscar libertação. *Ver também* renúncia 29, 189
  como alcançar 11
  libertar-se do sofrimento futuro é mais importante que do sofrimento atual 26, 190
  o que significa 69
  permanente 198
  porta da libertação 49

Libertação, caminho à 69, 90
  cinco níveis 91
Linhagem g
  da prática de trocar eu por outros 159
Livros de Dharma 74, 123
Lojong. *Ver* treino da mente

M

Má conduta sexual
  ação negativa corporal 50
Mãe 56-57, 133, 135
  do autor 23-25, 203
  bondade 102-106, 129, 165, 168
Mahamudra g, 190
Mahayana g
  Caminho Mahayana 148
Maitreya g, 135, 175, 178
Maitryogi 188
Mala g, 193
Maldade
  ação negativa mental 50
Maleabilidade 81
Manjushri g, 159, 193, 278
Mantra g, 24, 73
Mantra Secreto g, 162, 195
Mara, demônio g, 174, 186, 281
Marca, marcas
  das ações 42, 64
  do agarramento ao em-si. *Ver também* agarramento ao em-si 141, 142, 214, 225, 230, 240
  cármicas 232
  das delusões 99
  dos pensamentos conceituais 240
Marpa, citação 212
Matar 75
  ação negativa corporal 50

Meditação. *Ver também* intervalo entre meditações; sessão de meditação 81, 271-275
  analítica e posicionada 271-272
  benefícios 272-273, 275
  e carma 273
  como avaliá-la 156
  como melhorá-la 157
  definição 271
  objeto de meditação 184, 271
  obstáculos à meditação 62-63
  propósito da meditação 272
Meditação respiratória 202, 273-275
  benefícios 274-275
Medo 214, 228
Mente. *Ver também* continuum mental 15-19, 127, 232, 246
  aparências à mente 213-214, 222, 238
  base para designar mente 224
  conceitual 196, 230-231, 235
  e corpo 15-16, 21, 23
  correta 230
  criadora do mundo 232
  é a criadora de tudo 196, 232
  designado pela 223
  equivocada 106, 140, 230, 237, 245
  espelho da mente 86
  e o eu 226
  examinar 152
  existe por convenção 223
  fenômenos dependem da mente 213, 223
  fenômenos são designados pela mente 223
  impura/contaminada 49, 135, 177
    amadurece potenciais cármicos negativos 232
  incontaminada, definição 239
  inequívoca 141, 240

muito sutil g, 18, 22, 214
não conceitual 230
não é o corpo nem o cérebro 15
natureza e como atua (função) 16
natureza e pensamentos conceituais 195–196
natureza última 224, 245
níveis 18
e objeto, relação 9, 10, 123, 133, 175, 176–177, 195–196, 223
e seu objeto são a mesma natureza 176
onírica/vigília. *Ver também* sonho 10, 213
projeção, projeções da mente 213, 217, 223
pura/incontaminada 70, 120, 121, 135, 177, 230
  definição 239
raiz g, 121, 140
sem início 78, 105
vacuidade da mente 223, 223–224, 245
válida 230, 237, 239, 250
Mente de iluminação. *Ver* bodhichitta
Mente onisciente, sabedoria onisciente 98
Mente pacífica
  como desenvolvê-la e mantê-la 15–19
Mente primária g, 19, 224
Mente válida. *Ver* conhecedor válido
Mentir, mentira
  ação negativa verbal 50
Mera aparência. *Ver também* aparência, mera aparência g, 213, 216, 220, 223, 242
  como um sonho. *Ver também* sonho 10, 23, 177
  existir convencionalmente como mera aparência 222, 230
  mera designação 229, 232
  para a mente de vigília/mente onírica 213, 249
  parte da verdade convencional 238
  solucionar problemas considerando tudo como mera aparência 233, 249
Mera ausência 233, 239, 247
  do corpo que normalmente vemos 220, 221, 243, 251
  do *self* que normalmente vemos. *Ver também* vacuidade do eu 228, 241, 251
  de todos os fenômenos que normalmente vemos 223, 252
Mera designação. *Ver também* designação; mero nome 229, 232, 239
  da singularidade e da pluralidade 234–235
Mera imputação. *Ver* mera designação
Mérito g, 37, 134
  acumular mérito 134, 157, 206
  resultados do mérito 112, 159, 193, 206
Mero nome. *Ver também* designação; mera designação 11, 220, 222, 229, 230
Milarepa g, 87, 176, 190, 212
  citações 34, 60
  ensinamento sobre a vacuidade 246
  histórias da vida de Milarepa 188
Mindfulness. *Ver* contínua-lembrança
Miragem. *Ver também* fenômenos, são como ilusões 10, 214–215, 222, 237

Monte Kailash 203
Morte 21, 169, 170, 189, 214
　causas 36-37
　meditação sobre a morte 29-39
　momento da morte 46, 51
　prematura 37
　processo da morte 22
　realização sobre a morte 30
　sofrimento samsárico da morte 63-65, 66, 78
Morte, estado intermediário e renascimento 46
　semelhança com dormir, sonhar e acordar 22
Motivação. *Ver também* intenção 107, 162, 201, 209-210
Mundano. *Ver também* aquisições mundanas; prazeres mundanos
　pessoa mundana (ou comum) 222
Mundo 38
　causa do mundo 42
　como aparência cármica 232
　convencional 249
　é criado pela mente 232
　do estado da vigília 213, 232, 249, 250
　impermanência 33, 38
　impuro 42, 177
　mera aparência 177, 213
　onírico 213, 250
　onírico e da vigília 10, 22
　puro 42, 177

N

Nada, inexistência 228, 250
Nagarjuna g, 37, 38, 76, 160, 185, 236
Nascimento 103
　sofrimento samsárico do nascimento 56-58

Natureza búdica, semente búdica 99, 130, 167, 187
　corpo muito sutil 198
Natureza convencional 229, 246
Natureza última. *Ver também* vacuidade; verdade última; verdadeira natureza 70, 80, 222, 236
　do corpo 221, 244
　do eu 229
　da mente 224, 245
　do *self* e dos demais fenômenos 229
　semelhante-ao-espaço 221
Nirvana. *Ver também* estado além da dor; libertação 9, 14, 43, 44, 69, 161, 250
　não é egoísmo querer alcançar o nirvana 12
Novo Coração de Sabedoria 219, 247
Novo Guia à Terra Dakini 162

O

Objeto
　exterior 10, 217
　falso 237-239
　imaginado e real 195
　de meditação 271, 274
　e a mente, relação 9, 10, 123, 133, 175, 176, 195-196, 223
　não virtuoso 271
　observado 141
　virtuoso 271
Objeto falso 237-239
Objeto negado g, 217, 226, 247-248
Objeto observado g
Objetos externos
　e sua relação com a mente 10
Objetos significativos 85-93, 184

Obstruções à libertação g
Obstruções à onisciência g
Oceano de Néctar 219, 247
Oceano de sofrimento 184, 207
Ódio. *Ver também* raiva 9, 80, 215
   como o ódio atua 9
   superar o ódio meditando na vacuidade 235
Oito extremos 240-241, 245
   aferrar-se a eles como inerentemente existentes 235
   produção e desintegração 240
   vacuidade que é vazia dos oito extremos 241
Olho(s) divino(s) 74, 92
Oponentes às delusões 121-122, 153
Orgulho 72, 117, 118, 136, 139
   abandonar o orgulho 119
Ouvir instruções de Dharma 254

P

Paciência 124-125, 146, 283
   com a prática 155
   consigo mesmo 129
   de voluntariamente aceitar o sofrimento 191
Palden, Geshe 193
Paz interior 7-14
Paz mental 8, 177, 188
   causa da paz mental 147, 271
   e meditação na vacuidade 250
   método para experienciá-la 250
   o que destrói a paz mental 8, 215
   permanente. *Ver também* libertação 16, 69, 98, 222, 273
Paz mundial 13
Pensamento conceitual g, 121, 128, 230-231, 231, 235
   ausência de pensamento conceitual não é vacuidade 231
   e natureza da mente 196
   marcas 240
Percebedor direto g
Percebedor direto não conceitual 239
Percepção equivocada 237
   devido às marcas do agarramento ao em-si 230
Percepção errônea 87, 141, 230-231, 234
Percepção inequívoca 240
Percepção mental 196
Percepção não equivocada 230
Percepção onírica 213, 214
Percepção sensorial 196
Permanência 231
Pluralidade e singularidade 231
   vacuidade da pluralidade e da singularidade 234-235
Pobreza 146
   causa principal da pobreza 43
   efeito cármico da ganância, roubo ou avareza 48
Poderes miraculosos 31
Porta da libertação 30, 49
Posição social 17, 68, 174
   e a motivação de beneficiar os outros 134
   e apego 272
Posse, posses 64, 66-67, 97-98, 134, 272
Potencial. *Ver também* marca, das ações; natureza búdica 5, 51, 120, 130, 167
   para beneficiar os seres vivos 99, 187, 192, 195
   para renascer em uma Terra Pura 198
Potenciais cármicos. *Ver* marcas das ações

Prática diária 248-250
Prática espiritual 33-35, 155-157
  empenhar-se numa prática espiritual pura 77
  significado 39
  essência 16, 168
  níveis de prática espiritual pura 39
  obstáculos à prática espiritual 29, 62-63, 78, 174
  propósito 8, 12, 17
  e vida diária 209-210
Prática da vacuidade nas atividades diárias 248-250
Prazeres mundanos. *Ver também* aquisições mundanas; mundano 37, 59, 63
  apego aos prazeres mundanos 29
  causas dos prazeres mundanos 76
  são enganosos 37, 67, 78, 100, 182-183, 282
  são impermanentes 33, 65, 183
Prece 191, 193
Prece das Etapas do Caminho 264-266
Prece Libertadora 261-262
Preces para Meditação 263-266
Preciosa vida humana. *Ver também* renascimento humano; vida humana 4, 55, 89, 206, 207, 278
  desperdício de uma vida humana 19, 21, 35, 87
  meta última 81, 93, 97-101
  sentido, significado 9, 16, 125, 220, 254, 284
  significativa 3, 30, 126
Preciosidade 123-125
  de Buda 126
  do nosso próprio eu/base para o autoapreço 116
  dos outros 115, 118, 124-125, 133-134, 178
  dos seres sencientes 126, 132-133
Preguiça 35, 82, 283
  do apego 29, 82
  falhas da preguiça 82
Preocupação 10, 147
Preocupações mundanas, As Oito g
Problemas 29, 275
  causa dos problemas 52, 68, 85-86, 146
  estão na mente, são uma parte da mente 10, 17, 85, 206
  natureza verdadeira 85
  solucionar 5, 9, 18, 85, 109, 123, 157, 197
    não reside no conhecimento de coisas materiais 8
  solução universal dos problemas 250
Procurar pelo corpo. *Ver também* corpo, impossível de ser encontrado 217-219
Procurar um objeto
  duas maneiras de procurar um objeto 216
Produção 231
Professor espiritual 253
Progresso espiritual 78, 108
Projeção da mente 9
Proteção 64, 72, 79, 110, 185-186
  posses e prazeres desta vida não nos protegem 34
Purificação g, 45, 192
  por meio do tomar 190-191, 197, 203
  purificar por meio de compaixão 175-176
  resultados 120, 135, 157

sinais de purificação 194
Purificar a mente. *Ver* purificação; transformar a mente

Q

Qualidades. *Ver também* Buda, qualidades; sofrimento, boas qualidades do sofrimento 117-119, 136, 205
dos outros 118-119
Quatro elementos. *Ver* elementos, quatro
Quatrocentas Estrofes 182

R

Raiva. *Ver também* ódio 85, 126, 139
abandonar a raiva 13, 80, 116
causa da raiva 118, 143, 144, 245
destrói a paz interior 8
dirigida contra as delusões 154
falhas 8, 45, 46
obejto da raiva 174
reduzir a raiva 125, 249
superar a raiva meditando na vacuidade 223, 235, 245, 249
Realização g
Realização da vacuidade. *Ver também* bodhichitta última 70
erradicar o agarragamento ao em-si 153
Realizações 4, 5, 14, 124-125, 133, 165, 192
ajudar praticamente os outros ou almejar realizações 159
causa das realizações 76, 100, 125, 134, 195
tântricas 195

Refúgio g, 72, 99
Regozijo 75, 110
Rei Chandra 121
Reino do desejo g, 47, 89
Reino da forma g, 47, 90
Reino do inferno 46, 48-49, 176
Reino da sem-forma g, 47, 90
Reinos afortunados. *Ver também* renascimento elevado 48
Reinos inferiores. *Ver também* renascimento inferior 48, 76
Relacionamentos 117, 183
melhorar os relacionamentos 75, 110, 275
Relação-dependente. *Ver também* vacuidade 231, 233-234, 285
Religião 110
Renascimento. *Ver também* vidas futuras; vidas passadas 21-26, 46-49, 78
contaminado 47, 52, 56, 71
descontrolado 34, 66, 147
desde tempos sem início 56, 203
em uma Terra Pura 198
Renascimento animal. *Ver também* animal 26, 48, 51, 52, 69, 76, 77, 170, 172
limitações 4
Renascimento contaminado 55, 56, 79, 172, 173
Renascimento elevado. *Ver também* reinos afortunados 51, 76, 119
causa de renascimentoo elevado 50
significado 77
Renascimento humano. *Ver também* preciosa vida humana 47, 51, 55, 119, 172

sentido, propósito 220, 254
sofrimentos 56-69
Renascimento inferior. *Ver também*
 reinos inferiores 51, 118,
 123, 147
 significado 77
Renúncia. *Ver também* libertação,
 buscar libertação 77-79, 88,
 90, 91, 92, 254, 284-285
 desenvolver renúncia 153, 155
 o que a renúncia não é 77
 o que significa 56, 69, 77
 realização 69-70
 treinar renúncia 69
Reputação 73, 133
Riqueza 66, 134
 como obstáculo 145, 173-174
 interior 125, 173-178
 não é verdadeira fonte de felicidade 7
Roda-canal g
Roubar
 ação negativa corporal 50
 causa cármica principal da pobreza 43
Roubar, ação de 238

S

Sabedoria g, 4, 74, 92, 124, 153,
 159, 160, 177, 178, 190, 195
 aumentar a sabedoria 249
 do equilíbrio meditativo 240
 incontaminada 240
 inteligência não é sabedoria 92
 linhagem especial de trocar eu
  por outros 159
 natureza e funções 177
 onisciente 98
 o que é 184
Sabedoria Fundamental 236

Sabedoria onisciente. *Ver* mente
 onisciente
Samsara 56-70, 173, 182-183, 189,
 220, 231, 283
 ciclo sem fim 52, 56
 desde tempos sem início 49, 78
 não há felicidade pura e verdadeira
  no samsara 49, 58, 66, 68, 99
 não há liberdade ou controle no
  samsara 32, 34, 49, 66, 102,
  147, 172
 natureza do 183
 natureza do samsara é insatisfação 66-68
 raiz do samsara 140, 142, 236
 na vacuidade não há samsara
  nem nirvana 245
Saúde 81, 148, 201, 221, 275
 e evitar extremos do materialismo
  e da espiritualidade 12
Segunda profundidade da vacuidade
 (profundidade do convencional) 233
Seis perfeições 124, 210
Seis reinos 46-49, 147, 199
Self existente e fenômenos existentes
 229
Semente búdica. *Ver* natureza
 búdica
Sementes das ações 46
Sementes das delusões 153
Semideuses 47, 77
 dar por meio de amor o que eles
  precisam 199
Senhor da Morte g, 31
Sensação g
 desagradável 10, 85
Sensações (fator mental) 224
Senso de vergonha. *Ver também*
 consideração pelos outros;
 disciplina moral 74-77

essência da disciplina moral 75, 76
Ser comum, seres comuns g, 21,
 116, 124, 135, 141–142
 aparências aos seres comuns 217,
  238, 240
 ser que não realizou diretamente
  a vacuidade 240
Ser do estado intermediário 102
Ser realizado 134
Ser superior 168, 239, 243
 e verdade última 239
Seres-do-inferno 48, 52, 69, 77,
 170, 176
 dar por meio de amor o que eles
  precisam 199
 sofrimento 173
Seres humanos 3, 77, 89
 dar por meio de amor o que eles
  precisam 199
Seres iluminados. *Ver também*
 Buda 71, 98
 seres sencientes são como seres
  iluminados 127
Seres sagrados g, 135
Seres sencientes. *Ver* seres vivos
Ser superior g
Seres vivos g
 desejo básico 3
 incontáveis 97, 154
Serlingpa 206
Sessão de meditação. *Ver também*
 intervalo entre meditações;
 meditação 131, 209–210
Sete sofrimentos samsáricos
 humanos. *Ver* sofrimentos
 samsáricos humanos
Shantideva g, 118, 126, 142, 159,
 164, 190, 198, 215, 216, 219,
 221, 222, 239, 278
Singularidade e pluralidade 231

vacuidade da singularidade e da
 pluralidade 234–235
Sofrimento. *Ver também* três
 sofrimentos samsáricos 78,
 88, 97, 188–190, 285
 aceitar o sofrimento. *Ver também*
 paciência, de voluntariamente aceitar o sofrimento
 164
 dos animais 69, 170
 base para experienciar 144
 boas qualidades do sofrimento
  189–190
 causas do sofrimento 7–11, 16,
  42, 111, 182, 202
 cessação permanente do 89–90, 93
 concepções dos oito extremos,
  raiz do sofrimento 236
 desejo de evitá-lo 87
 está na mente, é uma parte da
  mente 10
 libertação do 87
 manifesto 169–171
 meditação sobre o sofrimento
  156, 169–173
 meditar na vacuidade é a solução
  universal 250
 raiz do sofrimento 98
 são semelhantes a alucinações
  128, 212
 da separação 65, 78
 dos seres-do-inferno 173
 dos seres humanos 56–70
 sofrimento-que-muda 159, 185,
  198
 verdadeiro sofrimento 56
Sofrimento-que-muda 185, 198
Sofrimentos samsáricos humanos,
 sete
 doença 32, 58–60, 66, 78

envelhecimento 32, 60-63, 78
morte 32, 63-65, 66, 78
não ter os desejos satisfeitos 78
nascimento 56-58
ter de se defrontar como que não gostamos 65-66
ter de se separar do que e de que gostamos 65, 78
Solidão 110, 169
Solos e Caminhos Tântricos 162
Sonho(s) 11, 22-23, 233, 249-250
   analogia com o sonho 147, 177
   aparências oníricas 213, 232, 238, 249
   exemplo do elefante sonhado 213
   fenômenos são como sonhos 10, 23, 214
   mente de sonho 10, 213
   mera aparência à mente 232, 238, 250
   mundo do sonho 213
   significado 23
   validade relativa 238
Suicídio 21, 144, 145
Sutra g
   prática de Sutra 240
Sutra Coração g, 244
Sutra Perfeição de Sabedoria Condensado 216
Sutra Rei da Concentração 248
Sutras Perfeição de Sabedoria g, 236
Sutras Vinaya g, 183

T

Tantra. *Ver também* trazer o resultado para o caminho g, 162, 195
Tantra Ioga Supremo
   quarta iniciação do 243

Tempo de vida 32, 33, 37
Tempos degenerados g
Tempos sem início g, 49, 100, 116, 141, 228
Terra Búdica 186
Terra Pura g, 90, 176, 203, 210
   renascer em uma Terra Pura 198
Tolerância 154, 165
Tomar, prática de 189-197
   benefícios 192-193
   meditação propriamente dita 193-198
   montar a prática na respiração 201
   significado 187
   tomar o próprio sofrimento 190-192
Tomar e Dar, prática de 187-204
   benefícios 187, 192-193, 202-203
   e desenvolvimento da bodhichitta 187, 205
   montar a prática na respiração 201-202
Tradição Kadampa g
Tranquilo-permanecer que observa a vacuidade 253
Transferência de consciência 21
Transformar condições adversas em caminho. *Ver também* paciência, de voluntariamente aceitar o sofrimento 150
Transformar a mente. *Ver também* controlar a mente 16-17
Trazer o resultado para o caminho. *Ver também* autogeração 195
Treinar a Mente em Sete Pontos g, 149, 153, 223, 249
Treino da mente g, 159-160, 165, 203
   ponto principal do treino da mente 132

Três escopos. *Ver* escopos, três
Três Joias. *Ver também* Joia Buda; Joia Dharma; Joia Sangha 72, 168
Três Aspectos Principais do Caminho para a Iluminação, Os 278, 284–286
Três sofrimentos samsáricos 285
Três treinos superiores 91–93
Trocar eu por outros 104, 139–164
   a prática propriamente dita 163–165
   como é possível? 160–163
Tsunda, Deusa iluminada 73

U

União das duas verdades 242–247
Upala, história de 44

V

Vacuidade. *Ver também* bodhichitta última; realização da vacuidade; vacuidade do eu; verdade última 49, 80, 90, 92, 151, 211–252, 222, 254, 285–286
   aplicação da vacuidade no intervalo entre meditações 244
   base convencional 244
   e base convencional são a mesma natureza 244–246
   base para treinar a bodhichitta última 211
   do carro 216
   como meditar sobre a vacuidade 241–242
   do contato obstrutivo 247
   do corpo 215–223, 224, 233, 243–244, 251
   dependente-relacionada 233
   da desintegração. *Ver também* vacuidade, da produção e da desintegração 233
   diferente de vazio 211
   equilíbrio meditativo semelhante-ao-espaço na vacuidade 241
   estudo da vacuidade 242
   existe por convenção 223
   dos fenômenos impermanentes 233
   fenômenos não são algo além que vacuidade 217
   dos fenômenos permanentes 231, 233–234
   dos fenômenos produzidos 232
   identificar o objeto negado 225
   imagem genérica da vacuidade 228, 229, 230
   ioga de equalizar o samsara e o nirvana 245
   do ir e do vir 234
   do livro 222
   manifestações da vacuidade 232, 244, 246
   meditação sobre a vacuidade do corpo 217–221, 251
   meditação sobre a vacuidade do eu (ou *self*) 225–228, 251
   meditação sobre a vacuidade da mente 224
   meditação sobre a vacuidade de todos os fenômenos 252
   da mente 223, 223–224, 245
   e nada, ou inexistência 250
   não é inerentemente existente 233
   não é o vazio de pensamentos conceituais 231
   objeto negado pela vacuidade 226, 247–248

e paz mental 250
percepção não equivocada da vacuidade 230
prática da vacuidade em nossas atividades diárias 248-250
da produção e da desintegração. *Ver também* vacuidade, da desintegração 232-233
realização direta 49, 70, 211, 222, 225, 229, 240, 253
erradicar agarramento ao em-si através da 153
segunda profundidade da vacuidade (profundidade do convencional) 233
semelhante-ao-espaço 221, 228, 241
da singularidade e da pluralidade 231, 234-235
sinais de uma meditação correta na vacuidade 228
sinônimos 239
solução universal dos problemas 250
todas as vacuidades são a mesma natureza 244-246
de todos os fenômenos 128, 213, 223, 224, 231-236, 241, 252-253
vacuidade carece de existência inerente 233
vacuidade da vacuidade 223, 233, 239
Vacuidade do eu. *Ver também* mera ausência, do *self* que normalmente vemos 225-231, 241, 251
identificar o objeto negado 225
que normalmente percebemos 241
Vajrayogini g, 162-163
Ventos interiores g, 22, 202

Verdade. *Ver também* duas verdades, união das duas verdades; verdade convencional; verdade última 222
sinônimo de vacuidade e verdade última 239
verdade real 239
Verdade convencional 222
densa e sutil 238
é um fenômeno enganoso 237
sutil 242-243
verdades convencionais são objetos falsos 237-239
e verdade última 236-242
Verdade enganosa 220, 237-239
Verdade última. *Ver também* união das duas verdades; vacuidade 210, 211, 242-243
definição 239
e verdade convencional 236-242
sinônimos 239
Verdadeira natureza. *Ver também* natureza última 220
do corpo 220-221
dos fenômenos 222, 231
sentido da vida humana é se concentrar na verdadeira natureza dos fenômenos 220
Verdadeiro sofrimento g
Verdades relativas e falsidades relativas 238
Vida diária, integrar prática espiritual na 209-210
Vida humana. *Ver também* preciosa vida humana
meta última e significado 93, 112, 178, 236, 253
preciosa 55
preciosa, rara e significativa 4
significado 16

significativa 30, 126
Vidas futuras. *Ver também*
   renascimento 19, 26, 34, 273
  incontáveis 78
  sofrimento das 87
   cessação do 236
  libertação dos 69
Vidas passadas. *Ver também*
   renascimento 102
  incontáveis 105
Vigilância (fator mental) g, 157, 228, 254

Visão equivocada 235
Visão de mundo 101, 120, 139
Visão errônea, sustentar
  ação negativa mental 50
Visão extrema 235
Visão superior g, 253
Voto bodhisattva 149
Voto, votos g, 76
  Bodhisattva 149

Encontre um Centro de Meditação Kadampa Próximo de Você

Para aprofundar sua compreensão deste livro e de outros livros publicados pela Editora Tharpa, assim como a aplicação desses ensinamentos na vida diária, você pode receber ajuda e inspiração de professores e praticantes qualificados.

As Editoras Tharpa são parte da comunidade espiritual da Nova Tradição Kadampa. Esta tradição tem um número crescente de Centros e filiais em mais de 40 países ao redor do mundo. Cada Centro oferece programas especiais de estudo em Budismo moderno e meditação, ensinados por professores qualificados. Esses programas são fundamentados no estudo dos livros de Venerável Geshe Kelsang Gyatso Rinpoche e foram concebidos para se adequarem confortavelmente ao estilo de vida moderno.

Para encontrar o seu Centro Kadampa local, visite:
tharpa.com/br/centros